D0271545

# De tuinen van

# de doden

# WILLIAM BRODRICK

## De tuinen van
## de doden

UITGEVERIJ LUITINGH

© 2006 William Brodrick
All rights reserved
© 2006 Nederlandse vertaling
Uitgeverij Luitingh ~ Sijthoff B.V., Amsterdam
Alle rechten voorbehouden
Oorspronkelijke titel: *The Gardens of the Dead*
Vertaling: Caecile de Hoog
Omslagontwerp: Pete Teboskins
Omslagfotografie: Mark Pennington / Duncan Spilling TWBG

ISBN 90 245 4295 2 / 9789024542956
NUR 305

www.boekenwereld.com

Voor *The Passage*

# Dankwoord

Voor hun eindeloze geduld, steun en raad dank ik Ursula Mackenzie, Joanne Dickinson, Araminta Whitley, Pamela Dorman, Beena Kalmani, Austin Donohoe, Victoria Walker, Catherine Browne, Stephen Guise, Jean-Baptiste Koetschet OSB, David Middleton OSA. En zoals altijd ben ik de kloostergemeenschappen van Bec veel dank verschuldigd.

Een van de hoofdfiguren houdt zich bezig met de vraag of het kwaad ongedaan kan worden gemaakt. Ik kreeg het eerste idee voor dit thema tijdens een lezing die werd gegeven door aartsbisschop Anthony van Sourozh.

Ten slotte ben ik Anne en onze drie kinderen er intens dankbaar voor dat ze mij in alle stadia hebben bijgestaan en het specifieke gewicht van het schrijven van een tweede roman met mij hebben willen delen.

## Noot

Zoals de toespelingen op John Bunyans *The Pilgrim's Progress* hopelijk duidelijk maken, is een groot deel van het landschap van dit boek aan mijn fantasie ontsproten of symbolisch bedoeld. Ik vraag clementie aan de lezers die bijvoorbeeld zullen constateren dat er geen 'Four Lodges' bestaan in de Hornchurch Marshes.

De gilbertijnen waren een Engelse religieuze orde die de Reformatie niet heeft overleefd. Waar verwezen wordt naar 'de Regel' wordt de Regel van Benedictus bedoeld.

*Gelukkig de slaap waaraan geen droom ontsproot,*
*voor geen ademtocht verbijsterd,*
*uit de Tuinen van de Dood.*

WALTER DE LA MARE
'Dust to Dust'

# Proloog

Doelbewust liep Elizabeth Glendinning QC langs het Regent's Canal in Mile End Park naar een schragentafel vol met rommel uit de huizen van de doden. Achter de tafel zat Graham Riley uitgezakt op een klapstoel, malend met zijn kaken alsof hij een wrange smaak in zijn mond had. Aan haar rechterkant sisten worstjes en uien op een bakplaat, ontsnapte stoom uit een kan, stonden rekken volgestouwd met kleren, lagen brokstukken van huizen op een deken met een bordje 'architectonische vondsten' erbij, en waren werktuigen van weleer – roestig, robuust, mannelijk – tegen een gedeukte bestelbus aangezet. Elizabeth liep dit alles voorbij zonder er echt naar te kijken. Ze hield haar blik liever gericht op het rustige water aan haar linkerhand, en afgewend van Graham Riley.

Hoewel ze toch veel spanning gewend was geweest, stond Elizabeth deze ochtend onder een ondraaglijke druk: ze had twee grootse plannen bedacht met als doel deze man van zijn klapstoel de rechtbank in te krijgen, zodat hij zich zou moeten verantwoorden tegenover zijn vele slachtoffers. Het eerste plan, waar ze maanden mee bezig was geweest, stond op het punt werkelijkheid te worden.

Riley keek op en de blik die hij over de herfstmarkt wierp drukte een en al ongeloof uit.

Elizabeth was in hoffelijk zwart gekleed. Ze droeg geen make-up, en had haar haar voor een astronomisch bedrag minutieus laten knippen. Door de zenuwen zag ze bleek en haar lippen hadden een vreemde kleur, alsof al het bloed eruit was weggetrokken.

Rileys kaken waren tot stilstand gekomen. Hij zag eruit als een uitgemergeld, angstig jongetje te midden van kapot speelgoed. Elizabeth was het medelijden echter allang voorbij; ze was opgestegen tot het geheimzinnige, verstilde domein waar rechtvaardigheid en genade elkaar ontmoeten. Terwijl ze haar adem inhield, op dit beslissende moment waar zo veel inspanningen en opofferingen aan vooraf waren gegaan, nam ze een set edwardiaanse lepels in haar hand.

Plotseling bevangen door duizeligheid en een snelle opeenvolging van hartkrampen wankelde Elizabeth terug in de richting van waaruit ze gekomen was, langs het gladde, groene kanaal. Achter het stuur van haar citroengele kever zakte ze in elkaar vol verbijstering over haar onoplettendheid: ze had weliswaar alle feiten boven tafel gekregen, maar verzuimd er het wetboek op na te slaan. Op de passagiersstoel lag de oranje folder die haar naar Rileys kraam had gevoerd. Met bevende hand maakte ze er een prop van die ze met kracht de asbak in duwde. Het zweet brak haar uit en ze werd kortademig. Terwijl er een vreemd plechtig gevoel over haar kwam – zoiets als wanneer een nog onzichtbare trein zich met een gonzend geluid in de rails kenbaar maakt – pakte ze haar mobiele telefoon van het dashboard en belde inspecteur Cartwright, waarbij ze ervoor zorgde alleen een boodschap achter te laten. Vervolgens belde ze mevrouw Dixon. Er leek een wind op te steken en Elizabeth liet midden in haar zin de telefoon uit haar hand vallen. In de trage seconden die haar nog restten, verscheen er nog een laatste, innemende lach op haar gezicht.

Ja, ze was ontroostbaar. Nooit zou ze Charles, haar echtgenoot, meer zien… Hij was op Smithfield Market en maakte zich zorgen over de toekomst; noch Nicholas, haar argeloze zoon… die zich waarschijnlijk bij de Barrier Reef bevond en omringd werd door felgekleurde vissen; noch George, haar vriend en handlanger die onder een brandtrap op haar wachtte. Zeker, in het licht van de grootse plannen die ze had, kwam de dood te vroeg. Zoals altijd gooide hij roet in het eten. Toch kon Elizabeth erom lachen, en dat deed ze ook. Het waren precies deze omstandigheden waarvoor ze maatregelen getroffen had. En er was nog één plan dat nog niet beproefd was – het meest vérstrekkende en serieuze van allemaal.

Haar hart werd wonderbaarlijk stil.

Plotseling kreeg Elizabeth het koud. Het leek alsof ze zich hoog boven de wolken bevond en nu eindelijk op de aarde neerdaalde. Terwijl ze in het zonlicht naar beneden tuimelde, dacht ze: het moment is aangebroken voor de nietsvermoedende vriend, voor de verwonderde monnik aan wie ik de sleutel heb gegeven.

# DEEL EEN

## Het verhaal van een sleutel

# I

Anselmus reed over een slingerend weggetje tussen de appelbomen van Saint Leonard's Field terug naar Larkwood. De scooter stuiterde over graspollen en Anselmus boog zijn hoofd terwijl hij Steve Mc-Queen voor zich zag in de slotscène van *The Great Escape*. Hij kon de omheining zien en in een levendige dagdroom zag hij zichzelf hoog over het prikkeldraad zeilen, weg van de booswichten die hem naar de bajes af wilden voeren.

Zachtjes fluitend duwde Anselmus de scooter in de oude houtschuur, waar hij broeder Louis tegenkwam, de koormeester.

'Hallo,' zei Anselmus. 'Hoe was het?'

'Afschuwelijk.' Hij was tien dagen intern op een counselingcursus geweest. 'Ik moest over mezelf praten. Van dat confronterende gedoe.'

'O, wat een ramp.'

Louis zat op een boomstronk. Hij was lang en leek zichzelf op te vouwen. Zijn wenkbrauwen waren koperkleurig en stonden recht naar voren, alsof er een stroomstoot doorheen was gegaan. Anselmus rolde twee sigaretten, gehoor gevend aan een stille wenk van Louis.

'Alles in aanmerking genomen,' zei Louis peinzend, 'heeft het me toch enigszins opgelucht.'

'Werkelijk?'

'Ja. Het is toch niet de schuld van mijn ouders.' Langzaam blies hij de blauwe rook uit. 'Het is mijn eigen schuld.'

'Laat je niet misleiden.'

Louis knikte in de richting van de scooter. 'Waar ben jij geweest?'

'Hout gekocht om de oevers van de Lark mee te verstevigen.'

'Ik mag hopen dat je het bonnetje nog hebt.'

Anselmus had het in de vuilnisbak gegooid. 'Hoezo?'

'Cyril heeft het op zijn heupen. Het is de tijd van het jaar, vrees ik. Hij is de boekhouding aan het doen en er zijn achtentwintig pence die hij niet kan verantwoorden.'

Als keldermeester was Cyril verantwoordelijk voor de financiën van het klooster; hij was het commerciële brein achter verschillende activiteiten voortvloeiend uit de appel- en pruimenoogst. Verminkt geraakt na een ongeluk in een fabriek, voor hij op Larkwood was ingetreden, had Cyril het postuur en het karakter van een eenarmige bandiet vol met fruit en cijfers.

'Over krankzinnigheid gesproken,' vervolgde Louis, terwijl hij in de zak van zijn habijt naar iets zocht, 'de oude Sylvester heeft dit in mijn postvakje gestopt.'

Anselmus vouwde het papiertje open: 'Elizabeth heeft gebeld. Roddy is dood.'

Roderick Kemble QC, hoofd van het kantoor waar Anselmus als advocaat had gewerkt, vriend en leidsman uit lang vervlogen tijden. 'O god.'

Hij rende naar de receptie, waar Sylvester met de knopjes worstelde in een poging een verbinding naar buiten tot stand te brengen. Anselmus bleef in de buurt, popelend om zowel de hoorn van de telefoon als Sylvesters strot vast te grijpen – dit gebeurde wel vaker op Larkwood – maar even later kon hij zijn telefoongesprek voeren en werd een steeds sterker wordend vermoeden bevestigd: 'Ik ben er nog,' zei Roddy, 'maar Elizabeth niet.'

Anselmus stapte naar buiten, het zonlicht in. Hij keek in de richting van Saint Leonard's Field alsof hij gewaarschuwd was; en hij dacht aan de sleutel.

Anselmus ging naar een rustig plekje bij de rivier – de plek waar hij Elizabeth mee naartoe had genomen toen ze hem drie weken geleden ineens was komen opzoeken. Een smal bloembed liep langs een muur naar een boog. Toen hij onder de boog was doorgelopen, ging hij rechtsaf en nam plaats op een bank van gladde stenen die afkomstig waren van de middeleeuwse abdij en ooit door een van de tractoren omhoog waren gewoeld. Voor hem klaterde de Lark tussen met zwarte boomstammen verstevigde oevers. Elizabeth had naast hem gezeten. 'Ik heb je hulp nodig,' had ze zachtjes gezegd.

Nu hij terugdacht aan dat gesprek, herinnerde Anselmus zich een onverwachte ontmoeting die hij tien jaar daarvoor met haar had gehad – hun laatste ontmoeting voor hij de advocatuur verliet. Binnen een maand zou hij naar Larkwood verhuizen. Hij had thuis in Finsbury Park zitten luisteren hoe Bix Beiderbecke het nummer 'Ostrich Walk' eruit knalde, toen de bel ging (Anselmus was gek van alle jazz die dateerde van voor een niet nader gedefinieerd maar tragisch moment ergens in de jaren vijftig). Het was Elizabeth, een doos bonbons van Milk Tray onder haar arm geklemd.

'Ik denk niet dat je zoiets verrukkelijks ooit in het klooster zult proeven,' zei ze.

Ze zaten in het kleine tuintje van Anselmus waar ze de bonbons opaten en herinneringen ophaalden terwijl Bix inmiddels bij 'Goose Pimples' was aangekomen. Ze hadden het over het werk en het vreemde compromis dat het inhield.

'We bevinden ons altijd op een eiland,' zei ze, 'die kille plek waar je niets echt weet en niet in staat bent tot medeleven.' Haar steile zwarte haar viel naar voren, het was heel precies geknipt, zoals dat van een koningin uit de tijd van de farao's. Aan één kant leek het gemarmerd doordat er een zilvergrijze lok doorheen liep die zich nog niet zo lang geleden heel plotseling, bijna van de ene op de andere dag, had geopenbaard. 'We weten nooit of ze schuldig zijn, en we kunnen het ons niet aantrekken als ze onschuldig zijn. Dit is natuurlijk ook omkeerbaar. Toch trekken we het ons wél aan; meer dan de meesten. Maar we zijn van ons geweten afgesneden.' Ze keek naar haar handen, en inspecteerde haar handpalmen. 'Ik ben er zeker van dat ons allemaal een zaak wacht die ons uit onze onwetendheid haalt, ons medeleven oproept en ons weer in contact brengt met ons geweten.'

Anselmus reikte naar de pralines en Elizabeth lachte flauwtjes.

Nu hij eraan terugdacht werd Anselmus weer getroffen door de kracht die achter haar woorden voelbaar was, want zoals bij veel aanklagers het geval was, was ook Elizabeth geneigd elke beklaagde als schuldig te beschouwen. Het was een soort infectie die je opliep wanneer je te vaak te maken had gehad met flinterdunne bewijsvoeringen. 'Je boft maar dat je van dit alles bent weggeroepen,' zei ze, en voegde er ondeugend aan toe: 'Was het een stem die je riep?'

'Een zachte,' zei Anselmus. 'Ik heb moeten leren luisteren.'

Haar vraag was schertsend bedoeld geweest, maar nu was ze weer ernstig. 'Hoezo?'

'Een stem die doorklinkt in je verlangens.'

Elizabeth dacht even na, en keek alsof ze het voegwerk van de tuinmuur bestudeerde. 'Luister je door aandacht te schenken aan wat je wilt doen?'

Aarzelend begon Anselmus uit te leggen wat hij had geleerd. 'Ja, maar het ligt dieper dan welk verlangen ook. Het laat je niet meer los. En zelfs dan heb je nog steeds een gids nodig, iemand die weet hoe gevoelens werken. Voor het geval je jezelf voor de gek houdt.'

Elizabeth leek zich vast te klampen aan iets wat hij had gezegd. 'Iemand die je helpt een stem te duiden die niet meer zwijgt.' Het leek wel alsof ze besloten had non te worden. Ze wist er al alles van.

'Precies.'

'En als je het zou negeren, zou je een beetje doodgaan?'

Glimlachend keek Anselmus naar het gordijn van haar met de zilvergrijze strepen. Ze meende het toch niet echt. Waarschijnlijk had ze een handboek gelezen over het geestelijk leven.

Elizabeth vervolgde: 'Dus je hebt geen keus?'

'Niet echt.' Het was haar toch ernst. Anselmus wilde dat ze weer plagerig deed, maar die stemming was vervlogen. 'Ik krijg het gevoel dat God niet zo gebrand is op een dialoog. Dat krijg je als je altijd weet wat het beste is.'

Ze brak de tweede laag pralines aan. 'En zijn ze erg streng, die monniken?'

'Niet echt... Nou ja, ze zijn het wel... maar over dingen waar de meeste mensen niet zwaar aan zouden tillen.'

'Dus je kunt er wel zo nu en dan op uit om een boodschapje te doen?'

'Dat is aan de prior om te beslissen.'

'Wat is hij voor iemand?'

Anselmus dacht aan de verschillende antwoorden die hij nu zou kunnen geven: dat hij een man van weinig woorden was, dat hij je altijd één stap voor was, maar hij zei: 'Hij prikt je illusies door.'

Bij de deur kuste ze hem op zijn wang en zei: 'Ik zal onze gesprekjes missen.'

Dit was een waarheid die ze geen van tweeën ooit verwoord hadden: op vrijdag verlieten ze vaak als laatsten de ambtsvertrekken. Dan zaten ze nog een kwartiertje met hun voeten op de tafel in de koffiekamer over het leven te praten, waarbij ze de pijnlijke onderwerpen niet schuwden. Daarbij was echter een eigenaardigheid in Elizabeths persoonlijke relaties aan het licht gekomen. De verschillende aspecten van haar leven – de rechtbank, haar gezin, het Vlindergenootschap enzovoort – waren afzonderlijke compartimenten, als bedden in een ziekenzaal waren ze van elkaar afgeschermd. Voorzover Anselmus zich bewust was, kwamen de verschillende sferen nooit bij elkaar rond dezelfde tafel. Hij kende de andere aspecten van haar leven alleen van horen zeggen. Het had hun gesprekken betekenisvol gemaakt terwijl hij tegelijkertijd op een afstand werd gehouden.

Anselmus ging naar bed met de ongemakkelijke zekerheid dat Elizabeth, zoals alle juristen die onderzoek doen, iets te weten probeerde te komen zonder hem te vertellen wat dat was. En terwijl hij aan het woord was geweest had hij zich niet aan de indruk kunnen onttrekken dat Elizabeth zelf had willen praten maar dat de behoefte was weggeëbd. Nog dagen daarna moest hij denken aan die zilvergrijze lok in haar haar. Hij kwam tot de slotsom dat ze heel aantrekkelijk was. Het was alsof hij dat nog nooit eerder had opgemerkt.

'Ik heb je hulp nodig,' had ze tien jaar later gezegd, op rustige toon.

Weer was ze onaangekondigd voor zijn deur verschenen. Anselmus had haar meegenomen naar de stenen bank bij de Lark. Het langwerpige bloembed stond vol met stralende narcissen en wilde klaprozen. Ze was nauwelijks veranderd. Hoewel ze tegen de zestig liep, was haar haar nog steeds gitzwart met die zweem van zilver erdoorheen die nu iets doffer was geworden.

'Ik heb je eens gevraagd of je nog de vrijheid zou hebben om een boodschapje te doen, weet je nog?'

Anselmus knikte.

Ze stak haar hand in haar tas en haalde er een doos Milk Tray uit. 'Jij mag de praline met karamel hebben.' Bix leek ook van de partij te zijn, want in de verte klonk 'Ostrich Walk'.

Anselmus zweeg. Dat was tenminste iets wat het kloosterleven hem geleerd had: dat hij wist wanneer hij zijn mond moest houden.

Met een subtiel gebaar streek Elizabeth haar haar achter haar oor. Haar profiel tekende zich prachtig af tegen het wazige roze silhouet van Larkwood. Terwijl ze haar blik op de rivier gericht hield, begon ze te praten. 'Ik ben bezig orde op zaken te stellen in mijn leven. Het valt niet mee, maar je kunt altijd wel iets doen, denk je ook niet?'

'Zeker.'

'We kunnen niet lauwhartig zijn. Alleen dan hebben we nog kans op genade of beloning.'

'Zeker.' Die zou hij zondag gebruiken. Hij wachtte, weer zwijgend. Elizabeth pakte een envelop uit haar zak, draaide zich naar hem om en zei: 'Zou je iets voor mij kunnen doen?'

'Natuurlijk.'

'Hier zit een sleutel in en een adres.'

Anselmus pakte de envelop aan.

'Als ik doodga – dat kan gebeuren – doe er dan iets mee.' Ze keek om zich heen, naar de rivier, de kruidentuin, de bogen van de ruïne van de oude abdij. 'De sleutel is van een kluis. In die kluis vind je alles wat je moet weten.'

Ze stond op en liep naar de oever van de Lark. Anselmus volgde haar op enige afstand, bevreemd over haar ernst en zijn nieuwe verantwoordelijkheid. Ze luisterden naar het kabbelende water. Het was herfst. Aelred had op de oever aan de overkant een rij potten met planten neergezet, alsof ze het uitzicht mooi zouden vinden, maar de meeste hadden zich naar het zonlicht gekeerd. Zachtjes zei Elizabeth: 'Je zei een keer dat het negeren van een stem je berooid achter zou laten.' Met spijt in haar stem vervolgde ze: 'Jij hebt geluisterd. Ik heb me afgewend.'

Anselmus zei: 'Het is nooit te laat.' Het was een zwaktebod en het klonk vreselijk.

'Dat hoop ik maar.'

'Alles is altijd nog ten goede te keren.' Dat was nog erger. Hij wist niet eens wat hij bedoelde, maar het klonk bemoedigend. Hij probeerde een soort serieuze grap te maken. 'Wees niet onverschillig.'

Elizabeth knikte bedachtzaam, haar blik nog steeds op de Lark gericht. Op lichtere toon vervolgde ze: 'Je kunt niet altijd alles aan je kinderen uitleggen. Mocht het nodig zijn, zou jij Nicholas dan willen helpen het te begrijpen?'

'Ja, natuurlijk.'

Samen liepen ze naar het parkeerterrein tussen de pruimenbomen. Het fruit was zacht, klaar om van de boom te vallen. Elizabeth kuste hem snel ten afscheid en begon toen naarstig naar haar sleutels te zoeken om aan zijn aandacht te ontkomen. Weer had Anselmus het gevoel dat ze was gekomen om hem iets te zeggen maar er toch van had afgezien. Nadat ze was weggereden, liep hij dezelfde weg terug om de ongeopende doos bonbons te halen.

Anselmus bleef bij de rivier zitten peinzen over deze twee ontmoetingen – opwellingen die, zo leek het, verband met elkaar hielden ondanks het feit dat ze door vele jaren gescheiden waren. Voor hij de kans kreeg zijn verbeelding in werking te zetten op zoek naar een verklaring, begonnen de klokken van Larkwood te beieren en werd hij opgeroepen tot de vespers. Terwijl hij door de kloostergang snelde, zag hij een groepje monniken bij elkaar staan in de zuidelijke galerij. Hij bleef staan om naar hun gedempte stemmen te luisteren. Een vrouwelijke politiefunctionaris – Cartwheel genaamd – was enkele minuten geleden aangekomen voor een gesprek met de prior. Sylvester was folders neer gaan leggen op de tafel bij de deur (dat deed hij altijd om een excuus te hebben voor het feit dat hij stond te luisteren) en had het woord 'moord' opgevangen. Iedereen leek het erover eens te zijn dat Sylvester het weer eens verkeerd begrepen had.

# 2

Nick Glendinning had zich in de bijkeuken verstopt.

De begrafenis was omgevlogen maar aan het condoleren leek geen einde te komen. Er waren nog steeds gasten in de zitkamer en in de gang die vol medeleven vragen stelden over van alles, behalve over zijn moeder. Een dikke zakenman die iets hoogs was bij British Telecom (een cliënt en vriend van Charles, zijn vader) was de laatste die zich op het geijkte pad begaf:

'Ik hoor dat je in Australië bent geweest?'

'Ja.'

'Wat leuk. Heet?'

'Ontzettend.'

De dikke directeur nam een slokje sherry. Hij kon zijn ogen niet stil houden en had, alsof dat erbij hoorde, boven zijn oren witte krulletjes die zich niet plat lieten kammen. Hij schuifelde ongemakkelijk heen en weer. 'Nog kangoeroes gezien?'

'Massa's,' antwoordde Nick. 'En koala's – van die dikke kleine beren die met je knuffelen.'

'Mijn god. Leven die niet in eucalyptusbomen?'

'Ja.'

'Fantastisch.' Hij keek om zich heen alsof hij hulp nodig had. 'Het is jammer dat je niet op tijd terug was, ik bedoel… gezien wat er gebeurd is.'

'Ja.'

'Ik moet zeggen dat je moeder een tamelijk bijzóndere vrouw was.' Hij had zijn glimmende hoofd geschud en Nick was naar de bijkeuken gevlucht.

Waar hij ook zijn hoofd schudde. Hij was ongeveer een jaar weg geweest. Al sinds zijn elfde was hij van plan geweest te gaan reizen maar hij was pas echt in een vliegtuig gestapt toen hij zesentwintig was. En nu was hij alweer terug, en verschool hij zich in zijn ouderlijk huis in St. John's Wood voor mensen die hij amper kende. De eindeloze ceremonie, die inhield dat je blijken van medeleven moest incasseren, vereiste geduld en erkentelijkheid en geen van beide kon hij opbrengen. Hij had hoofdpijn. Hij was zonder onderbreking door verschillende tijdzones gereisd: de trein naar Sydney, de vlucht naar Singapore, de lange ruk naar Manchester, gevolgd door het korte tripje naar Londen – een krankzinnige reis maar de snelste manier om thuis te komen. Toen hij twee dagen geleden eindelijk zijn vader omhelsde bevond zijn lichaam zich nog in Queensland. Thuisgekomen trof hij een onvoorstelbare leegte aan in het hart van wat hem het meest vertrouwd was. Zittend op een voetenbankje vroeg hij zich af hoe hij ooit weg had kunnen gaan.

De eerste reiskoorts had hem bevangen tijdens koude winteravonden, als zijn vader hem bij de haard avonturenverhalen voorlas over expedities die gefinancierd werden door een of andere commissie die zich voor de Mensheid inzette, voor Kennis of voor Geografisch Onderzoek. Dit was de wereld van mannen die hun baard lieten groeien voor de reis, en kaki kleren droegen en machetes bij zich hadden. De romantiek van zwerftochten door de wildernis had zijn jongensziel in vuur en vlam gezet en dit zou niet meer veranderen, zelfs niet toen hij naar school ging en hoorde over de koloniale onderdrukking en de opkomst van het vliegtuig.

Misschien was het wel de geest van de grote filantropen geweest die hem ertoe had gebracht medicijnen te gaan studeren. Het was zelfs zo dat hij als student in Edinburgh met het idee gespeeld had om (ooit) een kliniek op te zetten aan de oever van de Amazone – een gedachte die hij voor zichzelf hield – en dat wees er al op dat 'het gewone leven' niet veel aantrekkelijks inhield voor iemand die zich het meest thuis voelde in een kano. Nick zag zijn toekomst eerder bij Artsen zonder Grenzen of als naaste medewerker van Moeder Theresa dan in een doorsnee dokterspraktijk in Engeland.

De tweede bron die zijn reislust aanwakkerde was een onverwachte: de omgang met zijn moeder. Ergens in zijn groei naar de volwassenheid was er een ondefinieerbare spanning tussen hen ontstaan, een spanning die zich niet zozeer uitte in confrontaties als wel door een verlies aan gelijkgestemdheid: die plooibaarheid, die bereidheid van kinderen om zich te voegen naar het leven van hun ouders.

Als jongen zag Nick Elizabeth zelden voor negen uur 's avonds, maar dan kwam ze ook bij hem op de bedrand zitten en praatten ze met elkaar tot het veel later was dan goed voor hem was. Ze hadden geen geheimen voor elkaar. Hij sprak zijn oordeel uit over zijn leraren en zij velde het vonnis. Zo werd meneer Openshaw, het hoofd van de school, eens veroordeeld tot een week in een vakantieoord met een knijper op zijn neus. Dit was de tijd van het grote bondgenootschap tegen alles wat Verstandig en Oppassend was, tegen de Volwassenen. Merkwaardigerwijs begon de verwijdering niet met botsende ideeën – hoewel ook die in het verschiet lagen – maar met zijn omvang. Het begon allemaal toen hij door het huis ging denderen en aan tafel van alles liet vallen doordat hij ten prooi was gevallen aan een overdaad van adrenaline. Naarmate hij breder werd en boven haar uit begon te torenen, werd zij brozer. Het was alsof ze niet voorzien had dat hij na zijn kindertijd een man zou worden. Nick kon zich de eerste keer dat dit gebeurde niet meer herinneren, maar op een gegeven moment kwam ze 's avonds niet meer naar zijn kamer, en er kwam geen vergelijkbaar ritueel voor in de plaats. Zo wilden ze het allebei, zonder het ooit uit te spreken, misschien zelfs zonder het te weten. Hij lag in het donker en was zich eenvoudigweg bewust van haar aanwezigheid in haar werkkamer, waar ze nog steeds verdiept was in een van haar zaken. Tijdens het ontbijt zag hij aan haar gezicht dat ze al helemaal de sfeer van de rechtbank over zich had. Als het weekend was, was ze steeds pas halverwege een gesprek van de partij, waardoor ze meestal totaal verkeerde conclusies trok. Terwijl hij de volwassenheid steeds dichter naderde, breidde haar werk zich uit om de ruimte van het verdwijnende kind op te vullen. Het maakte deel uit van een symmetrie die hij niet zo leuk vond. Hoewel hij elders een eigen leven wilde opbouwen, was hij toch niet blij met het feit dat zij hetzelfde deed. De avond voor zijn vertrek naar Edinburgh huilde ze: vanwege het verlies maar ook, dacht hij, van opluchting. Van de meeste vrienden die hij maakte hoorde hij hetzelfde verhaal.

Kameraadschap, katers en examens markeerden zijn toenemende onafhankelijkheid. Vanuit dat nieuwe perspectief begon hij zijn moeders onhandigheid te zien als een verworvenheid, als iets groots dat ze had bereikt door kleine, onzelfzuchtige daden. Ze was erin geslaagd haar zoon los te laten, wetend dat ze daardoor naar de waterval zou drijven. Ook zij was een avonturier, dacht hij. Ze had een heroïsch offer gebracht.

Juist toen hij zich deze erkentelijkheid als deel van zijn volwassen inzicht had eigen gemaakt, constateerde Nick tot zijn verbazing dat zijn moeder toch nog bleef dralen op het terrein dat ze nu juist achter zich leek te hebben gelaten. Op een zeker moment dacht hij zelfs dat ze haar verstand had verloren. Vlak nadat Nick was afgestudeerd, smeet ze de voordeur dicht en liep haast op een draf de zitkamer in. 'Je hebt je nog nooit helemaal laten onderzoeken,' zei ze, alsof hij sinds zijn kindertijd roekeloos bezig was geweest.

'Mij mankeert niets.'

'Kan me niet schelen.'

Ze hadden veel meningsverschillen gehad de laatste tijd, dus Nick greep de gelegenheid aan om de vrede te herstellen. 'Goed... laat de dokter dan maar komen.'

Nick had zich een robuuste verpleegster voorgesteld die bloeddrukmetingen deed en zijn buik betastte, maar zijn moeder bleek iets anders voor ogen te hebben. Ze wilde dat al zijn organen werden onderzocht. Ze kibbelden nog wat; en kwamen tot een compromis; zij zou het betalen. Nick onderwierp zich aan röntgenstraling, een ultrasonische scan en een ECG. Nieren, lever en hart. Toen de uitslag kwam en hij helemaal in orde bleek te zijn, barstte ze in tranen uit.

'Wat had je dan gewild?' vroeg Nick.

'Niets,' snikte ze met een vuurrood hoofd. 'Dit was wat ik wilde.' En toen gingen ze naar een restaurant alsof ze zojuist een lastige zaak gewonnen had.

Na die uitbarsting kwam ze 's avonds weer aan zijn bed zitten, maar het werkte niet meer echt. Op een avond begon ze over zijn plannen.

'Wat wil je gaan doen, Nick?'

'Recepten schrijven, zo nu en dan een bevend handje vasthouden.'

'Maar waar? Ik denk dat Londen toch wel aantrekkelijke vooruitzichten biedt.'

Zonder er tegen zijn ouders iets over te zeggen, had Nick al contact opgenomen met Artsen zonder Grenzen en verschillende andere organisaties, die hem allemaal hadden aangeraden eerst enige praktijkervaring op te doen. Nick overwoog dus inderdaad een paar jaar in een praktijk te gaan werken, maar niet een die zo dicht bij zijn ouderlijk huis was.

'Is het een idee om dokter Ferguson in Primrose Hill te benaderen?' vervolgde Elizabeth.

Primrose Hill was vlak bij St. John's Wood, aan de overkant van de weg. Ze wilde hem dus weer thuis hebben. Zijn moeder had een manier gevonden om tegen de stroom in te zwemmen, weg van de waterval, en was vastbesloten te overleven. Meer dan ooit besefte hij dat er afstand moest komen tussen haar behoefte en zijn identiteit.

Nicks vader had haar ontwikkeling van hectische fixatie op het medische onderzoek naar avondlijke vragen over wat hij nu dacht te gaan doen, gevolgd met dezelfde kalme aandacht waarmee hij zich ook over vitrines en plaatjes in boeken boog. Zevenentwintig jaar lang was hij een ongelukkige bankier geweest tot ze hem loosden, een schijnbare vernedering die hem echter de vrijheid had gegeven om vlinders en kevers te bestuderen. Hij was een eenvoudig man die werken als een vorm van het kwaad beschouwde.

'Vermijd het,' zei hij resoluut.

Elizabeth was zojuist naar haar werkkamer gegaan. Het was de dag nadat ze hem had voorgesteld om in Primrose Hill te gaan werken en, alsof het zo had moeten zijn, verschafte Charles Nick een derde reden om te gaan reizen.

'Kijk om je heen. Maak aantekeningen. Laat je meeslepen.' Hij leunde naar voren, luid fluisterend. 'Heb je die grijze streep in je moeders haar gezien? Dat is wat werk met je doet.'

Het grijs was binnen twee weken opgekomen toen Nick zestien was. Zoals hij vervolgens te weten kwam, was er geen medische verklaring voor deze verandering. Nick wendde zich tot legendes wanneer de wetenschap tekortschoot, en iets soortgelijks bleek Thomas More en Marie Antoinette ook te zijn overkomen voor ze geëxecuteerd werden. Hij vertelde het aan zijn vader.

'Precies,' zei Charles. 'Je hebt geen enkele haast. Heb je aan Australië gedacht?'

Dat had Nick niet, maar het idee sprak hem aan. Het beroerde hem tot diep in zijn ziel en riep associaties op met de ultieme reis. Hij zou een hoed kunnen dragen met kurken aan touwtjes eraan. Hij zou een excuus hebben om met een machete in zijn broekriem rond te lopen. Ongeveer een week later belde Charles een oude klant in Brisbane die een neef bleek te hebben met een dokterspraktijk in Rockhampton.

'Waar?' vroeg Nick.

'Rocky.' Charles zweeg een moment alsof hij een miljoen blatende schapen voor zich zag. 'Zo noemen ze het daar.'

'Hemeltje, nee…' Elizabeth onderstreepte een zin in een dossier. Ze richtte kortstondig haar hoofd op. 'Wie?'

'Niet wie,' zei Nick, terwijl hij de opluchting al voelde die aan een afscheid voorafgaat. 'Het is een plaats.'

'Waar?'

'In het Land van Oz.'

Ze was verbijsterd. Ze had gedacht dat het alleen maar woorden waren geweest. 'Oz,' zei ze, terwijl ze haar hoofd weer liet zakken.

Het regende toen Nick van Heathrow vertrok. Het vliegtuig boorde zich door het wolkendek heen en vervolgens was er niets dan blauw: een prachtig, schoon, eindeloos blauw, alsof hij een saffier was binnengegaan. In Sydney nam hij de nachtbus, ging voorin zitten en zag hoe in de koplampen de toekomst zich opende. Tegen de ochtend ploegden ze door oceanen van hoog groen suikerriet. Als lunch dronk hij verse ananassap terwijl hij met blote voeten op een kokend heet wegdek van teermacadam stond. Hij rook de zee. Er was geen schaap te bekennen.

De neef heette Ivan en ging gebukt onder de misvatting dat Nicks vader allerlei financiële giften had doen neerdalen op de zaak van zijn oom – iets wat eenvoudigweg onmogelijk was – met als gevolg dat Nick plaatsvervangend werd beloond. Voor een bescheiden hoeveelheid werk werd hij schandelijk goed betaald. Alles was hier inderdaad omgekeerd, en dat maakte een wereld van verschil.

Nick kwam elke week op een school in Yeppoon waar ze vette reuzenpadden in het zwembad hadden. Een keer in de week maakte een duikersclub gebruik van de faciliteiten van de school. Nick deed een keer mee en werd vervolgens lid. Hij kocht de spullen, deed een cursus en ontdekte weer een andere wereld, maar dan een die groter, schoner en mysterieuzer was dan alles wat hij ooit gezien had. Aan het zicht onttrokken hadden talloze piepkleine poliepen het grootste ding ter wereld gemaakt: een rif, een barrière, een koninkrijk van koraal.

Toen begonnen de brieven van zijn moeder te komen, weemoedige epistels die niet door zijn vader waren ondertekend. Eerst blikte ze terug op zijn vroege schooltijd – de tijd die ze gemist had. Maar toen werd haar toon prangender. Ze wilde weten wanneer hij terugkwam. Om de een of andere reden kon hij niet terugschrijven, vandaar dat hij de avond van zijn verjaardag naar de telefoon greep. Hij 'liet zich ontvallen' dat hij nog een jaar weg zou blijven – iets waar hij sowieso al aan gedacht had. 'Waarom ga je niet naar Papoea-Nieuw-Guinea?' vroeg zijn vader. 'De Bundi doen een vlinderdans.' Zijn moeder mompelde dat het bijna Kerstmis was. 'Het huis is groot en leeg zonder die vreselijke muziek. Je sportschoenen staan nog steeds bij de deur, waar je ze hebt achtergelaten. Ik moet steeds maar aan je voeten denken.'

Toen hij op een dag in de buurt van Green Island aan het duiken was, begreep hij het. Hij had stil in het water gehangen. Kleine, felgekleurde vissen hadden zich in een rij opgesteld bij een soort plant die uit het koraal oprees. Het leek wel een wasstraat. De blaadjes, of wat het ook waren, openden zich en een visje zwom naar binnen. Even later gingen de blaadjes weer uiteen, kwam het visje naar buiten, en zwom het volgende naar binnen. Op die diepte, kijkend naar hoe de vissen zichzelf reinigden, besefte hij dat zijn moeder hem iets te zeggen had, dat ze er niet over kon schrijven en dat ze het niet aan haar man verteld had. Nick zocht een vlucht uit.

Een paar dagen later werd zijn moeder dood in een geparkeerde auto aangetroffen. Ze zat met gesloten ogen achter het stuur, een glimlach op haar gezicht. Pas toen een voetganger op het raam tikte, werd duidelijk dat er iets mis was. Een paramedicus vond haar mobiele telefoon op de grond bij haar voeten. Die had ze waarschijnlijk laten vallen toen ze hulp probeerde in te roepen. Binnen haar bereik, op de passagiersstoel, lag een set antieke lepels met het prijsje er nog aan: £30.

In het vliegtuig naar Singapore drukte Nick zijn hoofd tegen het raam. Een verschrikkelijke golf van emoties overspoelde hem. Hij huilde wanhopig. De vrouw naast hem vroeg of ze zijn yoghurt mocht hebben en hij kon het zelfs niet opbrengen zich naar haar om te draaien om 'ja' te zeggen. Zijn moeder was onbereikbaar geworden. Hij zou tweeëntwintig uur vliegen zonder dichter bij haar te komen. Tegen de tijd dat ze in Manchester zouden landen was zijn verdriet veranderd in een verdoofd besef van een pijnlijke waarheid: zijn moeder had hem iets willen vertellen en hij had te lang gewacht met terug te gaan. Op het kerkhof, tijdens de begrafenis, herinnerde Nick zich een gesprek uit zijn kindertijd waarmee ze vaak een dag vol onthullingen besloten. Dan zat ze op zijn bedrand en streelde zijn haar:

'Geen geheimen?' fluisterde ze.

'Nee.'

Op zachtere toon vervolgde ze: 'Je kunt me altijd alles vertellen.'

Met de oplettende blik van een kind keek hij haar in het donker onderzoekend aan, terwijl hij het inzicht tot zich door liet dringen dat zijn moeder veel ontving, maar zelf niets gaf.

Hoe kwam het dat hij dat nu pas inzag? Nick glipte weg uit de bijkeuken. In de gang hoorde hij een discreet kuchje en hij draaide zich om:

'Neem me niet kwalijk, maar ik weet eenvoudigweg niet wat ik zeggen moet. Een afschuwelijke toestand, als je het mij vraagt.'

# 3

Anselmus bewaarde zijn sokken in een pruikenblik. Het was groot en gebutst en stamde nog uit zijn juristentijd. Zijn naam stond in gouden letters op de zijkant. De pruik zelf rustte op een buste van Plato, die deel uitmaakte van de merkwaardige verzameling objecten die hij had gehouden toen hij monnik werd (de rest bestond uit zijn boeken en een verzameling jazzplaten, beide groeiden nog steeds ten behoeve van de gemeenschap). Het blik deed nog altijd dienst. Anselmus gebruikte het dagelijks, net zoals in zijn vorige leven.

Na de lunch voegde Anselmus zich bij de andere monniken in de gemeenschappelijke ruimte. Het was een betrekkelijk belangrijk moment want hij droeg voor het eerst in het openbaar een bril. Hij had een naar zijn idee bescheiden hoornen montuur uitgekozen, maar Bruno vond dat hij eruitzag als een kruising tussen een beursemployé en een uil. Hij had te horen gekregen dat hij hem steeds moest dragen. Licht blozend zette hij de bril op zijn neus en pakte een krant.

Niemand merkte het op, misschien doordat de opstelling van de stoelen hem buitensloot van de drie gesprekken die gaande waren. Rechts van hem merkte Wilf timide op dat Liszt als entertainer een gelijkenis vertoonde met Richard Clayderman, vanwege zijn neiging goede melodieën van anderen te gebruiken; links van hem weidde Cyril met veel lawaai uit over het voordeel van het dubbele boekhoudsysteem; recht voor hem probeerde Bernard een woord te bedenken dat klonk als 'moord'.

'Wat dacht je van koorts?'

'We hebben geen zieken,' zei iemand.

'Gestoord?'

'Ook geen gekken,' zei iemand anders.

'Morren?'

'Ah,' zei Wilf, terwijl hij erbij kwam zitten, 'dat is nadrukkelijk verboden volgens de Regel.'

Gemor. Hartgrondig gemopper. Het kon het einde betekenen van een gemeenschap. Anselmus verborg zich achter zijn krant en was in gedachten bij de begrafenis en zijn pruikenblik. Elizabeth, dacht hij, zou nu wel begraven zijn. Het sleuteltje lag in een envelop onder de sokken. Hij had er elke dag naar gekeken, tot hij het haast niet meer kon zien. Die ochtend had Anselmus de envelop uit het blik gevist omdat hij wist dat de begrafenis gaande was. Een kort briefje vermeldde het adres van een beveiligingsbedrijf, waar de kluis zich bevond. Elizabeth had voor Sudbury gekozen, een plaats in de buurt van Larkwood. Hij had het sleuteltje gepakt terwijl hij nadacht over haar voorkomendheid. Toen had hij het teruggestopt en de deksel stevig dicht gedaan.

# 4

'Afschuwelijke toestand.'

Nick draaide zich om naar waar het geluid vandaan kwam. Een korte, ronde man die uit zijn droevig ogende pak puilde, schepte een vuist vol cashewnootjes uit een schaal en begon deze in zijn mond te gooien alsof het pijnstillers waren. Een grijs baardje vol klitten kroop over zijn wangen omhoog naar zijn smalle, vochtige oogjes, waardoor hij deed denken aan een vriendelijke mol die op zijn achterpootjes stond.

'Ik ben Frank Wyecliffe, een eenvoudig jurist.'

'Aangenaam kennis met u te maken.'

'Ik heb jaren zaken aan je moeder doorgespeeld. Voornamelijk moordende familiekwesties.' Hij begon in zijn zak naar zijn kaartje te zoeken. Er kwam iets beduimelds tevoorschijn.

'Dankuwel.'

'Nooit geweten dat ze een zwak hart had, trouwens. Nooit.'

'Ik ook niet.'

'Werkelijk? Je bent dokter, niet?'

'Ja.'

De mol gooide nog een paar nootjes in zijn mond en kauwde jachtig. 'Nou, als ik dat had geweten had ik me wel even bedacht voor ik bepaalde zaken naar haar doorstuurde.' Hij zweeg een moment. 'Ze was toch in de eerste plaats aanklager, hoewel ze in enkele gedenkwaardige zaken ook als verdediger optrad.' Met zijn kleine oogjes nam hij Nick op. 'Ik neem aan dat je dat wist?'

'Nee.'

'Ah.' Hij snoof. 'Toch vind ik het niet helemaal kloppen. Als je mij had gevraagd hoe je moeder dood zou gaan – vergeef me dat ik het zo plompverloren zeg – dan had ik gezegd: in het harnas, een slechterik aan de schandpaal nagelend.'

'Dat zou meer in haar stijl zijn geweest.'

'De East End, daar is het toch gebeurd?'

'Ja.'

'Hebben jullie daar familie wonen?'

'Nee.' Nick schuifelde ongemakkelijk met zijn voeten. 'Hoezo?'

'Neem me niet kwalijk. Domme vraag. Dat is waarom ik mij nooit in de rechtbank vertoon.'

Nick begon zich uit de voeten te maken. 'Als u mij wilt excuseren?' De intense aanwezigheid van het mannetje leek de hele gang te vullen. Nick rende naar boven alsof hij daar iets belangrijks van praktische aard te doen had. Bij de open deur van zijn moeders kamer bleef hij staan. Met een hand tegen de deurstijl nam hij de vertrouwde chaos in zich op.

Dit was haar werkkamer geweest. De grond lag bezaaid met stapels papier, op hun plaats gehouden door allerlei presse-papiers: vreemde stenen en stukken hout die ze op het eiland Skomer had gevonden. Hij zag haar voor zich in haar veel te grote rubberlaarzen, een zaklantaarn in de hand... ze knipte het licht uit en riep: 'Kom eens, snel!' Ze hadden daar gestaan en gekeken. Hij zag de glimwormen nog steeds voor zich, en haar grote, verbijsterde ogen.

Beneden viel een glas kapot. Nick liep de kamer in, zich een weg banend tussen de stapels verslagen en rapporten. Als kind had hij altijd dingen van haar bureau gepakt. Nu wilde hij de vulpen vasthouden waarmee ze die brieven had geschreven. Toen hij bij haar stoel over een kartonnen doos stapte, verloor hij zijn evenwicht. Maaiend met zijn hand raakte hij een rijtje antiquarische boekjes dat op het bureau stond – het soort boeken dat niet gelezen wordt maar goed staat. Hij hervond zijn evenwicht en vloekte. Bij zijn voet lag een donkere, glanzende foto van een verbrijzelde schedel, iets uit een autopsierapport. Hij ging op zijn knieën zitten om de boeken op te rapen. Er was er een opengevallen en lag met uitwaaierende pagina's op de grond. Toen hij het pakte viel er een sleutel uit. Er stond 'bjm Securities' in gegraveerd, met een telefoonnummer erachter.

Ongeveer tien minuten lang zat Nick aan haar bureau, zonder aan iets te kunnen denken. Hij bladerde *De navolging van Christus* door van Thomas à Kempis, een klein bandje dat in 1829 door Keating and Brown was uitgegeven. Als vijfjarige had Nick het helemaal volgekrast. Voor zover hij zich kon herinneren had zij er nooit iets van gezegd, maar ze moest het gemerkt hebben – al was het misschien pas jaren later – want er was een gat uit de bladzijden gesneden. Hij stopte de sleutel in zijn zak en verliet langzaam de kamer, als een man die een veld doorkruist.

Nog ongeveer een uur hield Nick zich goed, handen schuddend en pratend over de Australische natuur. Toen iedereen weg was duwde hij de keukendeur open en zag hoe Roderick Kemble zich op het fornuis stortte terwijl er een pepermuntje tussen zijn tanden knarste. Roddy, de goeierd, met zijn rode schortje. Hij schudde een koekenpan met uien heen en weer. De schooier had voorbereidingen getroffen voor het moment waar niemand aan gedacht had. Nick leunde op het aanrecht en keek naar zijn vader die aan tafel zat: hij had zijn jasje uitgedaan en zijn mouwen opgestroopt. Zijn dunne, zilverige haar, dat gewoonlijk naar achteren was gekamd, zat door de war. De rode vlekken op zijn wangen – het gevolg van een niet ernstige leveraandoening – gloeiden alsof hij een klap in zijn gezicht had gekregen.

Hij begon te praten en Nick luisterde terwijl hij met zijn vingers het sleuteltje in zijn zak vasthield. Om de een of andere reden voelde hij zich een indringer.

'Ik ging even naar boven, naar de vlinderkamer, tijdens de condoleances. Even later werd er geklopt. Een zekere Cartwright.'

Met zijn ene hand de pan luidruchtig heen en weer schuddend, gooide Roddy er met zijn andere hand iets in dat een roze kleur had. 'Ze is inspecteur bij de politie.' Hij schonk iets uit een fles in de pan en gooide er een lucifer bij. Het ding explodeerde ongeveer, zoals in een kindervoorstelling wanneer de geest uit de fles komt.

'Wat wilde ze?' vroeg Nick terloops.

Charles zocht de tafel af, alsof hij op zoek was naar kruimels. 'Ze vroeg of Elizabeth ergens over inzat.' Hij zag er verfomfaaid en verhit uit. 'Gewoon aardig bedoeld hoor. Verbaasd dat ze er veel te vroeg tussenuit is geknepen.'

Roddy sloeg met de pan op het fornuis, alsof het een gong was.

'Borden, glazen en andere voorwerpen ter opluistering van ons bestaan alstublieft,' riep hij plechtstatig. 'Zelfs nu, in deze zware tijden, mogen we niet verzaken.'

Nick werd midden in de nacht wakker. Hij ging naar de badkamer om water te drinken. De spiegel was te laag doordat hij te lang was… had zijn moeder tegen hem gezegd… dus bukte hij zich om te kijken. Ondanks de zon was hij niet erg bruin geworden, maar zijn huid was sproetig en zijn wenkbrauwen waren tot een strokleur gebleekt. Alsof dat verdwaasde gezicht in de spiegel het zou moeten weten, vroeg hij waarom een jurist hem had uitgehoord over de East End en niet over dingo's; waarom een inspecteur van politie een weduwnaar had benaderd en waarom zijn moeder een sleutel – haar geheim – niet alleen voor haar man maar ook voor hem verborgen had gehouden.

5

Pater Andrew haalde graag een uitspraak aan van een van de woestijnvaders: 'Gebruik wijze woorden niet op een verkeerde manier.' Misschien sprak hij zich daarom altijd zo voorzichtig uit en was het daarom zo verontrustend wanneer je voelde dat hij zich opmaakte om iets te gaan zeggen.

De dag na de begrafenis kwam Anselmus pater Andrew tegen in de kloostergang. De prior bleef staan en keek Anselmus aan met een blik die het midden hield tussen verwachting en bedachtzaamheid.

'Mooie dag voor de appelpluk,' opperde Anselmus.

'Wat?'

Anselmus herhaalde wat hij voor een vriendelijke bespiegeling hield.

'Eh?' De Glasgowse intonatie wees op een naderende schermutseling.

O nee, dacht Anselmus. Hij is bezig met de werkverdeling. De prior was altijd uit zijn doen als hij bezig was mensen andere taken te geven, want het betekende dat iedereen ging klagen. Pater Andrew wachtte nog even en struinde vervolgens weg. In een moment van paniek dacht Anselmus aan wat hem mogelijk wachtte: misschien werd hij wel naar de keuken verbannen – een soort voorgeborchte waar je door niemand gewaardeerd werd, behalve op feestdagen. Maar toen besloot hij dat het meer voor de hand lag dat het slechte humeur van de prior te maken had met de dood van Elizabeth, het bezoek van Cartwheel en… een sleutel die nog niet gebruikt was. De drie hoorden bij elkaar. En de prior wachtte op Anselmus. Hij had hem iets te zeggen. Maar waarom riep hij hem dan niet bij zich? Waarom deed hij zo nors?

Anselmus besloot dat hij maar het beste zo spoedig mogelijk een bezoek aan BJM Securities kon brengen. Eerst moest hij zich echter buigen over een paar herinneringen die hem maar niet losloten en die met de sleutel te maken hadden. Niet helemaal op zijn gemak begaf Anselmus zich naar Saint Leonard's Field en de zoete ambiance van het werken op het land.

In de bomen wemelde het al van de monniken. Kisten stonden opgestapeld bij een steekkarretje. Ladders en gevorkte stokken staken in de takken. Er werd tevreden geneuried. Dat gebeurde altijd als de appels geplukt werden, zelfs wanneer er spanningen waren binnen de gemeenschap – en die waren er sinds Cyril was gaan drammen over bonnetjes die hij miste. En het werd Kerstmis. Ook dat wond de broeders altijd op.

Anselmus koos een boom uit die nog niet bezet was en een dicht gebladerte had. Hij vond een brede tak, leunde naar achteren en rolde een sigaret. Toen ging hij in gedachten terug naar de opmerking van Elizabeth over het 'niet weten en niet in staat zijn tot medeleven'. Dit was niet goed te rijmen met hoe hij haar gekend had toen ze samen bij de rechtbank werkten en zij het accusatoire rechtssysteem te vuur en te zwaard verdedigd had.

'Luister,' had ze een keer tegen hem gezegd, 'in de rechtszaal draait het om bewijzen, niet om de waarheid. We moeten de waarheid uit ons hoofd zetten, althans als doel op zich. De waarheid ligt buiten ons bereik. En als we ons werk doen in de rechtszaal moeten we niet pretenderen dat het ons daarom gaat. Want dat is niet zo. Het gaat ons om wat onze cliënt zégt dat waar is. Daar kan ik mee leven. Alleen zo kun je onschuld nog serieus nemen als al het bewijsmateriaal de andere kant op wijst. De waarheid, wat is dat? Het is wat de jury besluit nadat ik mijn zegje heb gedaan.'

Daar zat ze dus niet echt mee, dacht Anselmus, terwijl hij een volmaakte ring blies.

Indertijd had Anselmus, mijmerend onder het genot van een Jaffa-koekje, haar zelfvertrouwen op de proef gesteld. 'Maar stel nou dat iemand wordt vrijgesproken doordat er iets in de rechtsgang is misgegaan wat niemand gemerkt heeft?'

'Dat kan niet,' zei ze, een blik op haar horloge werpend. Ze moest terug naar rechtbank. 'De jury krijgt alleen maar verschillende versies van de relevante feiten te horen. Heb jij de laatste opgegeten?'

'Sorry.'

Wat was het voor zachte stem geweest die haar geweten had aangesproken, vroeg Anselmus zich af terwijl hij een appel plukte. En waarop had haar geweten aangesproken kunnen worden? Elke advocaat accepteerde dat het recht een kwestie was van winnen en verliezen. Verloor je, dan slikte je je teleurstelling weg; als je won, dan kreeg je een schouderklopje. Zoals Elizabeth had gezegd, was het de jury die bepaalde 'wat er werkelijk gebeurd was'. En als ze een onschuldige lieten veroordelen? Tenzij je een fout in de procesgang kon vinden, of nieuw bewijsmateriaal, zou zo iemand in zijn cel wegkwijnen. En als een schuldige werd vrijgesproken? Dan kon niemand hem nogmaals voor het gerecht brengen. Hij kon zich namelijk beroepen op het *Nemo debet bis vexari* (of, patristisch gesproken, 'God oordeelt niet twee keer over hetzelfde vergrijp'). In beide gevallen was de waarheid gevlogen als de duif van de ark.

Anselmus was er zeker van dat de crisis waar Elizabeth doorheen was gegaan te maken had met dit systeem dat in de loop van duizend jaar tot stand was gekomen om de gevolgen van zwakte en slechtheid het hoofd te kunnen bieden. Hij had echter geen flauw idee hoe dat samenhing met het feit dat ze bezig was geweest haar leven op orde te brengen. Toen zijn sigaret op was, richtte hij zijn aandacht op de appel. Gebrekkig toegepaste methodes van de organische fruitteelt hadden tot gevolg dat al het fruit van Larkwood technisch gesproken bedorven was. Hij bekeek een wormgat en voelde een vage hunkering naar het oude geworstel in de gangen van de Bailey.

Tijdens een van die vluchtige momenten waarop een schijnbaar onbelangrijke gedachte op kan komen, herinnerde Anselmus zich dat hij maar in één zaak met Elizabeth had samengewerkt. Het was in veel opzichten een allegorie geweest van de moeizame manier waarop de wet zich tot de waarheid verhoudt. Juridisch gezien was het niets bijzonders geweest, maar de cliënt was een vreselijke man… Riley. Dat was de naam. Ze had hem een 'gehavend instrument' genoemd. Langzaam vormde zich een aanwezigheid in het geheugen van Anselmus: een gladgeschoren hoofd, kleine oren en diepliggende, gekwetste ogen.

# 6

Nick ging naar de werkkamer en belde BJM Securities. Terwijl de telefoon overging keek hij naar een instructiedossier van de rechtbank dat open op het bureau lag. Een grote man was in Bristol vermoord. 'De schedel bestaat uit acht botten die de hersenen omvatten en beschermen.' De foto's van de autopsie reduceerden het slachtoffer tot een serie close-ups van enkele centimeters elk.

Een zekere mevrouw Tippins nam op. Nick legde uit dat zijn moeder was overleden en dat hij langs wilde komen om op te halen wat zij in bewaring had gegeven. Op haar beurt beschreef mevrouw Tippins de documenten die nodig waren om toegang te krijgen tot de kluis.

'Zonder een gecertificeerd afschrift van het testament,' zei ze, 'is alleen inzage mogelijk.'

'Goed,' antwoordde hij. 'Waar is het precies?'

'In Sudbury.' Ze gaf hem het adres in Suffolk. Even later zei ze: 'Ik dacht eerst dat u de monnik was.'

'De monnik?'

'Ja. Hij heeft de andere sleutel.'

Nick belde nog een keer, nu om de vertrektijden van de trein op te vragen, en schreef vervolgens een briefje aan zijn vader om te zeggen dat hij laat thuis zou zijn. Terwijl hij opstond keek hij weer naar de rood met blauwe foto's. Zijn moeder had hem vaak uitgehoord over de bouwvoorschriften van het lichaam – hoe het in elkaar zat, wat er zou gebeuren als je dit deed of dat, hoe een orgaan of een weefsel zou reageren. Het was een ongelofelijk breekbaar bouwwerk, ondanks de botten; een verbijsterend, wonderbaarlijk geheel.

'Het ontwerp is volmaakt,' had hij eens gezegd.

'Niet helemaal.' Ze had teleurgesteld geklonken.

Voor Elizabeth, gezeten in deze stoel, was het lichaam slechts een officieel bewijsstuk geweest, iets wat na de sectie weer was dichtgenaaid en genummerd. Ze had haar verwondering gereserveerd voor wormen die glommen.

Nick wachtte in een kleine kamer zonder ramen. Een tafel en een stoel waren het enige meubilair. De deur ging open en mevrouw Tippins kwam binnen, een karretje met een grote aluminium doos voor zich uit duwend. Ze zei: 'Mensen brengen hier hun spullen als hun huis vol is.' Haar rok leek te zijn gemaakt van een afgedankt tafelkleed uit een hotel en haar blouse van tule gordijnen. 'Het is moeilijk om dingen weg te doen, hè? Blijf maar zolang u wilt. Op deze lijst staat wie er al geweest zijn.' Hij wierp een blik op de enige naam die genoteerd stond, bij een datum van drie weken geleden.

Toen hij weer alleen was, opende Nick de doos. Er zat maar één voorwerp in: een verweerd rood koffertje – zo'n elegant valies voor een weekendje weg. Een van de naden was kapot en van de sluiting was het goud gedeeltelijk afgebladderd. Hij zette het koffertje op tafel en deed het open. De inhoud bestond uit een ringband, een envelop en een krantenknipsel.

Nick begon met de ringband. Er zat van dat rode lint omheen dat hij zo vaak op zijn moeders bureau had gezien. Midden op het voorblad stond de naam van de rechtszaak: Regina vs. Riley. In de linkerbovenhoek stonden de gegevens:

Rechter: E.G.A. Venning
Aanklager: Pagett
Verdediging: Glendinning QC
Assistent verdediging: Duffy
Op geen van de punten schuldig bevonden

De naam 'Duffy' was enkele ogenblikken eerder door mevrouw Tippins onder zijn aandacht gebracht. Het was de achternaam van de monnik aan wie de tweede sleutel was toevertrouwd. Nick had hem lang geleden eens ontmoet. 'De priorij van Larkwood is hier niet ver vandaan maar hij is hier nog nooit geweest. Ik heb gehoord dat je er niet meer uitkomt als je er eenmaal inzit.' Ze had gegrijnsd als een doorgewinterde grotwerker. Nick keek naar de naam van de jurist die de zaak aan zijn moeder had doorgespeeld, en die onderaan de pagina vermeld stond. Hij had hem in St. John's Wood ontmoet, het was de bedachtzame, nootjes knabbelende weledelgeboren heer Frank Wyecliffe.

Nick maakte het rode lint los en sloeg de ringband open. Op het voorblad stond 'Instructie voor de Verdediging', gevolgd door één enkele alinea:

> De heer Riley beweert dat de getuigen – zijn voormalige huurders – een op verzinsels gebaseerde zaak tegen hem hebben aangespannen omdat ze vanwege een huurachterstand met uitzetting worden bedreigd. De raadsvrouw zal de cliënt ongetwijfeld informeren over de complexiteit van het bewijsmateriaal.

Nick sloeg de bladzijde om en las de getuigenverklaringen vluchtig door. Drie jonge vrouwen hadden verklaard dat Riley een pooier was. Hier en daar zag hij een andere naam opduiken: de Koekjesman. De laatste getuigenis was van David George Bradshaw, het hoofd van een nachtopvang voor daklozen. Klaarblijkelijk hadden de meisjes zijn hulp ingeroepen. De laatste bladzijde was een verslag van het politieverhoor van de gedaagde. Hij had maar één antwoord gegeven: 'Ik ben onschuldig.' Nick kon zich niet meer concentreren en bond de ringband weer dicht. Het was moeilijk voor hem: iets te doen wat zij had gedaan, en op dezelfde manier.

Hij pakte het krantenknipsel, dat uit een Zuid-Londense krant afkomstig was. Het was vuil en de inkt was doorgelopen. Een officieel onderzoek had uitgewezen dat de dood van de zeventienjarige John Bradshaw, wiens lichaam in de Theems was aangetroffen, het gevolg was van een ongeluk. In het verslag werd gerept over de woede en het verdriet van de vader, George – klaarblijkelijk de getuige uit de andere zaak, hoewel hij zijn eerste voornaam had laten vallen. Nick vergeleek de data en ontdekte dat er een tijdspanne van vijf jaar zat tussen de rechtszaak tegen Riley en het onderzoek naar de doodsoorzaak van John Bradshaw.

Nick pakte de envelop, die aan zijn moeder en Anselmus Duffy was gericht. Het was een brief van Emily Bradshaw, de moeder van John en de vrouw van George. Ze veroordeelde Rileys verdedigers en beschuldigde hen ervan dat ze haar gezin hadden verwoest. Weer keek Nick naar de datum, en daarna stopte hij alles vlug weer terug in het rode koffertje. Na een moment rustig te hebben nagedacht, maakte hij met een pen een chronologisch lijstje van de gebeurtenissen, zodat de volgorde duidelijk werd:

Einde rechtszaak
Dood van J. Bradshaw (volgens krantenknipsel): 5 jaar na de rechtszaak
Brief van mevrouw Bradshaw: 8 jaar na de rechtszaak
Rekening bij BJM geopend: 10 jaar na de rechtszaak

Nick reed de aluminium doos terug naar mevrouw Tippins. De nieuwsgierigheid die permanent van haar gezicht afstraalde, deed hem opmerken: 'Alleen wat oude papieren.'

'Het is merkwaardig waar mensen geen afstand van kunnen doen, vindt u ook niet?'

'Ja.'

Ze opende een register, zodat hij kon tekenen, maar toen veranderde ze van gedachten. 'Ach, het afschrift is onderweg... neem het maar mee, toe maar. Die monnik zal niet meer komen, toch? Ik bedoel, die zit toch min of meer opgesloten, dat zou me althans niet verbazen.'

In de trein terug naar Londen staarde Nick naar de weilanden in het avondlijke licht terwijl hij zich concentreerde op een raadseltje: hoe was Elizabeth aan een knipsel gekomen uit een plaatselijke krant die verscheen in een buurt die ver verwijderd was van waar ze woonde en werkte? Ze was ontzettend precies en schoon op zichzelf, maar het knipsel was vuil en gescheurd. De enige redelijke verklaring was dat iemand het aan haar had gegeven, en het lag het meest voor de hand dat dat meneer of mevrouw Bradshaw was geweest. De laatstgenoemde was het minst waarschijnlijk omdat het knipsel niet in de envelop paste, en bovendien was de brief zelf smetteloos. Dat betekende dat het David George Bradshaw moest zijn geweest. Maar hoe kon Elizabeth hem ontmoet hebben? Ze was opgetreden als advocaat van Riley. Ze hadden dus tegenover elkaar gestaan in deze zaak. Hoe hadden ze elkaar kunnen ontmoeten zonder dat een van de twee naar de andere kant was overgelopen? Gezien het feit dat het koffertje van Elizabeth was, was zij – om het zo maar eens te zeggen – in deze situatie de reiziger geweest. Wellicht zat het zo, maar nu drong zich weer een volgend raadsel op, de vraag waarom Bradshaw zo'n knipsel aan Elizabeth zou geven. Het impliceerde niet alleen een verband tussen Elizabeth en het tragische voorval, het suggereerde ook een zekere intimiteit die er echter op het moment van de rechtszaak niet geweest kon zijn, want als Elizabeth de heer Bradshaw gekend had, had ze zich uit de zaak terug moeten trekken. Het feit dat ze dat niet had gedaan wees erop dat Elizabeth hem pas later had benaderd, misschien naar aanleiding van de brief van zijn vrouw.

Dus, dacht Nick terwijl hij naar de huiselijke lichtjes keek waar het landschap mee bezaaid lag, je hebt banden aangeknoopt met de tegenpartij, je geheime ontdekkingen opgeborgen en de sleutel aan een monnik gegeven. Hij voelde zich alert en wakker, hoewel hij doodmoe was. Hij dwong zijn geest nog een of twee stappen verder te gaan en toen, als een beloning, stuitte hij op het werkelijke mysterie. Hij staarde voor zich uit alsof hij de bron van de Nijl had ontdekt: Elizabeth was deze verzameling begonnen toen de rechtszaak ten einde liep en ze noch de dood van John Bradshaw, noch de brief van zijn moeder kon voorzien. De grote vraag was dus: waarom had ze dit dossier überhaupt bewaard?

Op Liverpool Street Station nam Nick de ondergrondse naar St. John's Wood. Onderweg legde hij intuïtief verbanden tussen de verschillende aspecten van de geschiedenis. Zo voelde hij aan dat de ontwikkeling van Elizabeths geheim samenhing met haar behoefte hem dicht bij huis te houden; tegelijkertijd had zijn vader hem juist aangemoedigd om naar Australië te gaan. Was hij op de hoogte geweest van de geheimzinnige preoccupaties van zijn vrouw? Nick was er vrijwel zeker van dat dat niet het geval was. Zijn vader bezat geen enkel raffinement. Zijn gedachteloze oprechtheid had wereldwijd talloze zakelijke transacties in gevaar gebracht, en de laatste keer had dit tot zijn gedwongen uittreding geleid. Je kon er niet van op aan dat hij een geheim bewaarde – zeker niet als dat geheim de waarheid was. Dit bracht een andere vraag genadeloos voor het voetlicht: wat kon zo belangrijk zijn geweest voor Elizabeth dat ze het niet had kunnen delen met de man die ze het meest vertrouwde?

Thuisgekomen liep hij rechtstreeks naar de vlinderkamer, vastbesloten te verifiëren dat zijn vader geen weet had van de betekenis van de sleutel. Charles keek op uit zijn leunstoel met een blik alsof hij een geliefde vlinder had gezien. In zijn hand hield hij een leeg glas.

'Waar ben jij geweest?' Hij had een rood hoofd en was aangeschoten.

'Zomaar een beetje rondgezworven.'

'Ik ook.'

'Waar?' Nick zag dat zijn vader een vlinderdasje om had dat nog stamde uit zijn bankiersdagen. Hij had ook altijd een bolhoed naar zijn werk gedragen. Zijn pakken waren gemaakt van een zware stof die hem deed transpireren. Maar het had er overtuigend uitgezien, alsof zijn verantwoordelijkheid hem deed zweten.

'Regent's Park. En jij?'

'Sudbury.'

'Waar?'

'Suffolk.'

'Goeie god.'

Nick keek naar het gekwetste gezicht van zijn vader. De goede man wist nergens van. Waar had hij aan lopen denken in Regent's Park? Het was niet moeilijk er naar te gissen: het feit dat zijn vrouw zo ontwijkend en geheimzinnig had gedaan, iets wat hij de laatste tijd gemerkt had; de manier waarop ze overleden was, en de troost van een politiefunctionaris die hij niet kende. Hij was in verwarring en Nick kon hem niet helpen – omdat hij de sleutel had. Dat gaf hem kennis, maar van een soort die hij niet kon delen.

Nick werd wakker en luisterde naar de vuilniswagen en het gehei-ster van de vuilnismannen. Hij zwaaide zijn benen over de bedrand en pakte zijn mobiele telefoon. Nadat hij geruime tijd had geaarzeld, belde hij een klooster.


# 7


Blinde George, zoals hij genoemd werd, werd wakker op een vlucht-heuvel. Hij lag op een bank. Marble Arch torende hoog en wit bo-ven een vuilnisbak uit. Een vlag klapperde, het touw sloeg tegen de stok. De lucht was mistig blauw. Geluidloos doorkruiste een vlieg-tuig het luchtruim, als een mier op linoleum. Kreunend ging George overeind zitten en opende zijn notitieboekje. Een duim met een zwar-te, afgebrokkelde nagel streek de pagina's glad. Hij las hardop:

> *Ik ga naar Mile End Park om Riley te confronteren.*
> *Wacht onder de brandtrap in Trespass Place.*
> *De verklaring voor inspecteur Cartwright zit in de linkerbinnenzak*
> *van je jasje.*
> *In je rechterbroekzak zit vijftig pond.*
> *Elizabeth.*

Jarenlang had George het verleden vastgelegd. Nino, een voormalig parkeerwachter, had daarop aangedrongen. Het was een van de din-gen die hij George geleerd had toen hij hem instrueerde over het le-ven op straat. Nadat hij de wereld van de parkeerbonnen had verla-ten, was Nino de bibliotheken van Londen gaan frequenteren, nog altijd met een blocnote in de hand. In de meeste leeszalen had hij zijn eigen stoel. Er was er zelfs een waar zijn naam op stond: het briefje was door de leiding met een plakbandje bevestigd. Hij had een ge-woonte waar het personeel gek van werd, maar die maakte dat hij al-tijd onderweg was: in de ene bibliotheek deed hij een aanvraag voor een boek uit de andere bibliotheek. Dus al die boeken vlogen steeds door Londen, Nino achterna, terwijl hij eigenlijk alleen maar op een plaats hoefde te blijven.

'Niet denken,' had hij gezegd. 'Gewoon schrijven. Bij het begin beginnen en dan door blijven gaan. Je zult het verhaal achteraf pas begrijpen. Zodra je gaat denken, schrijf je het verhaal dat je wilt schrijven, niet het verhaal dat er al is.'

'O.'

'De straat is het domein van de verhalen,' had hij ernstig verklaard. Zwart, warrig haar bedekte zijn grauwe gezicht. 'Ongelukkige verhalen, helende verhalen.'

George had hem gehoorzaamd, want parkeerwachters hebben een merkwaardig soort autoriteit. Wanneer een boekje vol was, ging hij verder met een nieuw. Hij had ze genummerd. Er waren er achtendertig. Zijn hele leven – alle vierenzestig jaren, wat hij zich daarvan kon herinneren – was in deze boekjes geordend. Bijna elke dag had hij op een bank in het park gezeten en haastig, zonder onderbreking zitten schrijven, zonder na te denken over zijn woordkeus. Zodra hij iets had afgerond ging hij als een archeoloog met een tandenborstel te werk: zachtjes veegde hij het vuil weg, veranderde een woord of een zin en maakte zijn vondsten schoon. Het kon maanden duren voordat het goed was.

Zijn vroegste herinnering was een uitje in de kinderwagen. Hij zat onder een geïmproviseerd regenscherm dat zijn moeder had gemaakt. Zijn bovenlichaam werd omsloten door een soort tent van waterafstotend katoen waarin een raampje van plastic was genaaid. Zijn warme beentjes staken eronder uit en waren bedekt met een deken; door de condens kon hij niets zien. Hij hoorde alleen de regen en zijn moeders voetstappen op het pad. Ze waren op weg naar zijn opa, naar wie hij vernoemd was: David. Die naam gebruikte hij al heel lang niet meer, uit schaamte. Hij was George geworden. Die uitbarsting van verdriet vulde de eerste bladzijden van het eerste boekje, dat zich nu met alle andere in een plastic tas bevond. Ze waren allemaal volgeschreven vanuit eenzelfde soort wanhopige oprechtheid: alles vast te houden, zowel het goede als het slechte. Dat was ook iets wat Nino gezegd had: 'Maak geen selectie. Alles telt mee. Soms blijken de slechtste dingen de beste te hebben voortgebracht.' Hij was weer plechtig geweest. 'Dat komt alleen maar aan het licht als je het opschrijft.'

Het schrijven in deze notitieboekjes had een ingrijpend effect op George. Het maakte dat hij met mededogen naar zichzelf ging kijken – en niet alleen naar zichzelf, maar naar iedereen die hij gekend had. Het geschrijf maakte hem echter ook ongemakkelijk met het gesproken woord, doordat hij door een hel was gegaan om de juiste woorden aan het papier toe te vertrouwen. Uiteindelijk had zijn nauwgezetheid hem dicht bij zijn recentere mislukkingen gebracht, maar dan zonder dat zijn beeld vertekend werd door zelfmedelijden. En toen, terwijl hij kalm was en helder van geest, was hij in een bak met puin geklauterd.

Tussen het hout en de bakstenen had hij twee zwarte schijfjes zien liggen: een lasbril. Instinctief had hij de bril opgezet en vanaf dat moment deed hij alsof hij blind was. Hij leek gek te zijn geworden, maar voor George klopte het. Er waren dingen in zijn leven die hij niet onder ogen kon zien en waarvan hij ook niet wilde dat anderen er kennis van namen. De straat was dan misschien het domein van de verhalen, maar dit verhaal zou niet verteld worden. Vanaf het moment waarop de lasbril op zijn neus stond, had vrijwel niemand meer iets tegen hem gezegd. Het was alsof hij niet bestond. Ze noemden hem Blinde George.

Aanvankelijk had George dus zijn leven opgeschreven om het te kunnen begrijpen, maar op een zeker moment was hij het gaan doen om te voorkomen dat het uit elkaar zou vallen. Lang nadat Elizabeth hem gevonden had, en hun plan om Riley in de val te laten lopen al in een vergevorderd stadium was, werd George tegen zijn hoofd getrapt. Als een zwerm duiven was zijn geheugen over het Waterloo Station weggevlogen. De details had hij met behulp van Elizabeth aan het eind van deel zesendertig opgeschreven. Dat was nadat hij op een morgen wakker was geworden en ontdekt had dat er een soort meer in zijn hoofd was ontstaan: aan de oever in de verte was alles nog helder, tot aan de week waarin hij onder die maaiende voeten terecht was gekomen; aan deze kant van het meer, daar waar zijn leven zich afspeelde, leken alle gebeurtenissen op druppels olie. Als hij ze niet op papier vastlegde zouden ze alle kanten op gaan, afdrijven en weer terugkomen wanneer ze maar wilden – zwaar van vertrouwdheid en tegelijkertijd onbegrijpelijk. Gezichten kon hij vasthouden en flarden van gesprekken, en ook de weg raakte hij niet kwijt, maar verder bevond hij zich in een wereld waarin alle anderen de beschikking hadden over de stukjes die hij miste. Mensen spraken hem aan in de verwachting dat hij begreep wat ze zeiden. Soms was dat ook zo, maar vaak voelde hij zich als in een loterij waarin hij geen keuze kon maken. Maar de notitieboekjes hadden hem gered; daarin was de samenhang van zijn leven gevat. Elke bladzijde hielp hem het meer te overbruggen. Hij ging maar door met het in kaart brengen van elke dag die verstreken was.

Elizabeth had veel geschreven in de boekjes zesendertig tot en met achtendertig. Ze had alles vastgelegd wat ze gezegd en gedaan hadden nadat zijn geest was gaan dwalen. Hij had naar haar gekeken als ze warme chocolademelk of whisky zat te drinken. Ze was altijd behoedzaam geweest. Ze gebruikte woorden alsof het munten waren. Het laatste wat ze voor hem had opgeschreven was dat hij moest wachten.

Nadat Elizabeth 's morgens naar Mile End Park was gegaan, had George in zijn slaapzak onder de brandtrap van Trespass Place gezeten. Hij had gewacht tot de avond viel, en terwijl hij de uren telde waren zijn ogen op de poort aan het eind van de binnenplaats gericht. Maar ze was niet gekomen. Toen was er een herinnering als een luchtbel in zijn geest naar boven gekomen en hoorde hij iets wat ze meerdere keren tegen hem gezegd had: 'George, mocht er iets met mij gebeuren, maak je dan geen zorgen. Dan komt er een monnik naar je toe.'

'Een wat?' had hij de eerste keer gezegd.

'Een oude vriend. Hij loopt altijd verdwaasd rond, maar uiteindelijk komt hij er wel.'

George had weer in zijn notitieboekje gekeken. 'Wacht…' had ze geschreven, niet 'Wacht op mij.'

De volgende morgen had George weer naar de poort gekeken, in de hoop een andere gestalte te zien verschijnen, misschien een dikke man met een wit koord om zijn middel. Hij had gewacht en gekeken, de hele dag en de hele nacht. Maar toen het weer ochtend werd was George opgestaan en had hij haastig door de straten gedwaald. Hij was de rivier overgestoken en als een dief Gray's Inn Square ingeslopen.

George stond voor het kantoor van Elizabeth en las de gouden namen op het grote zwarte paneel. Mannen en vrouwen liepen hem met opgewonden, ernstige gezichten voorbij. De grandeur van de omgeving verlamde hem. Toen zag hij door het glas van de deur een man met een rond postuur die een oranje vest droeg. Zijn wenkbrauwen stonden hoog boven indringende, aardige ogen. Hij kwam naar buiten.

'Ik ben Roddy Kemble, en jij?'

George raakte in paniek. 'Bradshaw, meneer.'

Meneer Kemble dacht een ogenblik na. Hij bewoog zich niet, maar zag eruit als een man die in een kartonnen doos staat te graaien en eerst dit, en dan dat omhooghoudt. Toen zei hij abrupt: 'Mag ik u vragen wat uw voornaam is?'

'George.'

De man liet zijn armen langs zijn lichaam vallen. Hij leek te hebben gevonden wat hij had verwacht, maar het was iets wat hij niet wilde. Zachtjes zei hij: 'Elizabeth is dood.'

George zette zijn lasbril recht. Zijn mond werd droog en hij knikte begrijpend.

'Op elk ander moment,' zei meneer Kemble, 'zou ik je een sigaret hebben aangeboden, maar ik ben gestopt. Pepermuntje?'

George knikte nogmaals.

Meneer Kemble haalde het zilverpapier weg. 'Het was haar hart.'

Nadat ze enige tijd ongemakkelijk op hun pepermuntjes hadden staan kauwen, zei meneer Kemble: 'Heb je Elizabeth nog gezien sinds de rechtszaak?'

'Ja meneer.'

'Vaak?'

'Ja meneer.'

Meneer Kemble zag eruit als een man in wiens huis zojuist is ingebroken. Hij legde een zware hand op zijn schouder en zei: 'Het is tijd om het allemaal te vergeten, George. Probeer verder te gaan met je leven, als je dat kan.'

'Ik ga al heel lang nergens meer naartoe, meneer.'

Onhandig maakte George zich uit de voeten. Meneer Kemble stak zijn arm omhoog, alsof hij een zegen gaf of een schip doopte. Als hij dat oranje vest niet had aangehad, had George kunnen denken dat hij er verdrietig uitzag.

George liep wankelend naar High Holborn en vond vervolgens zijn weg naar Oxford Street, waar hij tegen mensen en voorwerpen opbotste tot hij de rotonde en Marble Arch had gevonden. Daar had hij Nino voor het laatst gezien, maanden geleden, toen het nog zomer was. Ze hadden op een bank gezeten en zijn leidsman had een merkwaardig verhaal verteld over goed en kwaad. George begaf zich naar dezelfde bank, wierp een hongerige blik op het monument, en wilde dat zijn vriend onder een van de bogen zou verschijnen, zijn blauw met rode sjaal wapperend in de wind. Langzaam werd hij bevangen door de slaap. Toen hij wakker werd zag hij de boog, de vlag en de mier die door het luchtruim kroop, en hij reikte naar het achtendertigste boekje.

George verliet de vluchtheuvel en begon de lange wandeling naar Trespass Place. Hij dacht aan Elizabeth, een glas whisky in haar hand. Ze had geweten dat ze ging sterven en had haar voorbereidingen getroffen. George moest wachten, want er zou een monnik komen. Weer kwam een van haar uitspraken bovendrijven; die vervulde hem met hoop: 'Wat er ook gebeurt, Riley kan niet meer ontsnappen.'

George haastte zich terwijl hij Nino's verhaal over goed en kwaad probeerde op te roepen, maar het lukte niet. Alleen het einde kon hij zich herinneren, omdat Nino dat met zo veel nadruk had gebracht. Hij had zijn ogen opengesperd alsof hij oogdruppels ging nemen. 'Wees niet onverschillig, oude vriend. Alleen dan zul je beloond worden of genade vinden.'

Toen hij dit aan Elizabeth vertelde, had ze het op de achterkant van een envelop gekrabbeld.

Onder de brandtrap pakte George een scherpe steen. Op de muur kraste hij een paar rechte lijntjes, een voor elke dag dat hij wachtte. Dit lag in het verlengde van iets anders wat Nino hem geleerd had: dat hij ijverig alles moest vastleggen wat hem anders zomaar zou kunnen ontglippen.

# 8

Misschien was Anselmus overgevoelig, maar hij had durven zweren dat de blik waarmee hij bij BJM Securities werd aangekeken een mengeling was van fascinatie en afgrijzen.

'U bent hier nooit eerder geweest,' zei mevrouw Tippins, alsof hij haar had laten zitten.

'Neemt u me niet kwalijk, werd dat van mij verwacht?'

'Nee.'

Anselmus kon zich niet voorstellen wat hem verweten kon worden. 'Nou ja, ik ben er nu.'

'Ja, dat is duidelijk, maar u bent wel te laat.'

Mevrouw Tippins legde uit dat de zoon van de overledene beslag had gelegd op een klein rood valies.

'Dat is prima,' zei Anselmus. Hij was ervan overtuigd dat het helemaal niet prima was; dat dit niet was wat Elizabeth gewild had. 'Dan ga ik maar weer naar huis.'

Mevrouw Tippins leek zich hier ongemakkelijk bij te voelen, het was alsof haar kleren statisch waren en ze voortdurend kleine schokjes kreeg. Ze opende de deur voor Anselmus en toen was het alsof ze elke gelegenheid aan wilde grijpen om hem nog even aan de praat te kunnen houden. 'Ik hoop dat u mij toestaat... maar mag u wel naar buiten?'

'Eens in de tien jaar.'

'Het is niet waar! En hoe lang dan?'

'Tien minuten.'

'Meent u dat werkelijk? Nou, dan zou ik maar opschieten als ik u was.'

'Ik maakte een grapje.'

Mevrouw Tippins kneep haar ogen samen, niet bereid een diepgewortelde overtuiging zomaar op te geven.

De hele weg terug naar Larkwood mopperde Anselmus op zichzelf. Terwijl hij zich in de appelboom verschanste had Nicholas Glendinning de kluis opengemaakt. Dit zou de auteur van het boek Genesis hebben aangesproken: Nicholas wist nu iets wat hij niet had mogen weten.

Moeders, zonen en geheimen, dacht hij. Een ongelukkige combinatie die echter vaak voorkwam. Alsof iemand hem een duwtje had gegeven, moest Anselmus denken aan de dood van Zélie, zijn eigen moeder, en het geheim dat hij met zich meedroeg. Merkwaardigerwijs was Elizabeth gefascineerd geweest toen hij haar, kort nadat hij de advocatuur was ingegaan, verteld had over de dood van zijn moeder. Dat was nu bijna twintig jaar geleden.

Het was een vrijdagavond en ze zaten in de gemeenschappelijke ruimte. Buiten klonk herhaaldelijk een autoalarm dat door de wind geactiveerd werd en steeds leek op te houden als er ergens uit een raam werd gescholden.

'Ze had in het ziekenhuis gelegen voor een operatie,' zei Anselmus. 'Voor ze naar huis zou komen riep mijn vader ons allemaal bij elkaar. Hij zei dat ze niet meer beter zou worden maar dat we dat niet tegen haar mochten zeggen. Ik was negen. Een paar dagen later kwam ze thuis. Ik bracht haar een kopje thee en ze zei: "Voor je het weet ben ik weer op de been," en toen zei ik: "Nee hoor, je gaat dood." '

'Heb je de anderen verteld dat je uit de school had geklapt?'

'Nee. Ze zouden het als verraad hebben gezien.'

'Verraad?' herhaalde Elizabeth, alsof ze het tegen een onzichtbare derde had.

'Ja, maar vanaf dat moment waren mijn moeder en ik vrij. We konden rouwen terwijl ze er nog was. We konden dat wat komen ging zonder leugens onder ogen zien. Ik had me zelfs niet gerealiseerd dat we in de val hadden gezeten als ik mijn vader gehoorzaamd had.'

'In de val,' echode Elizabeth weer.

Ze sprak tegen een imaginaire aanwezigheid, maar Anselmus nam er nauwelijks notitie van omdat het oprakelen van het verleden vergeten emoties in hem had losgemaakt. Zijn ogen prikten en hij kon niet meer praten zonder dat zijn adem stokte. 'Begrijp me niet verkeerd… Dit is geen sprookje waarin het leven uiteindelijk overwint. Vlak voor het einde zei ze: "Ik hoor geluiden van een speeltuin." Een jongetje was een bal tegen onze schutting aan het schieten. Ze begon in slaap te vallen, maar op de valreep biechtte ze nog op: "Het was een leerschool voor de dood maar ik heb haast niets opgestoken." '

Elizabeth had met open mond geluisterd.


Anselmus parkeerde onder de pruimenbomen en droogde zijn tranen, verbaasd over hoe sterk de herinnering aan het verdriet was, en hoe vers het weer leek. Het alarm vervaagde, evenals de protesten uit het bovenraam. Even later kwamen de klokken van Larkwood op gang en zwermden de vogels uit over de vallei.

Hoewel het verlies van zijn moeder nog steeds pijnlijk was, had het zijn kinderhart doordrongen van een waarheid die zeer volwassen was: datgene waar je je aan vastklampt zal voorbijgaan, het zal verdorren als gras. Elizabeth was nog een paar keer met een soort vluchtige honger op dit onderwerp teruggekomen, maar alleen in algemene zin en wanneer er niemand anders bij was. Ze hadden gesproken over eerlijkheid tussen ouders en kinderen, over liefhebben door los te laten, over het belang van het nu. De helft van de tijd was Anselmus verdwaald in een woud van ideeën, maar Elizabeth leek er baat bij te hebben. Hij voelde dat ze iemand nodig had die haar op afstand vergezelde op een reis die zeer privé was. Ze was altijd iemand geweest die helderheid van ideeën nastreefde.

Tegen de tijd dat hij de kloostergang bereikte had Anselmus zich hersteld. Na het huilen stonden de dingen hem altijd duidelijker voor ogen. Hij was er nu van overtuigd dat het toen, op die vrijdagavond, was geweest dat Elizabeth besloot om ooit zijn hulp in te roepen – lang voor het 'Niet weten en niet in staat zijn tot mededogen' een beschuldiging was geworden.

# 9

Elizabeth had George gevonden voordat hij tegen zijn hoofd werd getrapt. Hij wist nog steeds niet hoe ze hem had opgespoord maar hij had zo zijn vermoedens. Nino was de enige die van Trespass Place op de hoogte was. En iedereen die zich bij het Embankment ophield kende Nino. Vandaar dat George voor zich zag hoe Elizabeth mensen die onder de bruggen leefden op hun arm tikte en dekens oplichtte, op zoek naar een man genaamd Bradshaw. Iemand had haar naar Nino verwezen, en ze moest hem aardig wat verteld hebben om van hem los te krijgen waar George zich schuilhield.

In de verte had een lichtje niet groter dan een speldenknop gedanst, waarbij de kasseien als blaasjes tussen het asfalt oplichtten. Het lichtje werd groter en haar silhouet stak nog donkerder af tegen de achterliggende duisternis. Toen ze de zaklantaarn naar beneden richtte zag hij gouden gespen op dure schoenen. Ze doofde de lichtbundel en zei: 'Je bent de rechtszaal uitgelopen, George.'

Hij antwoordde de schaduw: 'Ja, en ik heb Riley laten lopen.'

'Dat hebben we allebei gedaan.'

Elizabeth ging naast hem op het karton zitten. Ze keken uit op de binnenplaats, de afvoerpijpen en de vuilnisbakken. Ze haalde een flacon whisky en twee zilveren bekers tevoorschijn. Het begon te regenen. De druppels tikten tegen de overloop bij de nooduitgang. Ze zeiden geen woord; ze namen alleen maar slokjes van de verwarmende malt.

Vanaf dat moment was ze regelmatig gekomen, altijd 's avonds. Ze begonnen over het verleden te praten. George vertelde haar over zijn leven vóór de rechtszaak: hij was kruier geweest bij het Bonnington Hotel, daarna had hij bij een nachtopvang voor daklozen gewerkt waar hij uiteindelijk de leiding had gekregen. Nadat Riley was vrijgesproken was hij die baan kwijtgeraakt wegens wangedrag. Het contrast met het verhaal van Elizabeth kon niet groter zijn: kostschool, de universiteit van Durham en Gray's Inn Court. Na de rechtszaak was ze plaatsvervangend rechter bij het hooggerechtshof geworden. Zij was alleen maar opgeklommen, hij aan lagerwal geraakt. Ze waren allebei getrouwd en hadden allebei een zoon. Die van haar heette Nicholas, en hij was van plan om een reis naar Australië te gaan maken.

'Waarom?'

'Om van mij af te zijn,' lachte ze. 'Hij is te snel opgegroeid.' Ze vervolgde, afstandelijker nu: 'Hij lijkt precies op mijn vader.'

Elizabeth had er nooit op aangedrongen dat hij onderdak zou zoeken; ze had hem nooit iets gevraagd over het huis dat hij had achtergelaten en de echtgenote die het leven met hem niet meer had aangekund. Het was alsof ze begreep dat er soms geen weg terug was; of althans niet voordat datgene wat jou met het verleden verbond veranderd was. Ze zaten eenvoudigweg naast elkaar onder de brandtrap, soms praatten ze, soms niet. En dan ging ze weer naar huis.

Op een avond had ze haar werk meegenomen. Daarmee kwam de sfeer van de Old Bailey zijn schuilplaats binnen. Terwijl ze las, aantekeningen maakte en vloekte, was hij er zeker van dat ze hem vooruit was gesneld, en ergens op hem wachtte. Door de spanning kon hij niet stilzitten. Ze vroeg of hij niet zo wilde bewegen. Plotseling gooide hij eruit: 'Het had niet anders kunnen gaan.'

'Dat weet ik.' Ze bleef lezen.

'Niet na die vraag over mijn grootvader… en dat ik mijn eerste voornaam heb laten vallen.'

'Dat weet ik.'

'Dat had ik totaal niet zien aankomen.'

'Niemand had dat aan zien komen.' Ze stopte de dossiers en haar

gekleurde pennen in een tas en pakte de whisky en de bekers. Nadat ze een paar borrels hadden gedronken, begon ze over de val van
John op Lawton's Wharf, in het havengebied. Het onderwerp had in
de lucht gehangen toen ze het over haar eigen zoon had gehad. George
vouwde een krantenknipsel over het gerechtelijk onderzoek open en
gaf het aan Elizabeth.

'Hoe heeft Riley het gedaan?'

George kon hier niet op antwoorden want – en dit was de waarheid – het was zijn schuld. Hij had zijn zoon de dood in gestuurd
door een terloopse opmerking toen ze naar *Countdown* hadden gekeken. Hij zag de lachende presentatoren weer voor zich, hij zag hoe
zijn jongen zich bukte om door een gat in het prikkeldraad te kruipen. Hij was nog maar zeventien geweest.

'Er is zeker geen bewijs?'

'Niets.'

Ze draaide zich om, een vallende lok achter haar oor strijkend. In
haar oorlel fonkelde een diamant. 'Ik heb ook een aandeel gehad in
wat er gebeurd is, George.'

'Nee, dat is niet zo.'

'Ik heb er nog veel meer toe bijgedragen dat Riley kon ontsnappen.' Het klonk niet neerbuigend, alleen maar intiem en resoluut.

'Je mag het knipsel houden.' Meer kon hij niet doen om haar te
bereiken. Ze leek de planeet te hebben verlaten.


Toen Elizabeth weer naar Trespass Place kwam, zei ze dat ze niet
meer op de grond kon zitten vanwege haar rug. Ze was zeer specifiek. Het probleem was dat er degeneratieve veranderingen waren in
de wervels L5 en L6. 'Er is een café om de hoek.'

Bij Marco's namen ze een tafeltje bij het raam. Toen ging Elizabeth iets bestellen zonder hem te hebben gevraagd wat hij wilde.
Toen ze terugkwam trok hij bleek weg. Ze had warme chocolademelk en toast bij zich. Ze had het met opzet gedaan. Ze wist het nog.

Drie meisjes hadden tegen Riley getuigd. Daar was moed voor nodig geweest, want ze waren doodsbang voor de Koekjesman. George
had hen er echter toe overgehaald. Pas na drie pogingen was het ge-

lukt, en die pogingen had hij gedaan bij kopjes chocolademelk en toast. Dat hadden ze gezegd in hun getuigenverklaring.

'Eet op,' zei ze ernstig.

Vol afgrijzen keek George naar het bord en de kop.

'Toe dan,' drong ze aan. 'Neem een slokje.'

Toen hij begon te eten zei ze: 'Heb je je wel eens afgevraagd hoe het kwaad ongedaan kan worden gemaakt?'

Hij knikte.

'Ik ook.'

En dat was het. George wachtte af wat er verder zou komen, maar ze zaten daar alleen maar toast te eten en warme chocolademelk te drinken.

Ongeveer twee weken later kwam Elizabeth terug. Ze stond onder de poort van Trespass Place en zwaaide. George kwam overeind en volgde haar naar Marco's. Bij hetzelfde raam aten ze weer toast en dronken warme chocolademelk.

Elizabeth zei: 'Herinner je je mevrouw Riley?'

'Ja.'

'Ze heet Nancy. Na het openingswoord van de aanklager verliet ze de rechtszaal, een beetje zoals jij.'

George herinnerde zich het hoedje – geel met zwarte stippen – dat als een stalen helm over haar ogen was getrokken.

Elizabeth legde uit dat de jurist die Riley had bijgestaan, meneer Wycliffe, een uiterst slimme man was. Ze had hem gevraagd Nancy aan de tand te voelen om zo over een getuigenverklaring te kunnen beschikken waarin Rileys goede karakter naar voren kwam. Het probleem was echter dat niemand wist wat Nancy tijdens een kruisverhoor zou gaan zeggen. Uiteindelijk hadden ze besloten dat Nancy niet zou getuigen, omdat dat alleen maar Rileys woede jegens vrouwen aan het licht zou brengen.

George zei: 'Ze is niet goed wijs.'

'Ze vertrouwt hem, dat is alles,' zei Elizabeth vermanend. 'Misschien ziet ze wel een zweem, een restant van wat er ooit geweest is.'

Gedurende enige tijd zeiden ze geen van beiden iets.

'Toen ik je voor het eerst onder die brandtrap zag zitten,' mijmerde Elizabeth onschuldig, 'herkende ik je niet.'

'Ik leef al jaren op straat. Daar verander je door.'

'Zelfs bij daglicht zag je er anders uit,' vervolgde ze. 'Er is iets verdwenen, iets wat niet gedefinieerd en genoteerd kan worden in je opschrijfboek. Riley zou je ook niet herkennen, zelfs al zou je hem tegen het lijf lopen.'

George keek snel op.

'Hij is nog steeds de crimineel die hij altijd al was,' zei ze, met een gemanicuurde hand de toastkruimels bij elkaar vegend. 'Via Nancy kunnen we dat bewijzen. Misschien kunnen we allemaal iets goedmaken. Hoe klinkt dat je in de oren?'

Toen Elizabeth weg was, ging George terug naar Trespass Place en schreef alles op in boekje vijfendertig. Er zou nog een deel komen voor hij tegen zijn hoofd werd getrapt.

Onder de brandtrap, zijn lasbril in zijn haar, las George zijn verslag van die ontmoeting. Het was het begin geweest van een uitgekiend plan, hoewel Elizabeth alles toen al had voorbereid. Ze had alleen nog zijn medewerking nodig. Vanaf het moment waarop hij haar uitnodiging had opgetekend, was het alsof al het kwaad dat zich had voorgedaan sinds de rechtszaak getransformeerd kon worden door een grootse apotheose. Elizabeth had gezegd: 'Als we het einde maar goed krijgen, dan kunnen we alles veranderen, zelfs ook het begin. Het lijkt wel een soort magie. Een monnik vertelde me dat.'

De monnik die niet was gekomen, dacht George met een blik op de poort aan de overkant van de binnenplaats. Inmiddels had hij al dagen niet geslapen. Duizelig telde hij de krassen op de muur. Toen kwam hij moeizaam overeind, zette zijn lasbril op en stapte het zonlicht in. Zijn schoenen waren gebarsten en de veters hingen aan flarden. Toen hij ging lopen lieten ze los. In Old Paradise Street zakte hij in elkaar op het plaveisel, een been in de goot. Hij hoorde voetstappen: hectische hoge hakken, het afgemeten klikken van een soort legerkistjes, het zuigende geluid van sportschoenen. Sommige vertraagden, andere kwamen tot stilstand, hij hoorde stemmen; maar de stroom voetstappen kwam weer op gang, onweerstaanbaar aangetrokken door een zee van dringende afspraken.

Te midden van de stroom van voetstappen hoorde George een bekend geluid, een gedrentel dat steeds dichterbij kwam… Kleine klepperende rode sandalen. Hij droomde. Nu kon hij de enkels zien: witte huid op fijne botten; blauwe aderen opgeroepen door een bries die boven de golven was opgestoken. Het dansende koperkleurige haar van de jongen. George lichtte zijn hand op van het plaveisel, strekte zijn arm uit en zei: 'O, John.' Hoewel hij wakker was, ontvouwde de droom zich toch. Het was alsof hij naar een video keek van zijn gezin.


George nam zijn zoon bij de hand op de pier van Southport. Het was een onstuimige dag, met meeuwen die door de lucht schoten alsof ze met lijnen aan de reling waren bevestigd. Zo nu en dan vielen ze als stenen naar beneden, maar landden dan toch zachtjes op een weggegooide broodkorst. George ging op een bank zitten en John klauterde naast hem, zijn knie stotend.

'Wat eten we, pap?'

George haalde een blikje uit de plastic zak die Emily hem had meegegeven. 'Zalm.'

'Dat is lekker, pap.'

'Inderdaad, jongen.'

Ze zaten naast elkaar, door voorbijgangers aangekeken. George schopte zijn schoenen uit en bewoog zijn tenen. John trapte met zijn benen in de lucht.

De koude zon begon naar het westen te hellen. George keek op zijn horloge: het werd tijd om terug te gaan naar het hotel. Emily wachtte op hen. 'Kom, jongen,' zei hij terneergeslagen. Hij wilde nooit een einde maken dit soort geluksmomenten.

John weigerde in beweging te komen.

'We moeten gaan.'

John leunde de andere kant op, een deel van de bank met zijn armen omstrengelend.

George trok hem los en woelde met zijn hand door zijn haar. De jongen rende vooruit langs de glinsterende reling. Zijn stem verwaaide in de wind. 'Pap, ik hou van Southport.'

'We komen hier wel weer terug.'

Blinde George rolde op zijn rug en zei: 'Maar dat is nooit gebeurd, hè?'

Een voorbijganger knielde bij hem neer en legde een hand onder zijn hoofd. Het was een jongeman. Zijn haar zat vol gel en stond stekelig overeind als dat van een zee-egel. Hij droeg een T-shirt met WINGS erop. 'Gaat het wel goed met u?'

'Ja. Dank je.'

'U heeft geen schoenen aan.'

'Ik heb ze waarschijnlijk in Southport laten liggen.'

De jongeman ging zitten en trok zijn sportschoenen uit. 'Doe deze aan.'

George kon niet praten of protesteren. Hij keek alleen maar toe hoe zijn stekelige helper zat te worstelen om zijn voeten in de schoenen te krijgen. Ze waren wit met felrode strepen. Enkele seconden later maakte hij zich kordaat uit de voeten, alsof hij zich geneerde. Op de achterkant van zijn T-shirt stonden de woorden WORLD TOUR.

Ik vraag me af waar hij nu naar op weg is, dacht George. Hij jogde terug naar Trespass Place – met zulke sportschoenen aan zijn voeten zou het er raar uitzien als hij gewoon liep.

10

Nick reed in zijn moeders citroengele kever naar de priorij van Larkwood. Haar rode koffertje lag op de passagiersstoel. Na herhaaldelijk verkeerd te zijn gereden bereikte hij aan het eind van de middag een rijtje oude eiken dat op onregelmatige afstanden van elkaar naar een kolossaal, openstaand hek leidde. Boven een glooiing met rododendrons zag hij een torenspits en een lappendeken van dakpannen.

Er was niemand bij de receptie, hoewel de telefoon van de haak lag. Er kwam een blikkerige stem uit die 'Hallo?' riep. Nick wierp een blik in de gang en schrok toen hij een hand op zijn schouder voelde.

'Ooit bij de padvinderij geweest?'

De monnik was op leeftijd maar ook leeftijdloos en droeg een zwart habijt met een wit schouderkleed. Een stuk gerafeld plastic twijndraad was met een strik om zijn smalle middel geknoopt. Zijn hoekige schedel die tegelijkertijd zacht leek als een spons, was bedekt met een waas van kort wit dons.

'Ik was bij de pioniers,' zei Nick trots.

'Toen ik jong was,' zei de monnik terwijl hij zijn duimen in het twijndraad haakte, 'heeft Baden-Powell me eens een geheim verteld over de bevrijding van Mafeking.'

'Werkelijk?'

'Hallo!' klonk het door de telefoon.

De monnik keek ernaar alsof het een bijzondere vrucht was en legde de hoorn op de haak. 'De Boeren stonden bij de poort, tot de tanden gewapend...'

Een discreet kuchje maakte dat Nick de rest van het verhaal niet zou horen. 'Dank je, Sylvester.'

Pater Anselmus nam Nick mee naar buiten. De monnik maakte een veel jongere indruk dan de advocaat die Nick zich herinnerde. Zoals ook het geval was met Baden-Powells vertrouweling, leek het leven van onthouding de normale verouderingsprocessen een andere wending te hebben gegeven. Hij was waarschijnlijk in de veertig. Ze hadden elkaar een paar keer ontmoet in de gangen van zijn moeders kantoor. Zijn licht haperende tred gaf hem een verlegen en jongensachtig voorkomen, alsof hij op weg was naar het podium om de prijs voor ijver in ontvangst te nemen nadat alle slimme kinderen al aan de beurt waren geweest. Kort, rommelig haar en ronde brillenglazen versterkten de indruk dat hij zich voortdurend verbaasde. Zijn zwarte habijt was aan de randen versleten; het schouderkleed fladderde achter hem aan als een lang wit servet.

'Mijn moeder bewaarde een geheim,' zei Nick. Ze zaten tegenover elkaar aan een tafel in een kruidentuin. Hij zette het koffertje tussen hen in. 'Ze wilde het me vertellen, maar toen ik bereid was te luisteren was het te laat.'

De monnik zette zijn bril af zoals sommige mensen bij de dokter hun broek uittrekken. Hij werd er op een merkwaardige manier kwetsbaar door.

'Door toeval,' zei Nick, 'vond ik in dit boek een sleutel.'

Hij gaf hem *De navolging van Christus* aan. 'Ik vrees dat dat geklieder van mij is. Viltstiftoefeningen toen ik vijf was of zo.'

Pater Anselmus sloeg de kaft open en keek aandachtig naar de open ruimte. Klaarblijkelijk in gedachten verzonken deed hij het dicht en vervolgens weer open, zijn blik gericht op de plek waar de sleutel bewaard was. Toen richtte hij zich weer op het titelblad en las de opdracht hardop voor:

'Aan Elizabeth, van zuster Dorothy DL, in de hoop dat dit kleine en grootse boek altijd een vriend voor haar zal zijn.'

'Kent u haar?' vroeg Nick. Zijn moeders geloof was geen gemeenschappelijk gebied geweest. Het was eerder een soort continent dat parallel liep aan het zijne, met grenzen die aan beide kanten streng bewaakt werden.

De monnik schudde zijn hoofd.

'Ik denk dat wat hier in zit te maken heeft met wat mijn moeder wilde zeggen. Daarom heb ik het opengemaakt, maar ik ben er niets wijzer van geworden.'

'Dat verbaast me niet,' antwoordde pater Anselmus. Met zijn arm, die op de tafel rustte, reikte hij naar zijn gast. 'Toen je moeder me de andere sleutel gaf, vroeg ze me of ik je wilde helpen te begrijpen wat ze niet uit kon leggen.'

Nick voelde een grote opluchting. Hij wachtte op het verhaal dat de geheimzinnigheid en de plannen die ze gesmeed had zou verklaren. De monnik bleef echter alleen maar vriendelijk glimlachen. Toen besefte Nick dat hij wachtte tot hij het koffertje zou openen. Verbaasd zei hij: 'Weet u dan niet wat er in zit?'

'Nee, geen idee.'

'Ze heeft u alleen maar een sleutel gegeven?'

'Exact,' zei pater Anselmus, een soort schrandere kalmte uitstralend. Nick had net zo'n houding ontwikkeld om terminale patiënten mee gerust te stellen. Hij duwde het koffertje over de tafel. Pater Anselmus haalde alles eruit en legde het netjes op een rij. Toen fronste hij. 'Riley,' mompelde hij vol weerzin. Toen begon hij met de ringband. Zonder zijn bril kreeg zijn gezicht een gepijnigde uitdrukking. Langzaam sloeg hij de bladzijden om. Op een zeker moment zei hij: 'Cartwright... niet Cartwheel.' Toen haalde hij zijn schouders op en las het krantenknipsel terwijl hij een half oog op het instructiedocument van de rechtszaak liet vallen en het verband legde. Ten slotte vouwde hij de brief open met de woorden: 'Dit heb ik nog nooit gezien.' Hij hield zijn hoofd iets naar achteren en begon hardop te lezen:

> *Geachte mevrouw Glendinning QC en meneer Duffy,*
>
> *Ik dacht altijd dat ik niet meer zou stoppen als ik een brief aan een van u zou beginnen. Er is geen begin en geen einde aan wat ik wil zeggen. Maar waarom zou ik u niet vertellen wat er is gebeurd na de rechtszaak, toen wij naar huis gingen en u naar een restaurant. Wij verloren onze zoon. Mijn man stortte in. Voor wat het waard is: ergens onderweg verloor ik mezelf.*
>
> *Meneer Duffy vroeg: 'Wat heeft David gedaan dat George wilde vergeten?' Waarschijnlijk vond u dat heel slim. Maar hij had het recht niet om dat te vragen, geen enkel recht had hij daartoe. Denk niet dat die pruik u vrijwaart van elke betrokkenheid bij wat er fout is gegaan. Dan vergist u zich echt.*
>
> *Ik weet niet wat voor soort geweten u moet hebben om u in staat te stellen zo de deur uit te lopen. Hoe kunt u 's nachts slapen nadat u het voor een man als Riley hebt opgenomen?*
>
> *Hoogachtend,*
> *Mevrouw Emily Bradshaw*

Pater Anselmus legde alles terug in het koffertje.

'Nou?' vroeg Nick.

Pater Anselmus zette zijn bril weer op en zei verontschuldigend: 'Ik heb geen flauw idee wat je moeder wilde dat ik tegen je zou zeggen.'

'Maar waarom gaf ze u dan een sleutel?'

'Omdat ik bij deze zaak betrokken was, denk ik.'

'Maar waarom moest ze het voor mij en mijn vader verborgen houden?'

'Ik weet het niet.' Pater Anselmus tikte onthutst met zijn vingers op de deksel van het koffertje, en deed er het zwijgen toe. Er kwam een monnik met een rieten mand onder de boog door. Hij baande zich een weg door de wildernis van kruiden en begon met een schaar blaadjes af te knippen.

'Medicinale kruiden,' zei pater Anselmus weinig enthousiast. 'Ik weet niet zeker of ze wel werken.'

'Wie was Riley?'

'Een dokwerker.' Hij graaide naar willekeurige details alsof het vliegen waren. 'Hij bediende een hijskraan. Dokwerker. Pooier, naar men beweerde. Drie getuigen zeiden dat hij voor de Koekjesman werkte.'

'En wie was dat?'

'Gewoon een naam uit de krant.'

Nick keek naar de andere monnik, die neuriede en knipte. Een wirwar van geuren kwam hen tegemoet. 'Pater, wat was er zo bijzonder aan deze zaak?'

'Niets.' Hij fronste, waaruit bleek dat hij zich dit ook afvroeg. De monnik schoof zijn ene arm in de mouw van de andere, en andersom, tot hij een soort draagdoek voor zijn borstkas had hangen. Hij keek weg, naar de wildernis van geneeskrachtige planten. 'Het enige wat deze zaak bijzonder maakte was de afloop.' Er viel een stilte.

'Wat is er dan gebeurd?' drong Nick aan.

'Ik nam de belangrijkste getuige, een zekere Bradshaw, een kruisverhoor af. Hij gebruikte zijn tweede naam, George, in plaats van zijn eerste, David. Op een enigszins omslachtige manier vroeg ik hem waarom dat was, en toen stortte de hele zaak in elkaar.'

'Hoe?'

'Hij liep gewoon de rechtszaal uit.'

'Omdat u hem een vraag stelde over zijn naam?'

Pater Anselmus duwde zijn bril hoger op zijn neus. 'Het was alsof hij weigerde verantwoording af te leggen voor zijn verleden. Davids verleden, zo je wilt.'

'En hoe zat het?'

'Ik weet het niet.'

'Waarom vroeg u het dan?'

'Ik kon niets beters verzinnen.' En alsof hij een prijs had gewonnen die hij niet wilde, voegde hij eraan toe: 'dat noemen ze goed presteren.'

Pater Anselmus verlegde zijn aandacht naar het rustige bezig zijn van de broeder. Het was buitengewoon stil in de kruidentuin. Het gesproken woord kreeg er een soort nadrukkelijkheid door, alsof het land en de planten meeluisterden.

Nick liet het koffertje op de tafel liggen en volgde pater Anselmus op een met mulch bedekt pad dat tussen een stroompje en de oude abdijmuur liep. Op regelmatige afstand verrezen slanke pilaren, waarvan de meeste echter op ooghoogte waren stukgeslagen. Bij een stapel zwarte bielzen bleef de monnik staan. De creosootolie gaf een scherpe geur af, als reukzout. Hij ademde diep in, en weer uit. 'Er ontbreekt iets,' verklaarde hij.

'Wat dan?'

'Instructies.'

'Als dat de bedoeling was geweest,' antwoordde Nick, 'dan had ze u een brief gegeven, geen sleutel.'

'En daar,' antwoordde de monnik, 'heb jij helemaal gelijk in.' Knipperend met zijn ogen keek hij naar een plek op de grond, alsof Andre Agassi zojuist iets met kracht over een van de bogen had geslagen.

Nick had medelijden met deze verwonderde man met zijn verwarde haren en glinsterende brillenglazen. Dit leven tussen de brokstukken leek een afstompende werking te hebben gehad op zijn ooit scherpe geest – hoe kon je anders een zaak winnen door een getuige alleen maar te vragen waarom hij zijn naam had veranderd? Dat was toch indrukwekkend. Nick was er echter zeker van dat hij nu een beetje geholpen moest worden. Hij zei: 'Pater, het is een vreemd verhaal. Van alle rechtszaken waar mijn moeder mee te maken heeft gehad, heeft ze deze bewaard. Vijf jaar later verdrinkt de zoon van een van de getuigen. Mijn moeder spoort de rouwende vader op en het lijkt erop dat ze allebei een verband zien tussen het sterfgeval en de rechtszaak. Blijkbaar gaan ze daarbij voorbij aan het oordeel van de lijkschouwer. Twee vragen dringen zich op: hadden ze het vermoeden dat er sprake was van kwade opzet? En wat hebben ze toen gedaan? Maar ik heb nog een vraag: waarom zou ze de papieren van deze specifieke zaak bewaard hebben? Wat was er zo bijzonder aan meneer Riley?'

Pater Anselmus hield zijn hoofd schuin. Misschien zag hij er altijd zo uit als mensen hun zonden aan hem opbiechtten, of wat het ook was dat ze hem plachten te vertellen. Discreet haalde de monnik een pakje tevoorschijn en begon een sigaret te rollen. Hij plukte een draadje tabak van zijn lip en zei: 'Ze vertelde me dat ze haar leven op orde aan het brengen was.'

De lucifer knetterde als een vochtig lichtbaken.

Ze liepen terug langs de grote muur met de verwoeste pilaren.

'Pater, toen ik aan het duiken was bij de Barrier Reef,' zei Nick, 'zag ik vissen die zich door een plant lieten wassen. Prachtig was het. Op een rijtje wachtten ze hun beurt af. Op de een of andere manier wisten ze gewoon wat ze moesten doen. Er waren geen instructies voor nodig.' Hij keek opzij, naar de zorgelijke monnik naast hem. 'Misschien dacht mijn moeder zoiets over u: dat u het zou weten, zonder na te hoeven denken. U moet het zich niet aantrekken als u niet in staat bent te helpen zoals zij zich dat had voorgesteld.'

Toen ze weer bij de tafel in de kruidentuin waren aangekomen, pakte pater Anselmus het koffertje; van daar liepen ze naar de parkeerplaats waar de gele kever leek te trillen onder een paars gewelf van pruimenbomen. De voorruit zat vol met uiteengespatte vruchten.

'Een krankzinnig gilbertijns idee,' zei pater Anselmus onhandig.

'We waren vergeten dat fruit naar beneden valt als het rijp is.' Het klonk als een waarschuwing. Hij vroeg of hij wat tijd kon krijgen om de inhoud van het koffertje beter te begrijpen en hij vroeg Nicks telefoonnummer. Ten slotte zei hij: 'Laat het verleden maar rusten. Laat de onderste steen maar liggen waar hij is neergelegd.'

Door het laantje met de dromerige eikenbomen reed Nick weg van Larkwood en de geuren van aromatische planten. En terwijl hij reed, bedacht hij met pijn in het hart dat hij nooit in staat was geweest zijn moeders diepe geloof te delen. Hij neigde meer naar zijn vader die zich passiever opstelde, hoewel hij niet ongelovig was. Zijn werkelijke hartstocht lag in het open veld. Als ze kwaad was, noemde Elizabeth zijn vader een ketter; in betere gemoedstoestanden hield ze het op pantheïst. Nick was opgegroeid onder de grillige boog, gevormd door deze twee soorten geloof. Uiteindelijk was hij eronder vandaan gekropen, zonder te weten wat hij met de open lucht aan moest. Op de universiteit zag hij predikanten en studenten, en had last van de consequenties van zijn keuze (als het dat tenminste was geweest), want hij had er graag bij willen horen. Uiteindelijk vond hij een soort eigen credo in de wetenschap – de zuiverheid van feiten en verificatie. Zijn moeder had het in stilte betreurd. Ze hadden ook woorden gehad, maar het was hopeloos geweest omdat hij haar geen vragen stelde en zij zijn antwoorden niet wilde horen. Hij kon zich wel vinden in vrijblijvende gesprekken over God, maar niet als het er allemaal echt toe deed – niet wanneer het echte leven met ideeën verweven raakte.

Kort voordat Nick naar de andere kant van de wereld was gegaan, had ze gezegd: 'We zouden een geloof moeten hebben dat het waard is om gevaar voor te lopen.'

Lichtelijk geïrriteerd – ze waren naar *Ben Hur* aan het kijken, die spannende scène waarin de strijdwagens op hoge snelheid op elkaar inrijden – zei Nick: 'Zou jij vechten voor jouw geloof?'

'Ik weet het werkelijk niet.' Ze klonk alsof er een menigte wachtte, maar ze bevonden zich in St. John's Wood, niet in het Colosseum.

Nu hij zijn moeder weer voor zich zag, zoals ze daar met een bezorgd gezicht op de rand van de bank had gezeten, haar ogen op het scherm gericht, besloot Nick het advies dat de monnik hem bij het afscheid had gegeven, niet op te volgen. Hij bracht de auto in een parkeerhaven tot stilstand en viste het kaartje van de heer Wyecliffe uit zijn zak. Het was vet geworden van de cashewnootjes. Hij pakte zijn mobiele telefoon en toetste het nummer in. De verbaasde reactie van de jurist klonk gemaakt en achter zijn vriendelijkheid school iets roofzuchtigs, alsof hij geld rook. Ze maakten een afspraak voor de volgende dag en Nick vervolgde zijn reis naar huis, zich afvragend hoe het zat met de bevrijding van Mafeking.

# I I

Het was vreemd maar George kon zich in zijn slaap wel dingen herinneren. Soms waren zijn dromen als de oude films die met Kerstmis op tv worden vertoond. Hij keek met een gevoel van herkenning. Wanneer George voelde dat hij wegzakte probeerde hij datgene te activeren wat hem in wakende toestand ontglipte. Meestal werkte het. Maar wanneer hij plotseling overeind kwam werd hij bevangen door de vreselijke angst dat hij het allemaal verzonnen had.

Met de scherpe steen kraste George een streep in de muur: weer een dag die hij wachtend had doorgebracht. Het was vroeg in de avond. In de hoek klapperden stukken plastic afdekzeil. Hij zette zijn zakradio aan en hoorde Sandie Shaw 'Puppet on a String' zingen. Hij werd doezelig en voelde zich verdoofd door de kou en het wachten. De stem van Elizabeth steeg op uit zijn herinnering. Ze hadden vaak bij Marco's zitten luisteren naar de radio die uit de keuken galmde. Er werden altijd dit soort oude liedjes gedraaid. Met opzet probeerde George op de grens van slapen en waken te blijven.

Elizabeth had meer chocolademelk en toast gehaald. 'Je bent echt veranderd. Ik herkende je nauwelijks.'

'Dat blijf je maar zeggen.'

'Het spijt me.'

Met sierlijke vingers pakte Elizabeth een driehoekig stukje toast. 'Na de rechtszaak heeft Riley Quilling Road verkocht.'

'O ja?'

'Ja. En hij is weggegaan bij het Isle of Dogs. Nee, hij is ontslagen. Met het geld dat hij aan de verkoop overhield heeft hij een bedrijf opgezet dat huizen ontruimt.'

'O ja?'

'Hou nou eens op met steeds te vragen of iets zo is, als ik dat net verteld heb.'

'Oké.'

Elizabeth likte haar duim en wijsvinger af. 'Hij is twee bedrijven begonnen. Een ervan is een winkeltje dat gerund wordt door zijn vrouw Nancy, die je in de rechtszaal gezien hebt. Jullie hebben elkaar zeker niet ontmoet?'

'Nee,' zei George. 'Zo'n soort feestje was het niet.'

Elizabeth depte haar mondhoeken af. 'Het tweede bedrijf doet Riley zelf. Vanuit een bestelbus verkoopt hij allerlei rommel op markten en bazaars.'

'Rommel uit die ontruimde huizen?'

'Ja. Als hij een inboedel opkoopt wordt alles zo'n beetje verdeeld tussen dat winkeltje en zijn bestelbus.'

'Nou en?' George was niet geïnteresseerd in Rileys zakelijke transacties.

'Ben je dan nooit nieuwsgierig?'

'Nee, niet echt.' Zijn oog viel op het laatste driehoekje toast. 'Hoe weet je dit allemaal?'

'Hij moet alle gegevens officieel registreren bij het Companies House. Ik heb alles gelezen.'

Elizabeth schoof het bord naar George alsof het een gift was. Ze zei: 'Ik heb uit betrouwbare bron dat deze onderneming niet is wat ze lijkt.'

George gooide een korst naar beneden. 'Je zei net dat hij legaal bezig was.'

'Nee, dat zei ik niet. Ik zei dat hij een bedrijf is begonnen.'

'Wat is het verschil?'

'Alle cijfers kloppen.'

George begreep niets van advocaten. Hoe konden ze een zwakheid zien die er niet was? Tenminste, dat was wat die andere gedaan had. Hoe was hij op het idee gekomen naar David Bradshaw te vragen? Duffy was zijn naam. Die had een heleboel pagina's voor zichzelf in boekje dertig of zo.

Elizabeth zei: 'Om erachter te kunnen komen waar hij werkelijk mee bezig is hebben we meer nodig dan een boekhouding.'

'We?'

'Neem me niet kwalijk,' zei Elizabeth met een glimlach. 'Een verspreking. Maar nu je er toch over begint, ik heb een idee.'

'O ja?'

Elizabeth wierp hem een boze blik toe. 'Ja. Beide ondernemingen zijn geregistreerd op Nancy's winkel.'

'Wat betekent dat?'

'Dat dat hun officiële zakelijke adres is. Riley is wettelijk verplicht al zijn financiële stukken zeven jaar te bewaren. Ik betwijfel of hij thuis een dossierkast heeft.'

'Wat is je voorstel?'

'Nancy is de sleutel. Ze moet wel heel vaak een oogje hebben dichtgedaan om zo weinig te hebben gezien.'

'Dat idee van jou… dat houdt toch niet in dat ik bij haar aan moet gaan kloppen en mezelf voor moet gaan stellen?'

'Je zit er niet ver naast, George. Met fantasie en fijngevoeligheid kom je een heel eind.'

'O ja?'

Weer keek Elizabeth hem boos aan en weigerde te antwoorden.

Een harde klap van het plastic bracht George weer bij zijn positieven. Het moment verdichtte zich en hij voelde een tinteling: zijn ene arm leek vol te zitten met spelden en naalden. Het gesprek was nog helemaal compleet, als een echo. Hij luisterde naar de naschok en begreep – gedurende dat ene moment van helderheid – alles wat er de maanden daarna gebeurd was. Maar toen werd hij door een vreselijke twijfel bekropen: was het allemaal een droom geweest? Terwijl hij de zaklantaarn onder zijn kin geklemd hield, zocht hij in zijn notitieboekjes. Snel sloeg hij de bladzijden om terwijl zijn geest al troebel werd en Elizabeths woorden vervaagden... tot hij een ezelsoor aan het begin van boekje zesendertig gladstreek. Daar stond het, boven aan de bladzijde. Het bracht haar stem bij hem terug: 'George, je gaat het volgende doen.'

## 12

Na de completen klopte Anselmus op de deur van de prior. Het was de Grote Stilte, maar pater Andrew liet nooit een regel, hoe oud en gevestigd ook, prevaleren boven dringende zorgen. Er was een vuur gemaakt en er waren twee stoelen bijgeschoven. De prior had al plaatsgenomen en zat met zijn armen op zijn knieën. Het licht glinsterde in een kapotte bril die met een paperclip bijeen werd gehouden.

Anselmus ging zitten. 'U weet van de sleutel?'

'Inderdaad.'

Bij de haard stond een levensgroot beeld dat hij nooit eerder gezien had. Zulke objecten kwamen zo nu en dan omhoog in de velden, of bij de Lark in de buurt van de ruïne van de abdij. Als ze waren schoongemaakt deden ze op het kloosterterrein dienst als tuinkabouter. Deze had geen hoofd en maar één elleboog. Wie het ook voorstelde: hij stond erbij alsof hij heilige zaken van lang geleden bezag.

'Ik neem aan dat u al het andere ook weet,' zei Anselmus, blij dat hij een bondgenoot had.

De prior schudde zijn hoofd. 'Het enige wat ik zeker weet is dit: we zijn op de vriendelijkst denkbare manier om de tuin geleid.'

Ze keken naar de wirwar van ongedurige vlammen. Het vochtige hout siste en rookte.

Hoewel Larkwood een uitermate onpraktische plaats was, waren de tradities er zeer geordend, vooral als het om praten ging. Dit kwam omdat op luisteren zo werd aangedrongen in de Regel. Wanneer het om ernstige zaken ging, was het over en weer van de dialoog niet de norm. Je wachtte je beurt af. Na een knikje van Anselmus hield de prior het initiatief.

'Elizabeth vroeg om een vertrouwelijk gesprek met mij in de week voor je naar Larkwood kwam, dus ongeveer tien jaar geleden. Zonder dat je er erg in had, scheen je haar een positieve indruk te hebben gegeven van mij, een indruk althans die haar aansprak.'

Anselmus had gezegd dat de prior illusies doorprikt... meer kon hij zich niet herinneren.

'Ze maakte een afspraak. Ze kwam helemaal uit Londen, maar eenmaal hier kon ze geen woord uitbrengen. We zaten elkaar alleen maar aan te kijken. En toen zag ik iets bij haar naar boven komen... boosheid, hulpeloosheid... uiteindelijk zei ze: "Hoe kan kwaad ongedaan worden gemaakt?" ' De prior krabde op zijn hoofd. 'Het daaropvolgende uur hebben we dit onderwerp verkend zonder dat het gesprek zich op iets specifieks toespitste. Toch had ik het gevoel dat ik een gekwelde vrouw voor me had.'

Anselmus herinnerde zich zijn eigen gesprekken met Elizabeth op die donkere vrijdagavonden: intellectueel gezien was ze onvermoeibaar geweest en elke nuance werd tot op de kern onderzocht. Toen ze naar Finsbury Park was gekomen had ze het over een stem gehad die zich niet tot zwijgen liet brengen en Anselmus had gezegd dat je een gids nodig had om de wegen van het hart te kunnen begrijpen.

'Jaren later wilde ze me weer zien,' vervolgde pater Andrew, zijn blik op het vuur gericht. 'Ze wilde niet dat jij het te weten zou komen, dus kwam ze toen jij weg was. In veel opzichten was het een herhaling van het eerste bezoek, alleen waren de boosheid en hulpeloosheid nu veranderd in wanhoop. Net als de eerste keer zei ze aanvankelijk niets. Toen stelde ik haar een vraag: "Waarom ben je ongelukkig?" Bijna fluisterend antwoordde ze: "Ik ben betrokken bij een moord." En toen leek ze te verdwijnen, alleen haar lichaam was er nog. Ik zei: "Ik denk dat je een advocaat nodig hebt, geen monnik." Ze antwoordde: "Het is niet de wet die mij ter verantwoording roept. Het is mijn…" '

'Geweten,' vulde Anselmus aan. De prior knikte.

Kierkegaard noemde het 'een zaak van het hart'. Anselmus kwam in opstand. Hij had in dezelfde positie verkeerd als Elizabeth: het was voor geen van hen de eerste keer geweest dat ze iemand verdedigden die schuldig was. Bovendien, als Riley iets te maken had gehad met de dood van John Bradshaw, kon noch Elizabeth noch Anselmus daarvoor verantwoordelijk worden gesteld. Er was geen verband tussen iets wat zij gedaan hadden en die loop der gebeurtenissen. Dus hoe had dat ongemakkelijke gevoel tot zo'n kwelling kunnen uitgroeien? Werktuiglijk concludeerde Anselmus dat dit bezoek van Elizabeth aan Larkwood moest hebben plaatsgevonden vlak nadat ze de brief van mevrouw Bradshaw had ontvangen.

'We zaten in stilte bij elkaar,' vervolgde de prior terwijl hij naar de vlammen staarde. 'Geleidelijk kwam ze weer terug, om het zo maar te zeggen, en toen hebben we het over haar werk gehad – over wraak en rechtvaardigheid, over onrecht en rehabilitatie, over rechters en jury's: deze begrippen en de verbanden ertussen leken haar sterk bezig te houden en ze strooide ze in het rond alsof het stukjes waren van een legpuzzel waarvan ze het totaalbeeld dringend voor ogen moest zien te krijgen… om het vervolgens verborgen te houden.'

De prior leunde naar voren en gooide een blok op het vuur. Er spatten oranje vonken op die onmiddellijk in grijze as veranderden.

'Mijn laatste ontmoeting met haar was een maand geleden. Ze wilde jou spreken, maar pas nadat ze bij mij was geweest – maar dat moest tussen ons blijven. Ze was niet boos of hulpeloos, en ook niet ongelukkig. Ze trof me als bedaard, je zou haast kunnen zeggen: vredig.' Hij zette zijn bril af en frunnikte aan de paperclip. 'Om terug te gaan naar het beeld van de puzzel: ik denk dat ze klaar was met het verzamelen van de stukjes. "Ik heb veel nagedacht over onze gesprekken," zei ze, "en als gevolg daarvan ben ik mijn leven op orde aan het brengen." Ik verwachtte dat ze me zou gaan vertellen waar het nou allemaal over ging, maar ze vertrouwde me niets toe. Dus toen zei ik:

"Als ik je ooit nog eens van dienst kan zijn, aarzel dan niet om een beroep op me te doen." Ze glimlachte en zei: "Nu u dat zegt, er is een kleine gunst die ik u zou willen vragen." En op dat merkwaardige moment voelde ik me als de eerste van een rij dominostenen.' De prior zette zijn bril weer op en keek Anselmus aan met een blik alsof hij de volgende dominosteen uitnodigde zijn verhaal te doen.

Anselmus zei: 'Ze vroeg zich af of ik misschien kon worden vrijgemaakt om iets voor haar te doen.'

'Inderdaad,' zei de prior. 'En ik heb ermee ingestemd.'

'En toen zei ze: "Mag ik hem een sleutel geven voor het geval ik doodga?" '

'Inderdaad. En daar heb ik ook mee ingestemd.' Terwijl hij nadacht tuitte de prior zijn lippen. 'Wat je niet weet zijn de instructies die ze me toen gegeven heeft met betrekking tot wat er moest gebeuren nadat je de kluis geopend had. Ze was heel precies. Wat mijzelf betreft: ik moest wachten, anders zou jij niet begrijpen wat ik te zeggen had. Over jou zei ze: "In de eerste plaats moet Anselmus een bezoek brengen aan mevrouw Bradshaw. Ze heeft ons jaren geleden een brief geschreven. Ze heeft recht op een antwoord." Betekent dat iets voor je?'

'Ik heb die brief zojuist gelezen.'

Terwijl Anselmus vertelde wat er in de brief stond, liep de prior naar zijn bureau en opende een la. 'Toen zei ze: "Wil je alsjeblieft deze brief aan hem geven? Die moet hij lezen als hij bij mevrouw Bradshaw is geweest. Daarna moet alles op zijn plaats vallen." Ze voegde er nog aan toe: "Ooit zal een politiefunctionaris genaamd Cartwright je bedanken, zoals ik nu doe." Ik had deze hele toestand een halt toegeroepen als ze niet zo resoluut was geweest… en zo gekweld.'

Anselmus pakte de envelop aan. Zijn naam stond er op in haar kleine, keurige handschrift. 'En om het verleden te doen herleven kwam ze vervolgens met een doos chocolaatjes naar mij toe.'

Met een zucht ging de prior zitten en wreef met zijn hand over zijn achterhoofd – een gebaar dat wellicht nog uit zijn jonge jaren in Glasgow stamde. 'Nu moet je me alles eens vertellen, vanaf het moment dat je haar voor het eerst ontmoette.'

Hun eerste ontmoeting. Evenals Anselmus keek de prior verder terug dan zo op het oog gerechtvaardigd was. En zo begon Anselmus met een gesprek op een vrijdagavond lang voor de Riley-zaak, over ouders, kinderen en doodgaan.

Het was laat toen Anselmus was uitgesproken. De uil van Larkwood – die altijd gehoord maar nooit gezien werd – vloog krassend rond de torenspits, in permanente staat van verbijstering over de onverschrokkenheid van de patrijs die als windvaan op de toren stond.

'Sylvester heeft iedereen zeker al verteld dat inspecteur Cartwright hier geweest is?' vroeg de prior.

'Het bericht is min of meer doorgekomen, ja.'

'Zij denkt dat de dood van John Bradshaw een wraakoefening was die verband hield met de Riley-zaak, hoewel dat niet meer te bewijzen is. We zijn tot de slotsom gekomen dat Elizabeth een soortgelijke conclusie heeft getrokken, want het moet deze moord zijn waar ze het over had. Dit is echter niet alles wat we besproken hebben. Het blijkt dat Elizabeth inspecteur Cartwright enkele seconden voor haar dood heeft opgebeld.'

'Werkelijk? Wat zei ze?'

'"Laat het aan Anselmus over." '

Anselmus fronste zijn wenkbrauwen en herhaalde ongelovig Elizabeths laatste woorden. 'Wat betekent dat in godsnaam?'

'Ze had geen idee. Je komt er vermoedelijk achter als je mevrouw Bradshaw hebt bezocht en de brief hebt gelezen.' De prior ging staan, waarmee hij aangaf dat het gesprek was afgelopen. 'Inspecteur Cartwright wil graag dat je haar binnenkort belt.'

Het geroep van de uil begon weg te sterven naarmate de vogel zich verder in westelijke richting, over Saint Leonard's Field, van het klooster verwijderde. Een geladen stilte kwam ervoor in de plaats, een sfeer alsof er iets vreemds in de nachtelijke hemel boven het klooster huisde.

Anselmus ging naar zijn cel en gooide het raam open. De koele, scherpe nachtlucht werd verzacht door de geur van appelen. De broeders hadden ze voor de completen geschild en de zakken met schillen stonden bij de keukendeur.

*Laat het aan Anselmus over.* Was dat nou wel verstandig, Elizabeth? Wat heb ik ooit gezegd dat jouw keuze op mij deed vallen? Of kwam het door iets wat ik deed?

Anselmus haalde diep adem terwijl hij zich afvroeg waarom hij de sleutel weer terug had gedaan in zijn pruikenblik. De prior was zo aardig geweest er niet naar te informeren. Misschien kwam het door dat woord 'moord' en de hopeloze zoektocht naar een woord dat erop rijmde. Wat het ook geweest was, Anselmus was er zeker van dat het uitstel dat het tot gevolg had gehad alles aanzienlijk ingewikkelder zou maken. Elizabeth had veel voorzien, maar daar was Anselmus' aarzeling niet bij geweest.

# DEEL TWEE

## Het verhaal van een doos

I

De deur ging open en het gezicht van meneer Wycliffe doemde uit de warme duisternis op. Zijn bruine, ovale pak leek naadloos over te gaan in zijn baard om pas vlak onder zijn kleine oogjes op te houden. 'Het spijt me, het peertje heeft het zojuist begeven, maar in mijn kantoor is genoeg licht.' Hij ging Nick voor naar een soort hol vol met boekenplanken en dossiers. Er hing een roerloze, verschaalde lucht die een kleur leek te hebben, alsof ze waren ondergedompeld in een gelige oplossing met een zweem van blauw die van heel ver weg leek te komen. Op een groot, haveloos bureau stond een gele plastic luchtververser die toezicht hield op de chaos van papieren.

'Het leek me het beste om het gesprek buiten kantoortijden te houden.' Hij knipperde met zijn ogen en knikte tegelijkertijd. 'Let wel: ik kan maar weinig loslaten. Beroepsgeheim.' Hij liet zich in de stoel achter zijn bureau vallen en zei: 'Het was een eersteklas begrafenis, als je begrijpt wat ik bedoel. Heel goede ontvangst. Leuk huis. Leuk ook dat de cliënten waren uitgenodigd. Maar je hebt mijn deelneming hoor. Ellendige toestand als je het mij vraagt.'

'Uw cliënten?' vroeg Nick.

'En niet zo weinig ook. Eentje heeft alle broodjes ham opgegeten.' Hij sprak op een toon alsof hij eropuit was zich de woede van een magistraat op de hals te halen.

Nick zei: 'U bent gespecialiseerd in strafrecht?'

'Niet echt,' hij leunde naar achteren en terwijl hij zich achter zijn oor krabde ging hij terug in de tijd. 'Ik heb me gericht op het gebied van de persoonlijke schade. En familierecht natuurlijk, dat deed ik altijd al. Zorg, scheiding, voogdij. Altijd heel veel te doen in die branche.' Zijn smalle oogjes leken glazig te worden. 'Ik heb meer puinhopen naar je moeder doorgespeeld dan ik bereid ben toe te geven. Maar zij was altijd erg goed in het contact met ouders die niet geneigd waren mee te werken met de deskundigen.' Hij knipperde in de duisternis, zijn blik op de luchtververser gericht. 'Maar van waar die interesse in de Riley-zaak? Het is zo lang geleden... Het lijkt me beter om het te vergeten, zou ik zeggen.' Het leek alsof hij knipoogde.

'Misschien hebt u gelijk,' zei Nick. 'Maar ik vond het dossier tussen mijn moeders persoonlijke papieren. Ze heeft het bijna tien jaar bewaard. Ik vroeg me af of u mij kon vertellen waarom.'

De ogen van Wyecliffe werden groot als inktvlekken op vloeipapier. 'Ik zal mijn best doen.' Hij pakte een glazen bol waarin zich een blokhut, twee dennenbomen en drie rendieren bevonden die met leidsels aan een slee vastzaten. Toen hij ermee schudde stak er een sneeuwstorm op tegen de achtergrond van een kobaltblauwe lucht. Het was de enige beweging in de kamer. 'Zat er nog iets anders bij dan alleen het instructiedossier?'

'Hoezo?'

'Neem me niet kwalijk. Stomme vraag. Daarom houd ik mij verre van de rechtszaal.' Hij keek naar de vallende sneeuw. 'Misschien moet ik beginnen met wat er aan de rechtszaak voorafging... Je vindt het niet erg als ik zo nu en dan een vraag stel?' Zijn wenkbrauwen leken te knikken.

'Helemaal niet.'

'Mooi zo.' Alsof hij zich plotseling iets herinnerde, liep hij naar een zijkamer. Een kastdeur klikte open en ging weer dicht. Hij kwam terug met een paar enveloppen en gooide ze in een plastic krat ter grootte van een wasmand. 'Voor de uitgaande post,' legde hij uit. 'Waar was ik gebleven? O ja... Waarschijnlijk kunnen we het beste teruggaan naar het moment waarop je moeder was opgeklommen tot QC, en strafpleiter werd. Je zult begrijpen dat ik me toen niet zo vaak met strafrecht bezighield, dus wat ik weet heb ik hier en daar opgepikt.' Nick zag voor zich hoe hij tijdens de ontvangst na de begrafenis naar de schalen had lopen loeren en hier en daar iets had weggeplukt. 'Ze had een reputatie opgebouwd als aanklager en was altijd volgeboekt. Maar ook voor de verdediging werd ze vaak gevraagd. Het werd snel bekend hoe goed ze was. Schurken praten tijdens hun verlof. Tijdens een spelletje bridge bespreken ze de relatieve kwaliteiten van de raadslieden. Dus je begrijpt: het was niet vreemd dat sommige cliënten specifiek naar je moeder vroegen. Met de heer Riley ging het echter een beetje anders.'

'Hoezo?'

'Hij had nog nooit problemen gehad met de politie.'

Het was avond geworden en de kamer werd vanuit het midden zwakjes verlicht door een enkele lamp. De beschadigde kap stond scheef als het hoedje van een komiek.

'Bedoelt u dat meneer Riley naar mijn moeder vroeg?'

'Ja.'

'Zei hij ook waarom hij haar wilde?'

'Niet direct.'

'Hebt u ernaar gevraagd?'

'Ja.'

Nick begon zich te ergeren. 'Nou, en wat zei hij toen?'

'Dat hij had gehoord dat ze goed was; zo goed dat ze zelfs kon winnen zonder haar mond open te doen.'

'Wie had dat gezegd?'

'Dat vertelde hij me niet.'

'Hebt u wel gevraagd van wie hij dat gehoord had?'

'Nee.' Meneer Wyecliffe hief zijn handen op, alsof hij een dienblad ophield. 'Meneer Riley had een artikel in de krant gelezen over vrouwen in de advocatuur. Hij had jouw moeder uitgekozen omdat hij had gelezen dat zij recht door de schuldigen heen kon kijken. Die eigenschap, zei hij, zou van grote waarde zijn bij het ontmaskeren van degenen die hem erbij wilden lappen.'

'Maar wat heeft dat te maken met het feit dat zij haar mond niet open hoefde te doen?'

'Zeer scherpe vraag, als ik zo vrij mag zijn,' complimenteerde meneer Wyecliffe. 'Dat veelzeggende zinnetje stond namelijk niet in het artikel.'

Koel maar ook verontrust nam Nick zijn gesprekspartner op. Van-af het moment dat hij in St. John's Wood de borden had staan af-wassen was deze berg met haar en kleren eropuit geweest achter de werkelijke toedracht van die rechtszaak te komen.

Meneer Wyecliffe pakte zijn glazen bol en schudde ermee, waar-bij de sneeuw weer in beweging kwam. De vlokken wervelden om elkaar heen en begonnen langzaam naar beneden te dwarrelen.

Nick zei: 'Kan dat raam misschien open?'

'Het spijt me, het is dichtgeschilderd.'

De atmosfeer was stil en warm en rustig vibrerend.

'Waar was ik gebleven?' vroeg meneer Wyecliffe opgeruimd. 'O ja. Ik belegde een vergadering en stuurde de papieren op. Je moeder belde me de volgende dag om te zeggen dat deze zaak geen hogere strafpleiter behoefde en stelde voor dat meneer Duffy het zou doen. De cliënt ging er echter niet mee akkoord. Dus ik boekte hen alle-bei, op aandringen van je moeder. Over de monnik gesproken – nou ja, toen was hij nog geen monnik – ken je hem?'

'Oppervlakkig.'

'Enig idee waarom ze hem gekozen kon hebben?'

'Nee, hoezo?'

'Onder ons gezegd en gezwegen… Hij was goed als je een heraut nodig had op een zinkend schip, maar als je iemand zocht om de zaak drijvende te houden… Het geval wilde dat ik ernaast zat. Met een enkele vraag wist hij de tegenpartij van de kaart te vegen.'

'Iets met waarom iemand zich George was gaan noemen in plaats van David.'

'Inderdaad.' Meneer Wyecliffe draaide de luchtververser om zijn as. 'Hoe weet je dat?'

'Dat heeft meneer Duffy me verteld.'

De jurist trok een schouder op en kuchte. 'Ik vertrouw erop dat mijn scheepvaartmetafoor iets tussen ons kan blijven.'

'Dat kan.'

'Zeer erkentelijk.' Meneer Wyecliffe krabde in zijn baard. 'Het was allemaal hoogst merkwaardig want dat gedoe over die naam kwam van mij – nou ja, ik bracht het onder de aandacht van de raadslieden

– maar het beviel je moeder helemaal niet... Ze heeft het zelfs ontmoedigd dat er iets over gezegd zou worden. Ik heb me vaak afgevraagd waarom, want het bleek onze sterkste troef te zijn. Ga je nu al weg?'

Nick zei: 'Kan ik u ergens een drankje aanbieden?'

'Uiterst aangenaam voorstel.'

Meneer Wyecliffe opende een la van zijn bureau en haalde er een blauw notitieboekje uit. 'Gek eigenlijk, te bedenken' – ratelend schoof hij de la dicht, waarbij de luchtververser omviel – 'dat we met die laatste vraag van Duffy de zaak wonnen zonder dat je moeder haar mond open had hoeven doen. Zelfs meneer Riley was perplex.'

Nick liep naar de gang. Door het grijze matglas kon hij vaag de lichten van Cheapside onderscheiden.


# 2


Voor hij naar Londen ging had Anselmus een slopende maar onvermijdelijke ontmoeting met de keldermeester.

'Ooit gehoord van de belastingdienst en zijn merkwaardige gewoontes?'

'Ja,' zei Anselmus nederig. Hij had zich na de lauden bij de keldermeester vervoegd om voor zijn naderend uitstapje de nodige fondsen aan te boren.

'Dat dacht ik wel.' Cyril bevond zich in zijn kantoor onder een arcade – een ordelijke plek zonder enige franje, afgezien van de met kleurencodes beplakte archiefdozen: blauw voor de appels (rechts) en groen voor de pruimen (links). Op elke doos stond een datum. Zijn enige arm lag als een loden pijp op de tafel. Hij was een grote, vierkante man met een rode neus en gele ogen. Hij was verkouden. 'Ze eisen een exacte boekhouding die door de bijbehorende documenten wordt ondersteund.'

'Inderdaad.'

'Geef eens een voorbeeld.'

'Bonnetjes.'

Cyril niesde en drukte vervolgens met een bruusk gebaar een immense geblokte zakdoek tegen zijn neus. Na uit het zicht van Anselmus in een doos te hebben staan rommelen, telde hij een exact bedrag uit dat de kosten van de trein- en metrokaartjes zou moeten dekken.

'God zegene je, Cyril.'

'Graag gedaan.'


Wanneer Anselmus naar Londen ging logeerde hij meestal bij de augustijnen in Hoxton. Maar soms, zoals nu, reserveerde hij een gastenkamer in Gray's Inn Court, dat zijn thuis was geweest toen hij nog als jurist werkzaam was. Zo kon hij zijn banden met de Balie levend houden en bovendien gaf het hem de gelegenheid Roddy te spreken te krijgen, het hoofd van zijn voormalige kantoor. Na het Riley-dossier in de trein te hebben doorgenomen, beklom Anselmus moeizaam de smalle houten trappen die naar zijn voormalige werkplek leidden. Het was avond geworden.

Roddy had zojuist een kledingstuk aangeschaft dat hij een 'lange blauwe huisjas' noemde. Hij zat met zijn benen op een stoel en zag eruit als een waterbed in een sari. Nadat ze een tijdje hadden zitten kletsen over hypnose als middel tegen verslaving, zei Anselmus: 'Herinner jij je de zaak Riley?'

'De enige zaak die jij samen met Elizabeth hebt gedaan.'

'Ja, hoe weet jij dat?'

'Ze had het er onlangs nog over.' Hij reikte naar een lange, uitgesneden pijp. 'Uit Oostenrijk,' zei hij trots. 'Van been gemaakt.'

Anselmus aarzelde, terwijl hij alles in zijn hoofd liet rondzingen. Toen het weer stil werd realiseerde hij zich dat Roddy al op de hoogte was van de rechtszaak en de betekenis die deze voor Elizabeth had gehad. Met dit in zijn achterhoofd begon Anselmus te vertellen over de sleutel, het rode koffertje en de brief die hij moest lezen na zijn bezoek aan mevrouw Bradshaw. Tijdens zijn relaas stopte Roddy zijn pijp, waarbij hij zo nu en dan de tabak met een duim of een mesje bewerkte. In de loop van het verhaal fronste hij meer en meer zijn voorhoofd, blijk gevend van agitatie en verbazing, alsof hij iets gemist had dat hij had moeten voorzien. Plotseling drong de conclusie tot Anselmus door: Elizabeth had Roddy na de rechtszaak niet meer in vertrouwen genomen. Het was verbijsterend, zowel voor Anselmus als voor Roddy, dat ze iets had achtergehouden voor de man die haar in haar carrière als een vader had bijgestaan.

'Het is heel lang geleden, Anselmus, ik ben vergeten wat er gebeurd is.' Roddy streek een lucifer af alsof hij een plechtigheid opende. 'Vertel me eens over Riley... dat gehavende instrument.'

'Frank Wyecliffe stuurde de papieren naar ons kantoor, zodat we een vergadering konden houden,' zei Anselmus. 'Drie tieners zeiden dat ze Riley op Liverpool Street Station waren tegengekomen. Hij bood hun gratis onderdak aan. Zijn verhaal was dat niemand hem had geholpen toen hij naar Londen was gekomen, en dat hij maanden in een afgebrand bankgebouw bij Paddington had gebivakkeerd. Dat wenste hij niemand toe, iedereen had recht op een beetje geluk. Pas als ze zelf gingen verdienen zouden ze het wel over de huur hebben, eerder niet. Zo kwamen ze in een huis in Quilling Road terecht, in de East End. Alles wat hij vroeg waren de adresgegevens van iemand die ze volledig vertrouwden – voor het geval ze de benen zouden nemen. Toen kregen ze de sleutel en liet hij hen alleen.'

Terwijl Anselmus zijn verhaal deed, streek Roddy lucifers af die hij boven de kop van de pijp heen en weer liet gaan.

'Zo nu en dan kwam hij langs om te vragen hoe het met hen ging, en of ze al werk hadden gevonden,' zei Anselmus. 'Toen begon de sfeer langzaam te veranderen. Ze zagen hem op de hoek van de straat rondhangen. Ook 's avonds. Hij stond daar maar, en wreef in zijn handen om ze warm te krijgen. Dan was hij weer verdwenen. En als hij dan later weer langskwam om te vragen of ze al werk hadden gevonden, zei hij er nooit iets over dat hij de week ervoor in de buurt was geweest. Zo ging het door: ze zagen hem buiten bij een straatlantaarn en dan was hij weer weg, om een paar dagen later weer op te duiken, altijd op dezelfde plek, alsof hij stond te wachten – soms 's ochtends, soms 's avonds. Uiteindelijk gingen ze naar hem toe om te vragen wat er aan de hand was.'

In de trein naar Londen had Anselmus de getuigenverklaring van een meisje dat Anji heette een paar keer gelezen. Ze had de confrontatie met Riley beschreven:

'Waarom bent u hier steeds?'

'Omdat ik bang ben.'

'Waarvoor?'

'Niet voor mezelf... voor jullie.'

'Voor ons?'

'Ja, voor jullie alle drie.'

'Waarom?'

'De eigenaar van het huis heeft er genoeg van om te wachten, hij wil de huur innen.'

'U zei dat het uw huis was.'

'Nee, dat heb ik niet gezegd, ik zei dat er een huis voor jullie was. Het is niet van mij. Ik ben alleen maar degene die de huur int... voor hem.'

'Wie is dat dan?'

'De Koekjesman.'

'De wat?'

'De Koekjesman, zo noemt hij zichzelf. Hij heeft een heleboel huizen en ziet graag de huur binnenkomen. Ik heb jullie dit huis gegeven omdat ik medelijden met jullie had. Ik dacht dat jullie wel snel aan geld zouden komen zodra jullie op orde zouden zijn en dat we dan tot een regeling zouden kunnen komen. Maar jullie zijn traag en hij is erachter gekomen. De Koekjesman is er niet blij mee. Daar maak ik me zorgen over.'

'Hoeveel moet hij hebben?'

'Wat jullie hem verschuldigd zijn.'

'En hoeveel is dat?'

'Drieëndertighonderd.'

De meisjes waren perplex en kwaad. Ze vloekten en tierden. Riley zei: 'Ik ben zoveel mogelijk in de buurt om hem tegen te houden als hij komt, maar dit kan zo niet doorgaan. Het is het beste om te beginnen met betalen.'

Ze zeiden dat ze ervandoor moesten en dat ze niemand iets gingen betalen. Riley zei: 'Ik zou geen rare dingen doen als ik jullie was. De Koekjesman begint met degenen die je vertrouwt. Die neemt hij het eerst te grazen. En dan zijn jullie aan de beurt. En hij vindt altijd iedereen die hem nog iets schuldig is. Ik zou hier niet dag in dag uit staan als ik me geen zorgen maakte over waar hij toe in staat is. Het is het beste als jullie snel aan wat geld zien te komen, dan zorg ik in de tussentijd wel dat hij zich koest houdt.'

Anselmus gaf Roddy een samenvatting van Anji's getuigenverklaring. Toen hij klaar was, vroeg Roddy: 'Wie, als ik zo vrij mag zijn, was die Koekjesman?'

'Volgens mij was het allemaal onzin, maar Elizabeth geloofde dat niet. Ze zei dat deze figuur voor Riley uitermate echt was en dat hij daardoor van iets abstracts zoiets angstaanjagends wist te maken.'

Roddy opende zijn mond alsof hij 'Ah' wilde gaan zeggen, maar er kwam geen geluid. Anselmus ging verder met zijn verhaal.

'Een van de meisjes liep weg en meldde zich bij de nachtopvang waar George Bradshaw werkte. Ze raakten aan de praat. Ze vertrok maar kwam een week later terug met de anderen. Ze vertelden Bradshaw over Riley en de Koekjesman en hij drong erop aan dat ze aangifte zouden doen. Als we Bradshaw moeten geloven, zag hij in dat het moeilijk zou zijn voor deze meisjes om een jury ervan te overtuigen dat ze de waarheid spraken. Ze hadden namelijk alle drie wel iets op hun kerfstok in de sfeer van leugen en bedrog. Hun geloofwaardigheid zou dus een punt zijn. Bradshaw haalde hen over terug te gaan naar Quilling Road. Maar deze keer zou hij aanwezig zijn als Riley de huur kwam innen. Het was een list: ze zouden zeggen dat ze weggingen en dat zou Riley ertoe aanzetten bedreigingen te uiten die Bradshaw dan zou horen.'

'Waar was hij?'

'In een van de slaapkamers. Blijkbaar weigerde Riley de trap op te gaan... hij kwam niet eens in de buurt van de onderste trede. Hij liet ze altijd naar beneden komen, naar het halletje.'

Roddy sabbelde op zijn pijp. 'Wat merkwaardig.'

'Riley zat dus diep in de problemen,' vervolgde Anselmus. 'Een getuige met een smetteloos blazoen zou het verhaal van de meisjes bevestigen. Er was geen reden om aan hem twijfelen, hoewel er wel een andere belangrijke overweging was: ook Riley had geen strafblad. Bradshaw was dus van cruciaal belang in deze zaak.'

Opnieuw kwam er een lucifer in Roddy's hand tot ontbranding.

'Toen ik aankwam voor de bespreking was Elizabeth al aanwezig met Riley. Ze luisterde toe terwijl ik de verklaringen met Riley doornam.'

In een flits zag Anselmus Riley voor zich: magere ledematen, een nauwelijks waarneembare, voortdurende kauwbeweging van de kaken. 'Hij was kalm, ook al was zijn verdediging gebaseerd op gissingen: dat de meisjes hem erin hadden willen luizen toen hij hen eruit gooide wegens achterstallige huur; dat Bradshaw de pooier was geweest die benadeeld was, hetgeen zijn betrokkenheid bij de zwendel moest verklaren.'

Roddy bestudeerde de kop van zijn pijp. 'Wat vond Elizabeth ervan?'

Anselmus had een door hemzelf gemaakte samenvatting van haar reactie teruggevonden op de achterkant van een getuigenverklaring. 'Ze zei iets in de trant van: "Meneer Riley, u hoeft mij niets te vertellen over mensen die zich anders voordoen dan ze zijn, noch over mensen die leugens vertellen. Ze doen dat zelden zonder er een goede reden voor te hebben. Als deze getuigen u niet kenden, en u door een of ander wonderbaarlijke speling van het lot via deze meisjes geld hebt ontvangen zonder dat zij dat beseften, dan is er misschien een mogelijkheid op technische gronden van deze aanklacht af te komen. Aangezien dit alles echter niet het geval is, hebben we wel wat meer nodig om uw verdediging op te baseren." ' Anselmus zweeg een moment, alsof hij weer in die kamer was en zich verbaasde over haar minzaamheid. 'Het was magnifiek.'

'Hoe reageerde hij?'

'Hij glimlachte.'

'Werkelijk?'

'Ja, en Elizabeth zei: "Met alle respect, u lijkt de ernst van uw situatie niet in te zien." De glimlach was van zijn gezicht verdwenen, maar gloeide nog na. Hij zei: "Daar vergist u zich in. Ik weet precies in wat voor positie ik mij bevind." Als Elizabeth had verwacht dat hij zou instorten en terug zou krabbelen, dan zat ze ernaast. Er zou wel degelijk een rechtszaak komen.'

Roddy klopte zijn pijp uit in een asbak. 'Ik herken in hem vele heren die mij de eer hebben gegund hen te verdedigen.' Hij keek op zijn horloge. 'We moeten het hierbij laten. Ik moet dadelijk enkele welgekozen woorden zien op te hoesten om een schietpartij van dichtbij mee glad te strijken. Je moet me de rest morgen vertellen.'

# 3

'De zaak begon goed maar daarna ging het fout, hoewel dat een strategische beslissing lijkt te zijn geweest, want je moeder was er verantwoordelijk voor.' Meneer Wycliffe zat ingeklemd aan een kant van de tafel in een kroeg bij Saint Paul's Cathedral. Zijn kleine hoofd zonk weg in de kraag van zijn overjas. Nick leunde naar achteren, alsof hij zich alvast wilde distantiëren van de ophanden zijnde ontboezemingen. 'De eerste getuige was de jongste, een kind van nog geen zestien. Ik zag haar in de gang, boven elk oor had ze een tatoeage. Maar zij ging ervandoor.'

'Waar naartoe?'

'Geen idee. Maar de eerste aanklacht ging al de prullenmand in: een minderjarige aanmoedigen tot het oudste beroep, als ik dat zo mag noemen.' Hij nipte van zijn bier. 'Dat was slecht nieuws voor de aanklagers en goed nieuws voor ons.'

'Dat begrijp ik niet.'

'Het was de makkelijkste aanklacht omdat ze niet hoefden te bewijzen dat ze daadwerkelijk geworven of geïntimideerd was. Aanmoediging is al voldoende. De aanklagers stonden zogezegd op achterstand, en op dat moment leek – ik zeg nadrukkelijk "leek" – je moeder de tegenpartij een handje te helpen. De betreffende getuige had, laten we zeggen, een gecompliceerd verleden: niet een verleden dat maakte dat je haar meteen op haar woord zou geloven. Als ik niet wist hoe het juridische spel gespeeld werd, had ik gedacht dat je moeder eropuit was om medeleven op te roepen. Kijk zelf maar. Hier zijn mijn aantekeningen van het kruisverhoor.' Hij opende zijn opschrijfboekje en overhandigde het aan Nick. Hij las de transcriptie, die in een opvallend net handschrift was gemaakt, en het scheelde weinig of hij hoorde de stem van zijn moeder, haar terughoudendheid en haar begrip.

'Anji, je bent zeventien?'

'Ja.'

'Het is heel moedig van je dat je hier vanmorgen de rechtbank wilt vertellen hoe je op straat kwam te werken – ik hoop dat je het niet erg vindt dat ik het zo noem...'

'U noemt het maar hoe u het noemen wilt.'

'Dankjewel. Ik zou je een paar vragen willen stellen over wat er gebeurd is voor je naar Londen toekwam.'

'Eh?'

'Over Leeds.'

'U doet maar.'

'Je bent weggelopen?'

'Nou en?'

'Je bent weggelopen uit Lambert House, een instelling?'

'Een gevangenis.'

'Anji, ik zal je niet doorzagen over wat er gebeurd is. Deze rechtbank begrijpt dat de instellingen die er zijn om kinderen te beschermen soms tekortschieten. Edelachtbare, laat me hier duidelijk stellen dat...'

Meneer Wyecliffe kuchte. 'Ben je al bij dat stukje over Lambert House?'

'Ja.'

'Nou, die instelling is uiteindelijk gesloten vanwege morele misstanden. De aanklager zou die informatie over de getuige tot het laatst hebben bewaard, tot na het kruisverhoor door de verdediging. Dat zou namelijk bepalend zijn voor de laatste indruk die de jury van het meisje kreeg, en het zou het weglopen, het liegen en stelen dat later zou komen aannemelijk maakte. Maar je moeder stak daar een stokje voor door er als eerste over te beginnen. Zo kon ze laten zien dat ze fair was, ook al ontnam ze de tegenpartij hun enige troef. Begrijp je?'

Nick schoof zijn stoel weg van de tafel en las verder.

'Daarna ben je weggelopen uit de Amberly Unit?'

'Eh, ja?'

'En toen uit Elstham Place?'

'Nou en?'

'Anji, er zijn nog negen andere instellingen waar je de benen hebt genomen, klopt dat?'

'Ik heb ze niet geteld.'

Nick liet het opschrijfboekje vallen. Meneer Wyecliffe bestudeerde zijn bierglas. 'Zacht van smaak, dit spul, maar er zit wel 5,6 procent in. Moet je mee uitkijken.'

'Waarom zou mijn moeder... gedaan hebben alsof ze medeleven wilde oproepen?'

'Omdat ze de jury niet van zich wilde laten vervreemden.' Hij veegde het schuim van zijn snor. 'Met de begripvolle aanpak zou ze de jury aan haar kant krijgen.'

'Hoe weet u dat ze het niet echt meende?'

'Als vrouw, als mens, voelde ze natuurlijk mee met dat kind,' zei meneer Wyecliffe met gespeeld ongeduld, 'maar als advocaat wordt zoiets deel van de manier waarop je een rechtszaak aanpakt. Ze kon er een ander doel mee dienen, namelijk het belang van haar cliënt.'

Nick had nooit echt begrepen dat dit soort manoeuvres deel waren geweest van zijn moeders werk, dat dit soms nodig was geweest om een zaak te kunnen winnen. Hij sloeg de bladzijde om en zijn aandacht werd naar een passage getrokken die door Wyecliffe met een asterisk was aangemerkt:

'Anji, je hebt de rechtbank verteld dat meneer Riley heeft gezegd: "De Koekjesman is degene waar je voor moet uitkijken. Ik in alleen maar de huur." Hoe ziet de Koekjesman eruit?'

'Ik heb hem nooit gezien.'

'Weet je waar hij woont?'

'Neu.'

'Maar is hij in Londen, of ergens verder weg?'

'Hij is vlakbij, om de hoek. Hij houdt ons steeds in de gaten.'

'Hoe kom je daarbij?'

'Dat zei meneer Riley.'

'Heb je zijn stem gehoord?'

'Neu.'

'Waarom ben je bang voor iemand die je nog nooit gezien of gehoord hebt?'

'Om wat ie zal doen als ie ons grijpt.'

'Wat is dat dan?'

'Hij zegt dat als je slaapt, als je daar ligt en je hoofd stilhoudt, dat de Koekjesman dan naar je toekomt met een pook.'

'Een pook?'

'Ja, en dan krijg je een hengst. Eentje.'

'Hij zit achter je aan, klopt dat?'

'Ja.'

'Je bent op het moment door de sociale dienst opgevangen, dat klopt toch?'

'Ja.'

'Je bent veilig, is het niet?'

'Neu, hij weet je te vinden hoor, waar je ook bent, en hij komt altijd 's nachts nadat je je ogen hebt dichtgedaan. Ze kunnen je niet de hele tijd beschermen, weet u. Hij houdt je in de gaten, wacht tot je ogen dichtvallen en als er niemand kijkt, als het echt pikkedonker is, dan komt hij.'

'Door een raam?'

'Bijvoorbeeld. Door welke opening dan ook. Hij heeft echt geen sleutel nodig.'

'Anji, als ik zo naar je luister lijkt de Koekjesman wel een soort nachtmerrie. Klopt dat?'

'Ja, maar het is wel echt.'

'Bedankt. Je hebt ons goed geholpen.'

Nick deed het opschrijfboekje dicht en gaf het terug aan meneer Wyecliffe. Het werk van zijn moeder was voor hem altijd iets afstandelijks geweest: de feiten waren meestal wel interessant maar ze speelden zich af op neutraal terrein: zij 'vertegenwoordigde' iemand in een 'zaak' waarbij zich problemen voordeden met de 'bewijsvoering'. Nu hij de concrete vragen en antwoorden las kwam haar werk dichterbij. Elke handeling was maar op één ding gericht: winnen. Niets was heilig, alleen de regels van het spel. Zelfs mededogen was als een middel ingezet. Nick vroeg: 'Weet u wat er met George Bradshaw gebeurd is?'

'Dat weet ik niet.'

'Weet u wat er met zijn zoon gebeurd is?'

'Dat weet ik wel.'

'Hoe bent u daar achter gekomen?'

'Er is in verschillende kranten verslag van gedaan.'

'Wie heeft u er op geattendeerd?'

Meneer Wyecliffe staarde naar zijn bier, hij voelde bewondering voor het feit dat Nick hem dit vroeg. 'Kan niet veel loslaten,' zei hij. 'Beroepsgeheim.'

Ze waren weer terug op het punt waarop ze het gesprek in het schemerige, benauwende kantoor begonnen waren.

Toen ze buiten stonden floot Wyecliffe als reactie op de plotselinge kou. Een kille wind kwam uit de richting van de Old Bailey en joeg door Newgate Street dat als een trekgat fungeerde. De kantoorgebouwen waren grijze blokken met hier en daar schaars verlichte vierkanten erin. 'Je kent meneer Kemble, neem ik aan?'

'Ja.'

'Een klasse apart.'

'Ja.' Nick was echter in gedachten bij zijn vader en moeder, zoals ze op het eiland Skomer elkaars hand hadden vastgehouden. De zee was vaak ruw en de wind schudde je soms door elkaar. Het was een wereld die heel ver weg was.

'Heb je hem onlangs nog gezien?' De adem van meneer Wyecliffe werd mist.

'Op de begrafenis.'

'Natuurlijk.' Hij snoof. 'Ik neem aan dat je je moeders zegevierende optreden in de Riley-zaak genoemd hebt?'

'Nee, dat heb ik niet gedaan.'

'Ah.' Het was kennelijk het antwoord dat hij verwacht had. 'Vind je het erg als ik een rare vraag stel?'

'Nee.'

Hij liet zijn hoofd zo ver in zijn kraag zakken dat het leek alsof hij geen nek had. 'Heeft je moeder het sinds de rechtszaak nog wel eens over de Koekjesman gehad?'

'Nee.'

'Dat dacht ik al.'

'Waarom vraagt u dat?'

Hij duwde zijn kleine handen diep in zijn ruime zakken. 'Domme vraag, daarom…'

'… houdt u zich verre van de rechtszaal?'

Verbaasd antwoordde meneer Wyecliffe: 'Precies!'

# 4

George knipte zijn zaklantaarn aan en telde de krassen op de muur. Wachtend op de monnik was hij in gedachten steeds teruggegaan naar Lawton's Wharf, want daar was het geweest waar hij en Elizabeth met het geluid van de rivier op de achtergrond hun plan hadden gesmeed.

'Je wreekt die meisjes, George.'

Dat had Elizabeth gezegd toen ze voor het eerst op de aanlegsteiger had gestaan.

'Toen je wegliep uit de rechtszaal heb je ze in de steek gelaten.'

Ze kon hard zijn als ze dat wilde.

Een dag eerder, een vrijdag, had ze gezegd: 'Ik wil zien waar John viel.'

Ze waren van Trespass Place naar het Isle of Dogs gelopen. Zij aan zij hadden ze een donkere, bochtige laan gevolgd met hoge, stille pakhuizen waarboven hijskranen als oude galgen uittorenden. Even later stonden ze op een immense open plek met daarachter het water van de rivier: het bedrijfsterrein van H & R Lawton and Co (London) Ltd. Alles wat er nog van restte was een koperkleurige naamplaat die met een kleerhanger aan de omheining was bevestigd. De reling hing los en werd nog enigszins overeind gehouden door stukken ijzergaas. George en Elizabeth betraden het terrein via een groot gat in het gaas, zoals John waarschijnlijk ook had gedaan. Ze baanden zich een weg over de resten van een gesloopt pakhuis naar de kilte die van de Theems af kwam. Elizabeth liep voor George uit de steiger op en zei: 'Je·wreekt die meisjes, George.' De golven sloegen tegen de houten beschoeiing. 'Toen je de rechtszaal uitliep heb je ze in de steek gelaten.'

Voordat George iets terug kon zeggen begon ze hem te vertellen wat ze nodig had.

'Er zijn waarschijnlijk twee administraties: een voor elk bedrijf: dat van Riley en dat van Nancy. Het zijn wettelijk verschillende documenten dus ze zullen apart zijn opgeborgen.'

'Okido.'

'De eerste is "Rileys Rommel". De tweede "Nancy's Schat".'

'Okido.'

'Als je ze gevonden hebt praten we verder.'

'Okido. En wat gebeurt er in de tussentijd?'

'Jij maakt kennis met Nancy.'

'Hoe doe ik dat?'

'Als ik jou was, zou ik me bij haar deur te slapen leggen.'

'Okido. Maar ze zal willen weten hoe ik heet.'

'Inderdaad. Ik stel een alias voor. Meneer Johnson. Hoe klinkt dat?'

Met de verwijzing naar Johns voornaam verdween de schertsende toon. Dus daarom is Elizabeth naar deze werf gekomen, dacht George, op een zaterdag en 's avonds laat. Om aan te geven dat John in haar plannen een centrale plaats innam. Ze was weer bezig een omgeving te creëren voor wat ze ging zeggen, zoals ze ook met de chocolademelk en de toast gedaan had. Nu was het gericht op wat ze samen gingen doen. Ze gebruikte deze ceremonies om het verleden op te rakelen en het op een ongewoon actieve manier in het heden te plaatsen. George kon het niet precies onder woorden brengen, maar hij voelde dat er een helende werking van uitging, ondanks het feit dat hij ook met zijn falen geconfronteerd werd. Vanaf dat moment was alles wat ze samen deden op een indringende manier doortrokken van de nabijheid van de mensen die ooit dichtbij waren geweest: de meisjes die George had verraden en de zoon die hij verloren was.

'Meneer Johnson klinkt goed,' had George gezegd.

'Laten we gaan.'

Er werd driemaal getoeterd. Het was Elizabeths taxi, die gekomen was om haar naar huis te brengen.

Een paar dagen later kwam er weer een taxi, ditmaal om George en Elizabeth van Trespass Place naar het Isle of Dogs te brengen. Ze waren het erover eens dat het beter was als hij wat dichter in de buurt van Nancy's winkel in Bow zou blijven, niet ver van de oude havenbuurt.

'Riley komt eens in de week op donderdagmiddag langs,' zei Elizabeth. 'Hij blijft ongeveer een uur om meubels uit te laden of spullen te versjouwen.'

'Hoe weet je dat?'

'Ik heb iemand ingehuurd om hem in de gaten te houden.'

'Hoe lang?'

'Zes weken.'

'Dat had ik kunnen doen.'

'Nee, want ik had je nog maar net gevonden.'

De taxi bleef nog een uurtje wachten terwijl George bij de hoge, verlaten gebouwen rondslenterde. Er zat prikkeldraad op de muren en de zwarte ramen waren met kippengaas bespannen. Planken waren kriskras over openingen gespijkerd, maar ergens in een steegje vond George een deur die klepperde. Het geluid deed aan het slaan van een houten hamer denken, en trok zijn aandacht. De kamer was kaal als een cel, de muren zaten vol groene aanslag, alsof de rivier er langzaam in werd opgezogen. Het zou voldoen. Elizabeth volgde hem naar binnen.

'Ik heb geld, weet je.' Ze klonk intens verdrietig.

'Ik ben er niet klaar voor.' Hij begreep zijn eigen woorden niet. Nino wel. Het hoorde bij het mysterie van hen die een te groot verlies hadden geleden.

Ze drong niet aan. Worstelend om haar stem onder controle te krijgen, zei ze: 'We zien elkaar twee keer per week op Lawton's Wharf.'

'Okido.'

De taxi slalomde over de smerige wegen naar de oranje lichtjes van Bow, op vijf minuten afstand. George werd bij een brug met een fish-and-chipskraam afgezet. Nancy's onderkomen – een krot van hout en golfplaat – stond aan de overkant van de weg. Door het open portier van de taxi stopte Elizabeth hem twintig pond toe. Toen was ze verdwenen.

George verkende de omgeving op windvrije plekken – dat had hij van Nino geleerd – en vond een paar stukken karton onder de brug. Hij klom de met gras begroeide helling weer op en installeerde zich bij Nancy's voordeur. Hij bouwde nauwsluitende muren tegen de kou. Vervolgens schreef hij de gebeurtenissen van die dag op in boekje zevenendertig.


De volgende morgen maakte George kennis met Nancy Riley. Hij had zich haar hard en ongedurig voorgesteld, maar haar gezicht was zacht en ze droeg een gek hoedje, geel met zwarte stippen. Ze raapte de stukken karton op alsof ze iets waard waren en nam hem mee naar binnen, de ijzige kou uit. Ze stak de gashaard aan en ging naar achteren om thee voor hem te zetten. Haar dikke armen vulden de mouwen van een vest van ruige stof. Ze wierp hem een blik toe met ogen die groot waren en leken te lachen. De ketel stond bovenop een grijze archiefkast.

Door de donkere glazen van zijn lasbril keek George naar de kleerkasten, de spiegels en de ornamenten. Het was als een huiskamer; er zou hier niets van Riley te vinden zijn. Snel verliet hij het winkeltje en haastte zich terug naar het havenkwartier. Die avond kwam Elizabeth naar de werf.

'Ik kan het niet,' zei George. Nancy was op dezelfde manier kwetsbaar als hij; moe zoals hij; ze hunkerde naar dat wat misschien mogelijk was geweest, net als hij. Het stond allemaal op haar gezicht te lezen.

Elizabeth leek verbaasd noch geïnteresseerd. 'Heb je een dossierkast gezien?'

'Ja.'

'Verder alleen oude meubelen?'

'Ja.'

Elizabeth was content, zoals iemand die kruisjes zet op een formulier. 'Ik ben blij dat je bent weggegaan.'

'Waarom?' George was verbijsterd. Hij had boosheid verwacht.

'Omdat je nu weet waar je mee te maken hebt. Ze moet wel een heel bijzondere vrouw zijn om Rileys vertrouwen te hebben gewonnen zonder iets van zichzelf kwijt te raken. Misschien kun je haar helpen.'

'Hoe dan?'

'Door haar te betrekken bij iets waar ze nooit in zou meegaan als je het haar rechtstreeks zou vragen. Jammer genoeg betekent het wel dat je haar moet misleiden.'

'Maar waarom?'

'Weet jij een andere manier?'

Daar had George geen antwoord op; hij luisterde alleen maar naar het water van de rivier dat tegen de oever klotste. Elizabeth liet een primusbrander en een doos vol blikjes bij hem achter.

Een week later ging George terug naar het winkeltje. Weer liet Nancy hem binnen, zodat hij zich bij de kachel kon warmen. Terwijl zij een klant hielp met het inladen van een paar stoelen in een bestelbus, nam George een kijkje in de achterkamer. De laden van de archiefkast waren duidelijk gemarkeerd: ROMMEL stond op de ene la, SCHAT op de andere. Binnen een paar minuten had hij twee officieel ogende mapjes in een van zijn plastic tassen gestopt.

'George,' had Elizabeth die avond op de werf tegen hem gezegd, 'ik wil niet ondankbaar lijken, maar dit heb ik allemaal al gezien. Het zijn de overzichten die hij elk jaar naar het Companies House stuurt.'

Elizabeth nam het notitieboekje van George en schreef op waar hij naar moest zoeken: de in- en verkoopgegevens van de twee zaken. Ze beschreef hoe die er waarschijnlijk uitzagen.

'Wacht eerst nog maar een week, George.'

'Waarom?'

'Aangezien je aanpak meer met liefde te maken heeft dan met bedrog, is het beter om je niet al te gretig op te stellen.'

Daarna ging ze naar huis met een taxi die bij de omheining stond te wachten.

De eerstvolgende keer dat George zich weer in Bow vertoonde, leek Nancy blij te zijn om hem te zien; misschien zelfs een beetje opgelucht. Weer maakte ze thee voor hem. Ze praatten over het weer. Steeds wierp ze een steelse blik op zijn schoenen. Na tien minuten stond ze op en kwam terug met een teil die gevuld was met warm water met sop. 'Laat uw voeten maar eens even weken, meneer Johnson.'

Het was paradijselijk.


De dagen die volgden kreeg George geen kans in de achterkamer rond te neuzen, dus hij trof Elizabeth alleen op de afgesproken tijden. Het duurde echter niet lang voor hij met een paar met linnen samengebonden grootboeken kwam aanzetten: dat van Riley was rood, het blauwe was van Nancy. George had ze gevonden toen Nancy melk was gaan halen.

Elizabeth zat op wat er over was van een laag muurtje en bestudeerde de boeken bij het licht van Georges zaklantaarn. Ze leek afzonderlijke posten met elkaar te vergelijken, waarbij ze haar aandacht steeds van het ene naar het andere grootboek verlegde.

'Er is iets gaande,' fluisterde ze terwijl ze geërgerd met een vinger op de pagina tikte.

'Is het voorbij? Hoef ik nu niets meer te stelen?'

'Weet ik niet,' snauwde ze. 'Dat vertel ik je morgen.'

Elizabeth kwam terug op een onchristelijk tijdstip toen het nog niet eens licht was. Toen hij wakker werd in het verlaten pakhuis stond ze over hem heen gebogen.

'Hiermee krijgen me maar de helft van het verhaal.' Ze gaf hem de grootboeken terug. 'Ik heb alles gekopieerd maar ik heb nog iets nodig. Er moeten ook afzonderlijke kwitanties zijn.' Ze sprak snel vanuit de duisternis. George sliep nog half. 'Je weet wel wat ik bedoel, van die kleine blauwe boekjes zijn het. Op elke pagina staat een nummer in de hoek. Het zijn doorslagen. Het origineel is bij de koper.'

George ging rechtop zitten en wreef zijn ogen uit. 'Moet ik, ik bedoel...'

'Ja.' Ze verhief haar stem. Een klein beetje verloor ze haar zelfbeheersing, net genoeg om hem ertoe te bewegen naar Bow terug te gaan. 'Deze keer loop je niet weg, David George Bradshaw.'

# 5

In het bleke ochtendlicht zat Roderick Kemble QC achter zijn bureau met een revolver in de ene hand en een document in de andere. Met meedogenloze concentratie bestudeerde hij de rotatie van het magazijn terwijl hij langzaam de trekker overhaalde. 'Ga zitten,' zei hij na de klik. Alsof er geen tijd verstreken was sinds de vorige avond, vervolgde hij: 'Riley zei dat Bradshaw achter de beschuldigingen zat die tegen hem geuit werden?'

'Dat klopt.'

'Hoe heb je toen voorgesteld meneer Bradshaw onderuit te halen?'

'Frank Wyecliffe dacht maar aan één ding: dat het vreemd was om je tweede naam te gebruiken als je eerste zo gewoon was. Ik had het idee dat hij niet helemaal goed bij zijn hoofd was, en Elizabeth dacht hetzelfde.'

Anselmus ging in gedachten terug naar dat gesprek met Elizabeth.

Ze zaten in de koffiekamer toen zij hem vroeg: 'Denk je dat Riley onschuldig is?'

'Nee.'

Ze nam het laatste Jaffa-koekje en beet er kleine stukjes af. 'Zou jij het kruisverhoor van Bradshaw willen doen?'

'Natuurlijk.' Gewoonlijk wordt de belangrijkste getuige door de QC onder handen genomen, niet door een hulpje. Anselmus had echter destijds bij haar verzoek niet stilgestaan.

Een discreet kuchje bracht hem terug in het heden. Anselmus sprak op zachte toon, zoekend naar de betekenis van de woorden die lang geleden werden uitgesproken: 'Elizabeth zei: "Dit is je kans om iets te doen wat er toe doet." '

Het probleem was dat Anselmus Bradshaw voor een leugenaar zou moeten uitmaken – hoe beleefd hij dit ook zou doen – zonder dat daar enige grond voor was. Er was geen enkel bewijs voor het feit dat hij samen met de meisjes een complot had gesmeed om Riley er bij te lappen. Toen Anselmus ging staan had hij alleen maar een intuïtief besef dat Wyecliffe gelijk had toen hij zei dat het ongewoon was om je middelste naam te gebruiken.

Roddy had ooit gekscherend gezegd dat beslissende kruisverhoren in drie categorieën zijn in te delen. In de eerste categorie houdt de verdediging een helder betoog over feiten die op meerdere manieren kunnen worden geïnterpreteerd. Dan is er de situatie waarin de verdediging over verpletterende informatie beschikt die alleen nog maar op het juiste moment onthuld moet worden om de zaak te beklinken. Maar er was ook nog een derde categorie, en dat was de situatie waarin de verdediging geen flauw idee heeft waar ze het over heeft. Anselmus zag zich met meneer Bradshaw in deze laatste categorie geplaatst. Elizabeth mocht dan denken dat de naamsverandering geen betekenis had, Anselmus was nu degene die aan het roer stond. Hij ging voorzichtig te werk, steeds de implicaties van elk antwoord volgend. Bradshaw had de meeste vragen met 'ja' beantwoord. Alles was heel beschaafd verlopen.

'U noemt zichzelf George, is dat correct?'

'Ja.'

'Maar uw eerste naam is David?'

'Ja.'

'Waarom bent u uw tweede naam gaan gebruiken?'

'Ik hield niet van mijn eerste naam.'

De meeste advocaten ontwikkelen een sterke intuïtie doordat ze zo vaak de ervaring hebben gehad dat ze het voor de hand liggende over het hoofd zien. Het is een soort jachtinstinct, het is als het zoeken naar een geurspoor. De afkeer van zo'n doodgewone voornaam kwam op Anselmus niet overtuigend over. Omdat hij geen instructies had om iets anders te doen en ook niet over bewijzen beschikte, besloot Anselmus zijn intuïtie te volgen.

'Mensen kunnen allerlei redenen hebben om hun naam te veranderen.'

'Ja.'

'Meestal is het omdat ze met een schone lei willen beginnen.'

'Ja.'

'Het ene leven eindigt, om het zo maar eens te zeggen, en een ander leven begint?'

'Ja.'

'Geldt dat ook voor u?'

'Ja.'

Anselmus zweeg en liet zijn fantasie de vrije loop.

'Dus David kneep er stilletjes tussenuit, is dat juist?'

'Ja.'

'En George nam zijn plaats in?'

'Ja.'

Anselmus maakte niet de fout te vragen waarom dat was, in plaats daarvan begon hij, nog steeds zijn gevoel volgend, over iets heel anders.

'U heeft de leiding over Bridges, de nachtopvang?'

'Ja.'

'Waar u al drieëntwintig jaar werkt?'

'Ja.'

'Uw werk houdt in dat u zich ontfermt over een uitermate kwetsbare groep, heb ik dat goed?'

'Ja.'

'Het is zelfs zo, als ik goed ben ingelicht, dat u soms kinderen opvangt die niet ouder zijn dan negen jaar?'

'Ja.'

'Iemand die dit soort werk doet moet wel een zeer hoogstaand karakter hebben.'

'Ja.'

Anselmus wachtte, het gezicht van de getuige nauwlettend bestuderend.

'Vertelt u mij eens, meneer Bradshaw, wie was in dienst van de nachtopvang: David of George?'

'Ik begrijp uw vraag niet.'

'Onder welke naam heeft u gesolliciteerd?'

'George.'

Dit was weer zo'n moment waarop een amateur had gevraagd waarom, maar Anselmus liet zich daartoe ook nu niet verleiden. Waar het in dit stadium om ging was vast te stellen dat alles wat Bradshaw zei zowel op zijn onschuld kon wijzen als dat het hem in een dubieus daglicht kon stellen. Roddy zei altijd dat voor onschuldige getuigen gold: hoe breder de vraag hoe beter, omdat ze geneigd zijn betekenis te hechten aan dat ene, cruciale en nog onbekende detail, waar ze door hun geweten naartoe worden geleid. Anselmus moest er achter zien te komen of er een verband was tussen het feit dat Bradshaw zijn eerste naam had laten vallen en het feit dat hij onder zijn tweede naam op zijn werk was aangenomen.

'Meneer Bradshaw, hebt u ooit wel eens iets gedaan wat onder de aandacht van de politie kwam?'

'Ja.'

'En was dat als David of als George?'

'Als David.'

Nu moest Anselmus zijn laatste zet doen. Er restte hem niets anders. Bradshaw zou zich ofwel volkomen vrijpleiten door te vertellen dat hij ooit een parkeerbon niet betaald had, of hij zou iets onthullen waarmee zijn integriteit in twijfel kon worden getrokken. Hij vroeg: 'Wat heeft David gedaan dat George wilde vergeten?'

De rechtszaal maakt iedereen tot een voyeur. De getuige wordt vaak helemaal uitgekleed, en dan komt er meer aan het licht dan kleding kan verhullen. Het is op een duistere manier fascinerend en kan de toeschouwer een pervers genoegen geven dat hem achteraf een bezoedeld gevoel geeft. Anselmus wist dit al heel lang, maar toen hij het Roddy vertelde voelde hij weer de geladenheid van dit specifieke spektakel alsof het de eerste keer was dat hij deze verboden grens overschreed. Bradshaw staarde wit weggetrokken de rechtszaal in. De jury keek naar hem, evenals de advocaten, de parketwachters, de verslaggevers en de toeschouwers. De rechter keek neer op dit tableau, terwijl zijn pen boven het papier bleef hangen. Geen detail, hoe klein ook, zou de officiële verslaglegging ontlopen. En toen, alsof iemand zijn naam had geroepen, stapte David George Bradshaw uit de getuigenbank en liep de rechtszaal uit. Een halfuur later liep Riley als een vrij man door dezelfde deur naar buiten.

Roddy had zijn papieren en zijn toga opgeborgen in een geruite koffer op wieltjes. Hij trok het gevaarte hobbelend en ratelend achter zich aan door de ambtsvertrekken en ging de trap af die naar Gray's Inn Square leidde. Anselmus volgde hem in de overtuiging dat Roddy's nauwlettende studie van het revolver – een bewijsstuk dat hij met toestemming van de rechtbank had meegenomen – vast wel een of ander nuttig doel had gediend, maar dat het hem eigenlijk te doen was om de commotie die aanstonds zou ontstaan als hij het ding weer mee naar binnen wilde nemen. Anselmus had echter andere dingen aan zijn hoofd. 'Er is iets wat mij tijdens dat proces door het hoofd is geschoten.'

'Gebeurt dat niet altijd?' Hij waggelde over de stoep als een toerist die op weg is naar Korfoe.

'Deze keer was het anders. Ik vraag me af waarom Elizabeth die zaak eigenlijk heeft aangenomen.'

Roddy kletterde met zijn koffer over de stoeprand. 'Sorry ouwe jongen. De vraag is niet in mij opgekomen.' Hij begon ernstig te kijken. 'Vergeef me, maar ik moet me nu bezig gaan houden met trekkers en veiligheidspallen. Weet je dat het in bepaalde omstandigheden heel moeilijk is druk uit te oefenen op maar een van de twee? Dat zou toch enige twijfel moeten zaaien.'

Ze gingen uit elkaar en Anselmus zag Roddy links en rechts mensen begroeten terwijl hij zijn weg door Holborn naar de Bailey vervolgde. De schurk heeft het zich nooit afgevraagd, dacht Anselmus, omdat hij het altijd al wist.


# 6


De herinnering aan meneer Wyecliffe vergalde Nicks eetlust. De cornflakes smaakten naar zure melk. Hij had zich nooit echt gerealiseerd dat zijn moeder in een schemerige wereld van compromissen had geleefd. Toen Nick wakker werd zaten drie vragen hem dwars. Twee ervan zou hij tijdens het ontbijt afhandelen. Zijn vader zat tegenover hem naar zijn gekookte ei te kijken.

'Ik vraag me af wat mam met die lepels moest?'

'Lepels?' Charles tikte op het ei alsof het de deur van de directeur was.

'Die op de passagiersstoel werden gevonden.'

'Gekocht in een winkel, neem ik aan.'

Niet op zondag, dacht Nick. Hij wilde zijn vader echter niet uit balans brengen door de conclusies die hij misschien had getrokken over Elizabeths gedrag in de dagen voor haar overlijden op losse schroeven te zetten. De lepels leken echter tegelijkertijd onbenullig én belangrijk. Naar alle waarschijnlijkheid had ze ze kort voor haar dood gekocht. Er was nog een toevalligheid die niet verklaard was, en dat bracht Nick tot zijn tweede vraag.

'Wat had ze eigenlijk in de East End te zoeken?'

Charles liet het ei in gedeeltes op zijn bord vallen. 'Ze zei dat het met het werk te maken had. Dat ze een beeld wilde krijgen van de omgeving.'

Nick zag de foto's van de lijkschouwing voor zich die hij op haar bureau had zien liggen. Die hoorden bij de laatste zaak waar ze mee bezig was geweest. Het slachtoffer was in Bristol vermoord, niet in Londen. Nick had alle instructiedocumenten in haar werkkamer doorgenomen voor ze waren opgehaald. Geen enkele zaak bevatte een verwijzing naar de East End.

Charles pulkte met een nagel in het uiteengevallen ei en kreeg een rood hoofd. 'Wat ben je allemaal aan het doen als je de deur uit bent?' Hij lachte zwakjes. 'Je gaat hierheen en daarheen. Je lijkt je moeder wel.'

'O, wat vrienden bezoeken en nog wat dingen afhandelen.'

Charles pakte zijn mes terwijl zijn ogen zich vernauwden. Hij zag er halsstarrig uit. 'Dat zei zij ook.'

Na het ontbijt ging Nick naar het Royal Brompton Hospital in Kensington om zijn derde vraag te stellen: de hartaandoening waar zijn moeder aan gestorven was. Hij was er niet van op de hoogte geweest dat ze eraan leed, noch dat het een ernstige aandoening was. 'Ze wilde niet dat je je zorgen zou maken,' had Charles de avond voor de begrafenis tegen hem gezegd. Hij had een rukje aan zijn das gegeven. 'Ik had geen idee dat ze zomaar ineens zou bezwijken... dat het einde zo plotseling zou komen, als een bus die ineens de stoep op rijdt.'

Het had geen zin zijn vader onder druk te zetten om meer details los te krijgen. De anatomie van een vlinder kon hij begrijpen maar een mens was te veel voor hem. Te veel buizen en vaten. Daarom had Nick contact opgenomen met de cardiologe van zijn moeder. Hij had het niet tegen zijn vader gezegd.

Dokter Simbiat Okoye had een dun medisch dossier voor zich liggen. Peinzend bladerde ze erdoorheen. Haar haar was in een strakke vlecht gebonden, die was afgerold en in een losse knot laag in haar nek lag. Toen ze sprak bestudeerden haar ogen het gezicht van haar toehoorder. 'Uw moeder leed aan hypertrofische cardiomyopathie.'

Nick liet de woorden tot zich doordringen. Het was een erfelijke hartaandoening waarbij de spieren dik en stijf worden. Dit heeft invloed op de doorbloeding en het functioneren van de hartkleppen. Er is geen remedie en er is vijfenvijftig procent kans dat het op de volgende generatie wordt overgedragen.

'U heeft het niet,' zei dokter Okoye. Ze had donkere ogen met een zweem roze in het oogwit.

'Heeft ze me hierop laten onderzoeken voor ik naar Australië ging, zonder dat ik ervan wist?'

'Ja.'

Dokter Okoye legde uit hoe zijn moeder bij haar was gekomen en wat de uitslag van het onderzoek was geweest. Tien jaar geleden had Elizabeth last gekregen van kortademigheid en pijn op de borst. Ze had dit toegeschreven aan spanningen op haar werk: niet lang daarvoor was ze voor het eerst bang geweest in de rechtszaal – het was niet de gewone nervositeit geweest maar een verlammende angst die haar misselijk kon maken. Dit was haar nooit eerder overkomen. De hartkloppingen en het gevoel van lichtheid in het hoofd werden op het conto van de menopauze geschreven. Ongeveer een jaar geleden kreeg ze een black-out. Haar huisarts verwees haar met spoed naar de cardiologe.

'Een operatie was niet nodig,' zei dokter Okoye. 'Ik schreef bèta-blokkers voor en een middel tegen hartritmestoornissen. De medicijnen werkten goed maar...'

'... een klein percentage van de patiënten loopt het risico plotseling te overlijden... alsof ze door een bus worden overreden. Mijn moeder was een van die mensen.'

'Ja. Wilt u mijn notities lezen?'

'Nee dank u.' Hij stelde de vraag die ze verwachtte. 'Hoe heeft mijn moeder dit gekregen... ik bedoel... was het via haar moeder of haar vader?'

'Daar is nu niet meer achter te komen,' zei dokter Okoye. 'Wat ik erover gehoord heb, zou het haar vader geweest kunnen zijn. Ik heb begrepen dat hij met een glas melk in de hand in een leunstoel is overleden.'

'Ja,' zei Nick. 'Hij ging zomaar ineens dood.'

Niet lang daarna was ook zijn grootmoeder overleden, aan septikemie. Hij had zijn grootouders niet gekend. Er waren geen andere kinderen, dus daar hield de erfelijke overlevering op.

Dokter Okoye stond op en liep naar het raam. Ze wenkte hem. 'Kijk eens naar beneden, naar de binnenplaats.'

Een koperen beeld stond midden in een vijver. Het water werd langs twee naast elkaar liggende bassins geleid. Exotische planten met varenbladeren als geopende scharen stonden in potten langs de kant.

'Het stelt een verborgen aspect van het hartritme voor,' zei dokter Okoye. 'Naast het samentrekken van spieren blijft het bloed ook in beweging door oppervlaktegolven die door het instromende bloed worden veroorzaakt. Het lijkt alsof de circulatie na de eerste impuls altijd kan blijven doorgaan doordat de benodigde energie niet van het hart komt – dat ooit een keer moe wordt – maar van een stelsel van holtes in combinatie met de stuwing van het bloed. Jammer genoeg is dit niet helemaal in overeenstemming met de werkelijkheid. Zoals u kunt zien'... ze wees naar een uiteinde van het beeld... 'kan kunst, evenals de natuur, niet zonder pomp.'

Nick keek naar de oase, zijn hoofd tegen het raam gedrukt.

'Je moeder en ik stonden bij dit raam,' zei dokter Okoye. 'Het had haar aangegrepen. Maar het hart is raadselachtiger dan welke zwakte ook.'

'Hoezo?'

'Het is een wonder dat het überhaupt gefunctioneerd heeft.'

Op weg naar buiten draalde Nick nog even op de binnenplaats om naar het water te kijken dat klaterend tussen twee metalen schoepen naar beneden stortte. Hij dacht niet aan mogelijke werelden, maar aan de ondoorgrondelijkheid van deze: zijn moeder was naar de East End gegaan, had een set lepels gekocht en toen was haar hart stil blijven staan.

# 7

Voor zover George wist was hij in een mooie tuin bij het Imperial War Museum wakker geworden nadat hij tegen zijn hoofd was getrapt. Er was echter van alles gebeurd in de tussentijd. Veel daarvan kwam vanzelf weer bij hem terug en de lacunes werden zo goed en zo kwaad als het ging door Elizabeth opgevuld. Haar stem riep andere herinneringen in hem op en samen hadden ze de gebeurtenissen op een rij gezet.

Wat eraan voorafging was niet ingewikkeld.

George hield niet van het havenkwartier: het pakhuis leek 's nachts tot leven te komen, de bakstenen kreunden en het gebouw leek te galmen van de activiteiten van weleer. Het kwam er op neer dat het niet zijn plek was. Zijn territorium bevond zich ten zuiden van de rivier, rond Trespass Place. Een paar dagen nadat Elizabeth om de kwitantieboekjes had gevraagd was George na het vallen van de avond naar Waterloo gelopen. Hij was nog maar een paar minuten verwijderd van de brandtrap toen het gebeurde.

Er was geen reden geweest voor de aanval. George werd niet in elkaar geslagen terwijl hij een oud vrouwtje verdedigde of een dief probeerde te grijpen. Hij zat op een bankje popcorn te eten. Vanuit zijn ooghoek zag hij een slungelige jongen met een gewatteerd jack… en nog een tweede jongen, met een kaalgeschoren hoofd. Ze lachten en stootten elkaar aan als kinderen op een schoolreisje. Als de meester niet keek haalden ze de ergste streken uit. De jongen met het jack vroeg of hij wat popcorn kon krijgen. George gaf hem wat hij vroeg. De kaalgeschoren jongen keerde de hele beker boven Georges hoofd om en schudde ermee alsof het een groot zoutvat was. Toen George ging staan begonnen ze te schoppen. Het was als een dans of een nieuwe sport. Ze hijgden, gromden en zuchtten.

Op dit punt begon de verwarring in het hoofd van George: hij kon zich niet herinneren dat hij in een ziekenhuis werd opgenomen, en ook niet dat hij zichzelf ontslagen had en naar de tuin van het Imperial War Museum was gegaan. Na wat voelde als een roes die hij na een dronken bui had uitgeslapen deed George eenvoudigweg zijn ogen open en zag hij bomen... en wolken als sliertjes room in een lichtblauwe blanc-manger... en zijn eerste gedachte was hoe heerlijk de wereld was. De geur van gemaaid gras was zo sterk dat hij die bijna kon proeven. Dit moet de hemel zijn, dacht hij. Zielsgelukkig was George de poort uitgelopen om te ontdekken wat hem te wachten stond. Pas toen hij langs de schitterende, vreemd vertrouwde straten kuierde, merkte hij dat zijn hoofd niet meer goed werkte. Instinctief, als een gewond dier, was hij teruggerend naar Trespass Place, waar Elizabeth hem uiteindelijk vond.

Wat Elizabeth betrof: ze had hem zoals gebruikelijk op Lawton's Wharf opgewacht. Toen George niet kwam opdagen ging ze naar de politie die hem in een ziekenhuis wist op te sporen. Tegen de tijd dat Elizabeth arriveerde was hij er al tussenuit geknepen. 'Ik wist dat je hier terug zou komen,' zei ze liefdevol. In haar handen hield ze zijn twee plastic tassen die ze uit het kamertje in de haven had opgehaald. Gezeten onder de brandtrap las Elizabeth vervolgens de laatste paar notitieboekjes voor die het bekende beschreven, en toen probeerden ze samen het onbekende in kaart te brengen.

Er zat geen duidelijke lijn in. De weken vóór het voorval waren door elkaar geschud. De gebeurtenissen vormden een warboel en sommige waren verdwenen, maar gelukkig had George er gedetailleerd verslag van gedaan. Dat vormde een basisstructuur voor zijn geheugen. Dankbaar bouwde hij het verleden weer op in zijn hoofd, rond de stukken die hij bewaard had. Toen Elizabeth klaar was met voorlezen zei ze: 'Je moet dit elke dag doen, om vast te houden wat je nog hebt.' Toen gingen ze naar Carlo's. Zonder iets te bestellen gingen ze zitten. Er kwam geen toast en geen warme chocola aan te pas.

'Het is voorbij,' zei Elizabeth even later. 'Het is tijd dat je de straat vaarwel zegt, of je er nu klaar voor bent of niet; het is ook tijd dat we Riley loslaten.'

Het noemen van die naam was als een dolkstoot, een injectie in het hart.

'Ik heb een revalidatiecentrum voor je gevonden,' zei ze op gezaghebbende toon. 'Daar kun je zo lang blijven als nodig is.'

'Nee, dank je.' George ging naar de bar en bestelde toast en warme chocola. Hij kwam terug met een blad en zei: 'Ik ga terug naar Nancy.'

Het duurde even voor George terugging naar het winkeltje. Hij bestudeerde zijn notitieboekjes. Door zijn herinneringen met die van Elizabeth te combineren kon hij zijn eigen geheugen aanvullen. Vervolgens ging hij naar het Embankment, naar de andere mensen die op straat leefden. Het was alsof hij nieuw speelgoed had, of een vreemd nieuw wapen: hij moest vertrouwd zien te raken met zijn veranderde geest. Hij moest opnieuw leren verbanden te leggen. Dat vereiste oefening en geduld. In plaats van aan het eind van de dag aantekeningen te maken, beschreef hij de gebeurtenissen kort nadat ze zich hadden voorgedaan. Hij maakte lijsten van dingen die hij moest doen. Beide hulpmiddelen gebruikte hij de hele dag door. Het was alsof hij een zandloper steeds omdraaide voordat al het zand er doorheen was gelopen. Elke minuut werd waardevol, ook al wist hij dat ze uiteindelijk allemaal verloren gingen. De essentie was opgeschreven, dus kon hij de rest laten gaan. Natuurlijk bevatten de lijsten en de notitieboekjes niets dat van enig belang was – wat George overkwam was nooit belangrijk – ze gingen alleen maar over alledaagse dingen. Op deze manier raakte George echter weer een beetje vertrouwd met de kleine dingen. Hij sliep nog steeds in Trespass Place en Elizabeth kwam hem 's avonds opzoeken. Ze overhoorde hem aan de hand van zijn meest recente lijst. Gaandeweg ging het steeds beter. Als er een prijs was geweest, dan had hij die gewonnen. Toen hij weer vertrouwd was geraakt met zichzelf, ging hij terug naar het pakhuis op het Isle of Dogs. En toen keerde hij terug naar Nancy's winkel in Bow.

De eerste dag zaten ze bij de gaskachel en vertelde George dat hij zijn halve verstand was kwijtgeraakt en zijn zoon was verloren. Het gebeurde heel natuurlijk, omdat het recente verleden verdwenen was en zijn verlies altijd vers was. Maar het was ook op de een of andere manier noodzakelijk om het Nancy te vertellen, want zij stond dicht bij de man die er verantwoordelijk voor was geweest. Terwijl ze zat te luisteren vergat ze dat ze haar gele hoedje met de zwarte stippen nog op had. Hij keek naar haar door zijn lasbril, zich bewust van het feit dat zij dacht dat hij blind was en de uitdrukking van afgrijzen die zo nu en dan over haar gezicht kwam niet kon zien.

De volgende morgen begon Nancy te praten in de overtuiging dat George zich later toch niet meer zou herinneren wat ze allemaal gezegd had. Ze vertelde over haar leven op Lawton's Wharf, hoe ze Riley had ontmoet en over een rechtszaak... de details liet ze echter weg, ze hield het vaag, net zoals George had gedaan toen hij over zijn zoon had gesproken. Die avond schreef George niets op van de onthullingen van die dag afgezien van één scherp fragment dat hij zich de volgende ochtend nog kon herinneren: 'Hij is geen slechte man, weet je. Hij is gewoon... verloren.'

De kwitantieboekjes waren blauw, zoals Elizabeth vermoed had. George vond ze uiteindelijk in schoenendozen die op een boekenkast tegenover de dossierkast stonden. Het was een moeilijke klus want Elizabeth had hem doordrongen van de noodzaak dat hij van elk bedrijf een aantal boekjes weg zou halen die dezelfde periode bestreken. 'Haal niet zomaar wat weg, kijk naar de data.' Vandaar dat George ongeveer twee weken bezig was in de dozen te kijken zodra Nancy even weg was om een klant te helpen of melk te halen. Op een ochtend stopte hij er vier in zijn plastic tas. Die avond was Elizabeth gespannen toen ze de boekjes aanpakte.

'Je bent je ervan bewust dat dit je enige kans is?'

George knikte, hoewel hij haar niet helemaal kon volgen.

'Ik hoop dat ik gelijk heb,' zei ze bezorgd, 'zodat jij degene bent die hem uiteindelijk in de val laat lopen.'

'En als je geen gelijk hebt?'

'Dan heb ik nog een pijl op mijn boog.'

George knikte nogmaals, hoewel hij er niets van begreep.

Bij het ochtendgloren kwam Elizabeth terug met de boekjes.

'En?' zei George tegen haar donkere silhouet.

'Ik heb meer tijd nodig,' zei ze, en haar gestalte verdween alsof ze er nooit geweest was.

# 8

Het huis van meneer en mevrouw Bradshaw was een rijtjeshuis in een rustige, lommerrijke straat in Mitcham. Overal zaten de portieken en ramen als grote stickers op precies dezelfde plaats. Hoewel Anselmus niet had aangeklopt ging de deur langzaam open en verscheen er een slanke vrouw van in de zestig in de deuropening, met verwarde haren en een kwast in de hand. Haar gezicht zat vol verfspatten. De mouwen van een groot, vormloos overhemd waren losjes tot haar ellebogen opgerold. Ze keek Anselmus aan alsof hij haar bekend voorkwam.

'Mevrouw Bradshaw?'

Met de rug van haar hand veegde ze verf van haar voorhoofd en zei: 'Ze zei dat u op een dag langs zou komen.'

'Pardon?'

'Mevrouw Glendinning.' Toen riep ze zichzelf tot de orde, alsof het tijd was om aan het werk te gaan. 'Maar komt u toch binnen.'

Anselmus liep de gang in. Het tapijt was bedekt met lakens. De plooien golfden melkachtig tegen de plinten. Hij volgde mevrouw Bradshaw naar de zitkamer. Al het meubilair was afgedekt en de muren waren kaal. Ze was bezig geweest de gestuukte rozet in het plafond te schilderen. Er stond een ladder onder met een verfblik op een standaard. Ze stonden elkaar aan te kijken en Anselmus bewoog impulsief zijn vingers die hij op zijn rug hield; mevrouw Bradshaw stond stil en liet de hand met de kwast langs haar zij naar beneden hangen.

'Mevrouw Glendinning is overleden,' zei Anselmus. 'Ze heeft me een sleutel nagelaten die op een klein rood koffertje past dat ik inmiddels heb geopend. De inhoud heeft me met een rechtszaak geconfronteerd die ik vergeten was en met een brief die ik nog nooit gezien had. En ik ben erdoor op de hoogte gebracht van uw grote verlies.' Anselmus liet instinctief Johns naam ongenoemd. Hij keek naar haar en wilde met alle macht dat ze haar hoofd op zou heffen, dat een machtige hand alle doeken weg zou trekken. Hij zei: 'Ik wil u condoleren... u en uw man... ik weet alleen niet hoe ik recht kan doen aan de reikwijdte van wat u beiden hebt doorgemaakt. Als uw brief me eerder onder ogen was gekomen had het niet zo lang geduurd voor ik was gekomen.'

Mevrouw Bradshaw begon aan een knoop van haar overhemd te plukken. Het was blauw met aan een kant het logo van British Gas erop. Ze leek een vreemde in haar eigen huis, alsof ze zojuist was binnengekomen om de meter op te nemen.

'Mevrouw Glendinning heeft me verteld dat u monnik was geworden,' zei ze. 'Ik heb haar gevraagd het u niet te vertellen.'

'Waarom?'

'Omdat ik uw rust niet wilde verstoren.' Ze sprak op een toon alsof ze gevonden had wat ze had gezocht. 'En ik schaamde me voor wat ik had geschreven.' De kwast begon lichtjes heen en weer te zwaaien. 'Ik liet daarin helemaal zien wat ik geworden ben. Een verbitterde vrouw.'

Haar zelfhaat deed Anselmus huiveren. 'U was alleen maar eerlijk, meer niet.'

'Ik neem aan dat u George wilt zien, net als mevrouw Glendinning,' zei ze afstandelijk. 'Maar hij is weg, ben ik bang. Hij is een verloren man.'

Anselmus voelde de diepe stilte die in het huis hing. Hij kreeg het benauwd en had het gevoel dat hij bezig was te verdrinken. Het was de eerste keer dat hij iemand ontmoette die aan 'de andere kant' had gestaan in een zaak die hij had gewonnen. Hij luisterde verontrust.

'Na het proces,' zei mevrouw Bradshaw, 'raakte George zijn baan kwijt. Hij werd ontslagen wegens wangedrag. Niet vanwege het fiasco in de rechtszaal maar omdat hij zich überhaupt met die kinderen had ingelaten. Hij had afstand moeten houden... zoals advocaten doen... maar dat deed hij niet, hij kon het niet. Naderhand stortte hij helemaal in, hier, thuis. Toen verloren we John. Ik weet niet wat er gebeurd is, maar George wel, alleen kon hij het me niet vertellen. Nee, dat is niet waar' – ze worstelde zoals ze toen geworsteld had; met haar geest en lichaam stond ze te kronkelen in haar grote overhemd – 'George had het niet kunnen weten, maar toch voelde hij zich verantwoordelijk.' Ze begon regelmatiger te ademen en kwam tot rust. 'Op een zaterdagavond ging John weg. Hij is niet meer teruggekomen. Hij was naar Lawton's Wharf gegaan...'

'Waar Riley had gewerkt,' vulde Anselmus aan.

Ze knikte en beet op haar lip. 'Maar de politie kon niets doen. Zo'n verband betekent natuurlijk wel iets, maar het was gewoon niet voldoende. Blijft het feit dat John is omgekomen doordat George tegen die man is opgestaan.' Ze legde de kwast op de ladder, knielde en bewoog haar hand onder een laken dat over een kastje heen lag. Zonder te kijken vond ze de brief van inspecteur Jennifer Cartwright.

Het was een lange, gedetailleerde, uiterst meelevende maar uiteindelijk onverbiddelijke brief. Een arrestatie zat er niet in, laat staan een veroordeling. Anselmus gaf de brief terug en mevrouw Bradshaw knielde weer neer en legde de brief zonder te kijken terug onder het laken. Ze kwam wankelend overeind, reikte naar de kwast alsof het een handvat was, en liet zich op een met een laken bedekte stoel zakken.

Anselmus voelde hoe zijn maag zich omdraaide. Hij zag dat de muren met een laagje grondverf bedekt waren. Het patroon van het oude behang was nog nauwelijks verdwenen. Buiten begon het te regenen, eerst zachtjes, toen heviger. Het lage wolkendek leek al het licht te absorberen.

'George kon niet meer met zichzelf leven en ook niet meer met mij,' zei mevrouw Bradshaw, 'en ik kon niet meer met hem leven. De kwaadheid die tussen ons in kwam te staan is niet voor te stellen. Alles werd erdoor overwoekerd. Ik gaf George de schuld. George gaf zichzelf de schuld. Hij nam mij kwalijk dat ik hem de schuld gaf. Dat is wat kwaadheid met je doet: je gaat degene haten die je ooit liefhad. Het gebeurt, ook al begrijp je niet hoe. En als het uiteindelijk weer stil wordt ben je leeg en veranderd en is er geen weg meer terug. Wat overblijft is een verkeerd soort rust. Wat kun je eraan doen? Niets komt uit niets voort.'

Anselmus keek naar beneden. Hij wilde op gelijke hoogte met haar zijn maar durfde de lakens niet te verstoren. Net als met ongerepte sneeuw leek elke verstoring een vorm van vandalisme.

Mevrouw Bradshaw bracht haar handen naar haar hoofd waarbij

de kwast als een veer omhoog stak. 'Op een morgen, vijf jaar geleden, kwam George naar beneden om te ontbijten, maar hij liep door, naar buiten. Ik wist dat hij echt wegging. Ik stond niet eens op om hem na te kijken. Met John was het precies zo gegaan.' Haar handen vielen naar beneden. 'Ik vertelde inspecteur Cartwright dat hij verdwenen was. Het team dat vermissingen behandelt werd op de zaak gezet. Het is allemaal heel lang geleden.'

Anselmus zeeg naast haar neer maar wist niets te zeggen. Schuld viel hier in het niet, excuses werkten niet meer. Hier was een machtiger gebaar vereist. Op één knie gezeten dacht hij aan Elizabeth, haar sleutel en haar laatste woorden: 'Laat het aan Anselmus over.'

In de gang zei mevrouw Bradshaw: 'Ik begreep niet wat uw werk inhield – noch tijdens het proces, noch daarna. Maar nu begrijp ik het wel. Mevrouw Glendinning heeft me uitgelegd waar u stond.'

Op een eiland, had ze gezegd, de kille plek waar je niets echt weet en niet in staat bent tot medeleven.

Toen mevrouw Bradshaw de voordeur opendeed, stond er een harde wind die het geluid van zwaaiende bomen en regen met zich meevoerde. 'Ik heb uw man een vraag gesteld,' zei Anselmus met een licht onpasselijk gevoel. '… Wat deed David dat George wilde vergeten?… Ik was slim bezig en hield me aan de regels maar was blind voor wat het betekende… Het spijt me.'

'Misschien vertelt hij het u ooit nog eens.' Ze meende dit niet; dat kon ze niet. Hij was verdwenen, hij was verloren. 'Hier, die heb ik in de metro gevonden.' Ze pakte een herenparaplu uit de standaard.

Onhandig bleef Anselmus nog even op de drempel staan. Hij draaide zich om en staarde langs mevrouw Bradshaw naar de lakens. 'Volgens mij heeft mevrouw Glendinning uw man gevonden voordat ze stierf.'

'Waar is hij?' Ze liet de kwast vallen.

'Ik weet het nog niet, maar…'

Haar mond was enigszins opengevallen en snel sloot ze de deur, alsof ze zich schaamde.

Anselmus beende de straat door terwijl hij de paraplu schuin voor zich hield. Hij voelde een kolkende woede tegen Riley en de heerschappij van zijn soort, dat altijd aan het langste eind trekt. Als het binnen zijn vermogen lag zou hij ze ten val brengen met dezelfde geestdrift waarmee hij ze ooit verdedigd had. Natuurlijk had Anselmus het verband gezien tussen het proces en de dood van John toen hij de inhoud van het koffertje had bekeken. En dat gold ook voor Nicholas, en voor Roddy. Zijn ontmoeting met mevrouw Bradshaw had zijn begrip echter nog dieper gemaakt en deed hem huiveren. Hij zag Riley voor zich, met zijn armen voor zijn magere borstkas, en zijn benige kaken die op een vreemde manier ontspannen waren.

Anselmus zocht zijn toevlucht in het eerste bushokje dat hij tegenkwam en las de brief van Elizabeth. De prior had gelijk gehad. Ze had hen beiden zorgvuldig bij een hachelijk plan betrokken.


# 9


Achtervolgd door kinderen kwam Elizabeths taxi over de keien aangereden. George bevond zich bij de omheining van Lawton's Wharf toen hij het lawaai hoorde. Hij bleef staan, met één been door het gaas, en keek toe. Het wemelde hier van die groezelige zwerfkinderen. Iedereen die zich hier waagde – groot of klein – werd door hen belaagd. George had hen al een keer in actie zien komen tegen een brandweerauto en sindsdien bleef hij altijd uit de buurt. Toen de taxi tot stilstand kwam dansten ze er klappend en schreeuwend omheen. De chauffeur scheurde weg en liet Elizabeth alleen achter. Zonder enige vrees liep ze op George toe, gevolgd door een schreeuwende meute… nou ja, er waren er maar vijf of zes maar ze domineerden de hele omgeving. Hun trammelant interesseerde hem echter niet meer toen hij zag hoe triomfantelijk Elizabeth keek.

Ze gingen de omheining door en baanden zich een weg naar de werf. Een paar kinderen volgden hen nog, maar even later waren ook zij verdwenen.

'We hebben het voor elkaar,' zei Elizabeth. Ze was een tijdje de stad uit geweest voor een zaak en ze hadden elkaar drie weken niet gezien. Ze zat op het muurtje, blij om weer terug te zijn, en klikte als een danseres met haar hakken. 'Hij lijkt het ene te doen, maar er zit een heel ander beest in die getallen verscholen. En dat allemaal terwijl Nancy er met haar neus bovenop zit.'

'Zou je dat alsjeblieft op willen schrijven?' George pakte zijn notitieboekje.

'Dat doe ik zo.' Elizabeth viste de whisky en de bekers uit haar tas. 'Ik heb nog meer te vertellen maar dat komt nog wel; we gaan het eerst even vieren.' Uit een plastic tas kwamen broodjes rosbief met mierik tevoorschijn en een bakje cherrytomaten. Over de Theems waaiden rimpelingen, alsof het water over zichzelf heen rende. Aan de overkant lagen lege schuiten in de mist.

'George, er is iets wat je moet onthouden... om over na te denken, zoals ik heb gedaan. Ook al is het steentje dat je gooit maar klein – en afkomstig uit zijn eigen tuin – het ontneemt hem wel iets wat hij belangrijker vindt dan wat dan ook, iets waarachter hij zich verschuilt: een goed karakter, datgene waar de wet niet alleen de deugdzame burger maar ook de man die nooit gesnapt wordt mee beloont.'

George fronste zijn wenkbrauwen. 'Heb je een pen voor me?'

Elizabeth lachte. Ze stopte een tomaatje in haar mond en pakte het notitieboekje.

'En laat dat over dat steentje en die tuin maar achterwege, want ik wil de dingen graag zwart op wit hebben.'

'Je krijgt het allebei van mij.'

Toen ze klaar was pakte Elizabeth een potje Griekse yoghurt met honing. George zat het etiket te lezen toen ze een in plastic verpakte envelop voor zijn neus hield.

'Bewaar dit op een veilige plek,' zei ze. 'Er zit een gedetailleerde uitleg in van Rileys handel en wandel. Het is ingewikkeld en absoluut niet voor de hand liggend.'

'Wat moet ik daarmee?'

'Op dit moment nog niets. Morgen is hij in Mile End Park waar een vroege kerstbazaar wordt gehouden. Ik heb mezelf in onze plannen een klein rolletje toebedeeld: ik wil hem nog één keer recht in de ogen kijken en hem beschuldigen.'

'En wat is mijn rol?' Hij keek naar het yoghurtpotje. Nino had gezegd dat dat spul slecht was voor de aderen.

'Je brengt deze verklaring naar inspecteur Cartwright. Het zal de basis vormen voor Rileys veroordeling. Dit komt jou toe.'

George ging verzitten en voelde zich trots en belangrijk. Het was ineens een plechtig moment geworden. Hij had het gevoel dat hij overeind moest komen om een korte speech te houden.

'Heb je ook een lepel?' zei hij.

Elizabeth trok een gezicht. 'Helemaal vergeten.'

Elizabeth ging die avond pas laat weg. Toen het donker werd verschenen er trillende lichtjes op de rivier.

George zei: 'Je vroeg me eens of ik ooit over het kwaad had nagedacht... of het ongedaan kon worden gemaakt. Ik heb het opgeschreven, maar het is iets wat ik niet los kan laten. Het is onmogelijk. Het is veelomvattender dan alles wat ik bedenken kan.'

Elizabeth zat in het notitieboekje van George te schrijven (over wat er de volgende morgen zou gebeuren en waar ze elkaar zouden treffen). Zonder op te kijken zei ze: 'Jaren geleden vertelde een fantastische monnik me eens dat het kwaad alleen ongedaan kan worden gemaakt voor zover het onszelf raakt. Ik kan het niet voor jou doen en jij niet voor mij. Het is iets strikt persoonlijks.'

George dacht dat er een handboek voor zou moeten bestaan, met instructies en diagrammen en achterin een overzicht van mogelijke problemen en hun oplossingen. Het zou het leven ontzettend veel makkelijker maken.

'Het schijnt dodelijker te zijn dan wraak, heb ik me laten vertellen,' zei ze met samengeknepen ogen, alsof ze zich op een doelwit richtte.

'Wat?'

'Wanneer een slachtoffer je vergeeft,' mompelde ze, terwijl ze met precisie een punt zette. 'Dat raakt je diep in je ziel.'

George was niet bijster onder de indruk. Hij had een onthulling verwacht, iets waarvan je rechtovereind ging zitten.

'Ik heb begrepen dat het de enige manier is waarmee kwaad on-gedaan kan worden gemaakt,' zei ze, terwijl ze het boekje dichtdeed. Toen werd ze weer praktisch en voegde er streng aan toe: 'Wat er ook gebeurt, blijf in Trespass Place wachten.'

Van buiten het bed van gebroken bakstenen, aan de andere kant van de omheining, werd drie keer geclaxonneerd. Elizabeth stond op en draaide zich om naar George. Ze gaf hem vijftig pond en contro-leerde of hij helemaal begrepen had wat er de volgende dag zou gaan gebeuren, en dat ze elkaar 's middags in Trespass Place zouden ont-moeten.

'George,' zei ze met een zucht. 'Wil je nou vanavond niet binnen slapen? Wat dacht je van het Bonnington?'

Hij weigerde en ze lachte vertederd terwijl ze haar handen op zijn schouders legde. Voor zover hij zich kon herinneren was het de eer-ste keer dat ze hem kuste. Haar handen bleven waar ze waren, zwaar en geruststellend. Misschien kwam het door de openheid van haar gezicht dat George iets zei wat hij niet van plan was geweest. Het leek haar te verpletteren op deze feestelijke avond.

'Johns dood had niets met jou te maken. Jij hebt Riley niet voor de rechter gebracht, dat heb ik gedaan.'

'Ja, dat weet ik.' Ze sprak alsof ze gekweld werd, alsof ze niet meen-de wat ze zei. Ze liet haar armen naar beneden vallen en wandelde voorzichtig langs de rand van de werf. Aan de andere kant aangeko-men bleef ze staan en staarde langdurig naar het zwarte water. Als een klok die niet meer goed werkte sloeg het water hortend en stotend tegen de houten beschoeiing.

Weer drukte de taxichauffeur driemaal op de claxon.

## 10

Het welslagen van grote projecten hangt af van de kleine details. Elizabeths routebeschrijving naar Trespass Place was enigszins vaag, dus Anselmus haastte zich naar een tijdschriftenwinkel om een blik in een stratenboekje te werpen. Het feit dat meneer Bradshaw zat te wachten – al meer dan tien dagen lang – gaf Anselmus een koortsachtig en opgejaagd gevoel dat hem klunzig maakte en deed vloeken. Hij snelde naar de ondergrondse terwijl de wind aan de paraplu rukte alsof hij moest worden tegengehouden.

In de metro was het vochtig en vol. Natte jassen drukten tegen hem aan. Moeizaam baande hij zich een weg naar een hoekje, waar hij de brief met Elizabeths instructies openvouwde.

> *Beste Anselmus,*
> *Tien jaar geleden wandelde Graham Riley met mijn hulp als een*
> *onschuldig man de rechtszaal uit. Hij was schuldig, daar ben ik*
> *zeker van. Nu heb ik jouw hulp nodig om hem weer voor de rechter*
> *te krijgen.*
> *Eerst moest ik je aan de rechtszaak herinneren; vandaar de brief en*
> *het krantenknipsel. Dit heeft je hopelijk voorbereid op de ontmoeting*
> *met mevrouw Bradshaw. Het was aan haar om je te vertellen wat er*
> *is gebeurd na het proces tegen Riley. Het is aan mij om je uit te*
> *leggen wat ik er aan gedaan heb om het terug te draaien.*

Anselmus las de eerste zin nog een keer. Hij kon zich nauwelijks voorstellen dat iemand die in dienst was van de rechtbank zich zo zou gedragen, of er nu sprake was van een gewetenscrisis of niet.

> *Het is niet waarschijnlijk dat er nog iets boven tafel komt wat*
> *bewijst hoe of waarom Riley John Bradshaw vermoord heeft. Toch is*
> *er nog een mogelijkheid. George en ik hebben ons erop toegelegd*
> *Riley het enige te ontnemen waar hij geen recht op heeft: zijn goede*
> *naam.*

Anselmus dook onder een arm door om te zien op welk station ze stopten. Met een territoriaal gebaar werd hij terug in de hoek geduwd.

> *Riley is nog steeds crimineel actief. De details zijn te vinden in een document dat George in zijn bezit heeft. Het zit in de linkerzak van zijn jack. Hij moet dit document, dat de basis vormt voor een toekomstige veroordeling, aan inspecteur Cartwright overhandigen. Jouw taak is George en Cartwright met elkaar in contact te brengen. Hij is te vinden onder een brandtrap in Trespass Place, een hofje bij Blackfriars Road. Op straat kennen ze hem als Blinde George, hoewel hij meer ziet dan jij en ik (laat je niet misleiden door de lasbril die hij draagt). Hij is echter zonder enige aanleiding afgetuigd en daardoor is zijn kortetermijngeheugen beschadigd. Hij kan gebeurtenissen alleen maar vasthouden door ze op te schrijven.*

Anselmus wurmde zich naar een plekje bij de deuren. Om hem heen verstijfden benen en lichamen.

> *Dit project is voor hem van het grootste belang. Als het allemaal gelukt is, hoop ik dat hij voldoende zelfrespect heeft gekregen om de reis naar huis te maken. Misschien kun jij hem een duwtje in de goede richting geven als je de kans krijgt. Dat zal hij nodig hebben. Succes,*
> *Elizabeth.*

Anselmus vouwde de brief op en stopte hem weg. Zijn jaren in de advocatuur hadden hem geleerd de inhoud van een document nooit klakkeloos voor waar aan te nemen – je moest elke komma omdraaien en uiteindelijk ook de schrijver stevig aan de tand voelen. Dit laatste was niet meer mogelijk, maar gezien de omstandigheden ook niet nodig. De brief bevestigde alles wat Anselmus al had geconcludeerd: dat Elizabeth geen vertrouwen meer had gehad in een systeem waar ze wellicht in het verleden te weinig vraagtekens bij had gezet.

Anselmus zuchtte hoorbaar en niet omdat iemand op zijn tenen

was gaan staan. Hij had zich opgelaten gevoeld tijdens zijn ontmoeting met Nicholas Glendinning. Nu wist hij tenminste wat hij moest
zeggen – althans enigszins, want het was moeilijk om het genuan-
ceerd en met enige precisie te verwoorden. Hoe moest hij hem uitleggen dat Elizabeths ontmoeting met Riley haar veranderd had? Als
een geschenk kwam het Beginsel van Locard in hem op, en Anselmus voelde zich heimelijk enigszins voldaan over zichzelf en niet zo'n
beetje slim ook: een aangename gewaarwording die echter onmiddellijk teniet werd gedaan toen hij mevrouw Bradshaw voor zich zag,
zoals ze met een geteisterde uitdrukking in de deuropening had gestaan, en weer hoorde hij dat verschrikkelijke zinnetje dat ze had uitgesproken, dat niets meer ergens toe leidde.

De trein denderde het metrostation Elephant and Castle binnen en
Anselmus baande zich moeizaam een weg langs onwillige schouders.
Hij had het heet en was natgeregend, maar eenmaal op het perron
had hij een triomfantelijk gevoel. Toen hij omkeek zag hij iemand
die met zijn hoofd tegen het raam gedrukt aandachtig het handvat
van mevrouw Bradshaws paraplu bestudeerde.


# I I


Normaal gesproken bood Trespass Place George voldoende bescherming tegen de elementen. De brandtrap was groot en gemaakt
van plaatijzer, maar als het waaide en regende ontstond er een probleem. Dan wervelde de wind door de binnenplaats en werd het water horizontaal rondgeslingerd. George was al tien minuten bezig geweest zijn gezicht droog te vegen toen hij besloot naar Carlo's te
gaan. Hij kwam moeizaam overeind en pakte zijn twee plastic tassen... toen bleef hij staan en keek naar beneden.

In een van de tassen, onder zijn opgerolde sjaal, zag hij een oud
pak melk, een groen uitgeslagen brood en een paar blikjes. Dit was
zijn tas niet. Hij keek in de andere en toen begreep hij het. Misleid

door zijn eigen sjaal had hij Nancy's boodschappentassen meegenomen. Hij moest zijn sjaal gedachteloos in de verkeerde tas hebben gestopt. Dit betekende dat hij zijn boekjes een tot en met tweeëntwintig bij Nancy had achtergelaten. In toenemende paniek keek George boekje drieëntwintig in, om zichzelf in zijn eigen verhaal te kunnen plaatsen. Er was geen twijfel mogelijk. Hij had de helft van zijn leven achtergelaten: zijn jeugd in Harrogate, zijn tocht als lifter naar Londen toen hij een tiener was en natuurlijk zijn verwikkelingen met Graham Riley.

De wind kreunde en rukte aan de vuilnisbakken en de zakken. George greep zijn slaapzak en de tas waarin de andere helft van zijn leven zat. Hij rende naar Marco's en ging in een hoekje achterin zitten, onder een van de verwarmingselementen. Zonder dat hij erom hoefde te vragen en zonder te hoeven betalen werd er een bord met toast en een beker warme chocola voor hem neergezet.

## 12

Anselmus was de route vergeten die hij in het stratenboekje had opgezocht, dus ging hij in Waterloo Station weer op zoek naar een kiosk. Hij bestudeerde de kaart en probeerde te memoreren hoe hij moest lopen. Toen stapte hij de regen weer in.

Vijf minuten later stond hij in Trespass Place en keek naar de hoge muren, de achterdeuren, die alleen van binnenuit konden worden geopend, en de bordjes VRIJHOUDEN. Hij liep naar een immense brandtrap aan de overkant van de binnenplaats. Om inbrekers af te schrikken was het onderste gedeelte verhoogd, en rustte op een kraagligger. De maatregel werd echter tenietgedaan door de lange ketting die naar beneden hing en langzaam om haar as draaide. Onder deze beschutting stond een aantal groene plastic zakken met gele touwtjes eromheen. Stukken karton waren tegen de muur gezet. Een tasje met boodschappen lag open op de grond. De melk zat vol klonten en het

brood had een vachtje van schimmel. Anselmus keek naar de houd-
baarheidsdata. Alle boodschappen waren gekocht voordat Elizabeth
stierf. George Bradshaw had helemaal niet lang gewacht. En gaf hem
eens ongelijk. Anselmus keek naar de regenpijpen, de gele touwtjes
en de verrijdbare vuilnisbakken. Ooit had een cliënt tegen hem gezegd dat het Magistrates Court van Sunderland de hel was. Hij had
ongelijk gehad. Anselmus begaf zich onder de verhoogde brandtrap
en trok het karton weg. Op de muur stonden keurige verticale streep-
jes die samen een blok vormden.

Kordaat verliet Anselmus de binnenplaats, zijn hoofd gebogen tegen de regen. Even verder langs de weg zag hij de lichtjes van een
café. Hij rende erheen en schuilde in de portiek terwijl hij afvroeg
wat hij nu zou gaan doen.

# 13

Een van de geweldige dingen aan Marco's was de manier waarop
het café verwarmd werd. Hoog aan de wand waren ouderwetse straal-
kachels aangebracht: oranje buizen gevat in glanzend, gewelfd metaal
die zachtjes neuriënd hun werk deden, net als Marco zelf.

George nam kleine teugjes van zijn chocola terwijl hij zich afvroeg
wat hij moest doen om zijn boekjes terug te krijgen. Het was onmogelijk om zijn biezen te pakken en weer te verdwijnen. Aan de
andere kant kon hij Nancy niet onder ogen komen, niet voordat alles achter de rug was – als Riley was gearresteerd. Dan zou George
uit kunnen leggen waarom hij verdwenen was en waarom hij haar
had bedrogen. Maar dat betekende dat zij deel twintig zou kunnen
doorbladeren, het deel waarin haar man voor het eerst voorkwam.
Dat risico zou hij moeten nemen. Maar ze zou er vast niet in kijken… zo was ze niet. Ze was goed opgevoed.

De ramen waren grijs en het condenswater stroomde naar beneden. Door de glazen deur zag George een donkere figuur die in de

kou heen en weer stond te wiegen. George roerde door het melk-achtige schuim en dacht aan Graham Riley.

Het was een van de merkwaardigste aspecten van dat hele proces geweest. Jennifer Cartwright – ze was toen nog brigadier geweest – had hem heel nauwgezet ondervraagd over Quilling Road. Hij had een plattegrond van het huis getekend en het behang beschreven. El-ke kamer had hij genummerd en benoemd. Hij had haar verteld hoe vreemd Riley zich gedragen had... dat hij nooit naar boven ging maar er altijd op stond dat iedereen naar beneden kwam, naar de onderste trede van de trap. Brigadier Cartwright had alles opgeschreven ter-wijl ze onafgebroken zat te roken. Maanden later had hij een ont-moeting met mevrouw Lowell, een juriste die voor de officier van justitie werkte. Deze keer kwamen er uitgetikte getuigenverklarin-gen aan te pas en een plattegrond met kleurencodes. Opnieuw had George zijn verhaal verteld. Om de details in het grotere geheel te kunnen plaatsen, werden ze vergeleken met de andere getuigenver-klaringen. Ten slotte was er nog een gesprek geweest met een open-baar aanklager genaamd Pagett, een lange man in een jacquet – zo'n kostuum waarin je gaat trouwen. Inmiddels kon George zijn verkla-ring haast opdreunen. Weer herhaalde hij wat hij had gezien en ge-hoord en wat hij wist van Rileys ongerijmde gedrag. Het vreemdste van alles was dat noch brigadier Cartwright, noch mevrouw Lowell, noch meneer Pagett op het idee kwam hem te vragen of hij Graham Riley ooit eerder had ontmoet. Niemand vroeg zich af waarom Ge-orge zich eigenlijk zo voor deze meisjes inzette. De advocaat die Ri-ley terzijde stond was heel anders – degene die had gevraagd wat Da-vid had gedaan dat George wilde vergeten. Als hij bij die bijeenkomst met Cartwright en Lowell aanwezig was geweest, dan had hij Geor-ge ontmaskerd, daar twijfelde hij niet aan.

De figuur bij de deur wiegde heen en weer. Het was de gestalte van een man. George begreep niet waarom hij niet binnenkwam. De verwarming was hemels.

# 14

Het parket waarin Anselmus zich bevond was een metafoor voor de gevaren van het monastieke pad. Cyril had hem net genoeg geld gegeven om met het openbaar vervoer te kunnen reizen. Anselmus, inmiddels nat en verkleumd, kon dus wel kopen wat hij wilde, maar dan ging dat wel van zijn reisgeld af. Vlakbij, achter zijn rug, kon hij de kop koffie krijgen die hem zo goed zou doen, maar dan moest hij te voet door de regen terug naar zijn verblijfplaats.

Anselmus peinsde over deze keuze maar richtte zijn aandacht uiteindelijk op een ernstiger probleem. Elizabeth had geen rekening gehouden met een veel basaler probleem dan het feit dat Anselmus er misschien wat langer over zou doen voor hij zijn sleutel zou gebruiken. Ze had zich niet gerealiseerd dat het van een man die de helft van zijn geheugen kwijt was kon worden verwacht dat hij rond zou gaan zwerven en zijn eten zou vergeten, laat staan zijn rol in haar project. Hoe moest hij weten waar hij hem moest gaan zoeken?

Een plotselinge opstandigheid maakte Anselmus onrustig. Hij sprong heen en weer, zijn gewicht dan weer op de ene, dan op de andere voet verplaatsend, alsof hij op het punt stond zijn hoek te verlaten en zich in een gevecht te storten. Hij moest eraan denken hoe mevrouw Bradshaw de kwast had laten vallen en met open mond, vervuld van afgrijzen, had gereageerd op de suggestie dat haar man misschien naar huis zou komen. De hoop was te verschrikkelijk geworden om over na te denken.

Anselmus keek met half toegeknepen ogen naar de intens vochtige lucht. Het ging steeds harder regenen. Hij holde naar de ondergrondse, plassen en stroompjes vermijdend. In een woedende fantasie greep hij Cyrils resterende arm en ketende deze vast aan een regenpijp.

# 15

Onder Marco's zoemende straalkachel schreef George over wachten, noodweer en een onrustige man bij de deur. (Zodra George het
verleden had vastgelegd, had Nino gezegd, moest hij zich weer rekenschap geven van het heden. 'Zo blijf je in contact met het hier
en nu.') Toen het alleen nog bij vlagen regende, keerde hij terug naar
Trespass Place.

Bij de herinnering aan wat Nino had gezegd draaide zijn maag zich
om. Het was een beetje getikt zoals George daar onder een brandtrap zat te wachten tot er een monnik om de hoek zou komen. Hij
leek te doen alsof Elizabeth niet dood was of dat haar dood geen consequenties zou hebben. In het hier en nu was Elizabeth dood. Zijn
herinnering aan alles wat ze samen gedaan hadden was een soort rouwproces, maar ook een vlucht, omdat het zich ergens in het verleden
bevond, toen ze nog geleefd had. Hij rilde van de kou en van angst,
alsof een harde waarheid Trespass Place binnendrong: het aanvaarden
dat Elizabeth dood was betekende dat hij ook moest aanvaarden dat
Riley de dans toch zou ontspringen. Het waren twee kanten van dezelfde munt. Het opgooien ervan, elke dag weer, was enkel maar een
illusie.

Terwijl hij zijn armen om zijn benen sloeg, herinnerde hij zich dat
het optimisme van Elizabeth grenzeloos was geweest. En het werkte
zowel vooruit als achteruit: ze had gezegd dat het verleden zo voor
het grijpen lag.

# 16

Toen het avond werd ging Nick naar de werkkamer en opende *De
navolging van Christus*. Door het gat was het onmogelijk om de eerste bladzijde te lezen, en dat gold eigenlijk voor de meeste hoofd-

stukken van het boekje. Waarom zou je het hart uit een boek snijden, tenzij je het boek uit je hoofd kende? Terwijl hij een zin probeerde af te maken die door het gat was afgebroken, ging de telefoon. Pater Anselmus was in Londen en wilde hem die avond ontmoeten. Hij zei: 'Ik heb ten minste één antwoord waar je naar op zoek was.'

Toen de afspraak was gemaakt deed Nick het boek dicht met de gedachte dat zijn moeder een vergelijkbaar mysterie was.

Nick parkeerde de gele kever met zijn neus naar de oude stenen van Gray's Inn Chapel. Even verderop stond pater Anselmus onder een straatlantaarn. Hij hield zijn gemillimeterde hoofd schuin alsof hij zich verbaasde over de wonderbaarlijke werking van moderne vindingen. Met de boogramen op de achtergrond had hij voor een middeleeuwse figuur kunnen doorgaan, ware het niet dat zijn vormloze duffelse jas het beeld verstoorde. Ze staken Holborn over en liepen Chancery Lane in, op weg naar de South Bank. De regenbuien van die middag hadden de lucht opgeklaard en de straten waren glanzend en nat. Voor de etalage van Ede and Ravenscroft, de kleermakerij van de rechtbank, staarde pater Anselmus naar de pruiken, boorden en stijlvolle pakken. Daarna was hij een tijdje stil. Halverwege Hungerford Bridge hield Nick zijn pas in en leunde met zijn armen over elkaar over de reling. Het hoge water van de rivier glinsterde langs de oevers, maar de stroming in het midden was zwart en mysterieus en leek daardoor dieper, wat iets onweerstaanbaars had. Op het water danste een klein bootje. Nick stond te kijken hoe het zich in deze hachelijke omstandigheden drijvende wist te houden toen hij naast zich de stem van een monnik hoorde.

'Forensische wetenschappers beweren dat elk contact een spoor achterlaat.' Ook pater Anselmus tuurde over de rand naar het stille water. 'Het wordt het Beginsel van Locard genoemd en betekent dat zodra je een voorwerp aanraakt je er iets op achterlaat wat er eerst niet was – een stukje van jezelf. Anderzijds neem je zelf ook iets mee wat je nog niet had – een stukje van dat voorwerp. Het is een alarmerend gegeven. Alles wat we doen is aan deze wisselwerking onderhevig.'

In de duisternis ontwaarde Nick een touw waarmee het kleine bootje aan een boei bevestigd was. Zijn moeder was aan Saint Martin's Haven gehecht geweest. De wind en de regen hadden haar geest vrijgemaakt voor wat haar te doen stond. Hij begreep dat nu. In de verte begon een straatmuzikant op zijn fluit te blazen.

'Locard had het niet over juristen,' vervolgde pater Anselmus peinzend. 'Als hij dat wel had gedaan, en zijn theorie over gedrag was gegaan in plaats van contact, dan zouden zij de uitzondering op de regel zijn, want op hun gewaad blijft nooit iets achter. Zij vervolgen onschuldigen en verdedigen schuldigen en blijven zelf buiten schot – en dat moet ook. In zekere zin wordt hun oprechtheid niet door principes maar door toeval bepaald. Dat kan ook niet anders. Ze staan hun best te doen om jou ergens van te overtuigen, maar als de tegenpartij eerder was geweest waren ze met evenveel verve en ongeacht enig financieel gewin bezig geweest je van het tegendeel te overtuigen. Het heeft niets te maken met wat zij zelf geloven, noch – wat vaak gedacht wordt – met wat ze er vervolgens mee verdienen. Zij zijn trouw aan het bewijsmateriaal en de instructies van hun cliënt. Hier hebben velen alles voor over. Wat henzelf betreft, zodra ze naar huis gaan…bevinden ze zich op een eiland, ze zijn geïsoleerd door hun onwetendheid en hun onvermogen tot medeleven. Het proces tegen Riley heeft dit voor jouw moeder veranderd. Het contact heeft wel een spoor nagelaten.'

De monnik wurmde met zijn hand onder zijn duffelse jas en haalde een brief tevoorschijn die hij aan Nick gaf. Hij zei: 'Nadat ze Riley eerst had geholpen te ontsnappen, nam ze het op zich om hem weer de rechtbank in te krijgen… om hem zijn goede naam af te nemen. Ze heeft me gevraagd het werk voor haar af te maken, mocht zij komen te overlijden.'

Nick las de instructies terwijl in zijn hoofd de verwarring toesloeg. Waarom had ze deze crisis niet met hem gedeeld? Waarom had ze alles zo voor zichzelf gehouden? Hij staarde naar het keurige handschrift terwijl pater Anselmus hem uitlegde wat er naar zijn idee gebeurd was: Elizabeth was haar geloof in haar professionele identiteit kwijtgeraakt; in deze zaak had ze met haar verdediging de aanklager verslagen; ze had het dossier indertijd bewaard om wat het vertegenwoordigde; toen kwam haar echter ter ore dat John Bradshaw dood was, maar het verband met Riley zou nooit bewezen kunnen worden. Hij zweeg en leek Nick de hand te reiken zonder zich echter te bewegen. 'Ik denk dat ze wilde dat je begreep dat ze aansprakelijk was zonder schuldig te zijn.'

Ze tuurden allebei naar de donkere rivier, naar het eenzame bootje.

'Maar ik zou haar nooit beschuldigd hebben,' zei Nick.

'Ik ook niet.' Pater Anselmus klonk droevig. 'Soms denk ik wel eens dat we door het geweten worden teruggeworpen in een wereld die heel anders is dan deze, een wereld waarin wij vreemden zijn voor elkaar.'

Nick voelde dat zijn ogen zich met tranen vulden. Ze was zo ver weg nu: niet alleen in de dood maar ook in het leven. En ondanks alle verwarring en het verdriet was Nick teleurgesteld. Hij had een spectaculaire onthulling verwacht die zijn moeders gedrag zou verklaren – dat ze bewijs had achtergehouden of het hof had misleid; iets wat haar geheimzinnigheid, haar uiterst vreemde gedragingen en de zorgelijke brieven zou verklaren die tot zijn thuiskomst hadden geleid. Maar het kwam erop neer dat ze in gewetensnood was geweest.

Nick wendde zich af en samen liepen ze terug naar Gray's Inn. De ordelijke straten van St. John's Wood waren verlaten. Nick parkeerde de kever en herhaalde in het donker de woorden van pater Anselmus. 'Pak je leven weer op,' had hij gezegd, 'ik zorg wel voor dat van je moeder.' Ze hadden gelachen, ook al leek dit een tamelijk hopeloze opgaaf nu meneer Bradshaw ervandoor was. Hij gaf een doelloze klap op het dashboard: hij was vergeten te vragen hoe het zat met de bevrijding van Mafeking.

Er rinkelde iets... het was het mobieltje van zijn moeder.

Iemand van de ambulance of van de politie moest het in de houder hebben teruggezet.

Met een traag gebaar pakte Nick het telefoontje en keek naar het display. Er stond een afdruk van een duim op het glas. Het kon het laatste spoor zijn dat zijn moeder had achtergelaten, alles wat er van haar over was. Hij drukte op de herhalingstoets en luisterde.

Met een kloppend geluid kwam de verbinding tot stand... op de achtergrond ging een zoemer af, onmiddellijk gevolgd door applaus en gejuich.

'Hallo? Ja?' klonk een vrouwenstem. 'Met wie spreek ik?'

Het zweet brak Nick uit, maar hij kon geen woord uitbrengen.

'Bent u daar nog?'

De vrouw wachtte en Nick luisterde, niet in staat de verbinding te verbreken. Ze was oud, haar stem klonk onvast. Nick kon haar ademhaling horen. Hij zag een bevende hand voor zich.

'Wacht... ben jij het, mijn jongen?'

Nick keek naar het venstertje. De duimafdruk was als in het glas geëtst. Daarachter stond het nummer dat gedraaid was. Onhandig zocht hij naar een pen en schreef het nummer vervolgens op de palm van zijn hand.

'Zeg dan toch iets...' De stem klonk ver weg en wanhopig.

Nick drukte op een knopje en de verbinding werd verbroken. Zijn mond was kurkdroog.


# 17


Anselmus nam de laatste trein naar Cambridge, waar pater Andrew hem in de stationshal opwachtte. Aangezien de prior er nog steeds niet helemaal achter was hoe de koppeling en de gesynchroniseerde versnellingsbak zich tot elkaar verhielden, stelde Anselmus voor dat hij naar Larkwood terug zou rijden. Dit gaf de prior alle gelegenheid om bij het licht van een zaklantaarn Elizabeths korte verslag te lezen van haar morele ontreddering en haar poging om nog iets goed te maken. Toen hij de brief langzaam dichtvouwde vertelde Anselmus over zijn bezoek aan mevrouw Bradshaw, hoe ze dat vreselijke zinnetje had uitgesproken, dat niets uit niets voortkomt. Tot slot zei hij:

'En toen ik bij Trespass Place aankwam was haar man verdwenen. Elizabeths plannen liggen nu al in duigen, nog geen twee weken na haar dood.'

De auto hobbelde de stad uit en nadat ze al kilometers gereden hadden maakte een doordringende geur Anselmus erop attent dat de auto nog op de handrem stond. Tersluiks haalde hij de auto van de handrem en draaide het raampje een paar centimeter open. 'Klaarblijkelijk,' zei hij, 'had Elizabeth een hartkwaal waardoor ze elk moment kon overlijden. Het moet wel heel veel ruimte geven, het besef dat elke ademtocht je laatste kan zijn…'

'Dat deed het ook,' zei de prior. 'Ze heeft me gebeld toen ze bij de specialist was geweest.'

'Wanneer was dat?'

'Kort nadat ze Larkwood had bezocht… toen ze het over een moord had gehad.'

Anselmus ging langzamer rijden om zich beter te kunnen concentreren. Wat de prior ook gezegd had, het had Elizabeth er haast zeker toe aangezet om in actie te komen.

'Ik heb het er niet eerder over gehad,' zei de prior, 'omdat ik me een beetje… ongemakkelijk voelde over wat ik tegen haar gezegd heb. Ze begon te huilen omdat er zoveel was dat ze wilde veranderen maar dat niet binnen haar vermogen lag.' Pater Andrew plukte aan een wenkbrauw. 'Ik probeerde haar te troosten door te zeggen dat het niet het begin is waar het om gaat, maar eerder het nog niet ontdekte einde, omdat het een transformerende werking heeft op ons begrip van onze oorsprong, onze daden en wie we uiteindelijk zijn… Ik heb gezegd dat het nooit te laat is, dat zelfs onze laatste woorden of een laatste daad deze totale verandering teweeg kan brengen… dat het een soort magie is. De verbinding leek te zijn verbroken, maar toen hoorde ik haar zeggen: "Dankuwel." De eerstvolgende keer dat ik haar zag was die dag dat ze jou de sleutel gaf.'

'De dag,' zei Anselmus, 'waarop ze de voorbereidingen trof voor wat zich nu voltrekt.'

De brede wegen werden geleidelijk smaller en de straatlantaarns verdwenen. De sterren waren verscholen en een bleke maan verlichtte de rand van een wolk. Daaronder verscheen Larkwood als een zwerm vuurvliegjes. Nadat ze de auto onder de pruimenbomen hadden neergezet, sjokten ze over een slingerend pad naar het klooster. Anselmus kon de prior nauwelijks zien, maar zijn stem was duidelijk te horen. 'Ik vrees dat je naar Londen terug moet keren. Je bent het verplicht aan Elizabeth en George, en aan zijn vrouw en zoon. Misschien zelfs aan meneer Riley; misschien ook aan jezelf.'

Die laatste combinatie beviel Anselmus niet, maar hij schreef het toe aan een toevallige samenloop van grammaticale omstandigheden. 'Wanneer moet ik gaan?'

'Morgenavond. Er is geen tijd meer voor overdenking. Zoals je zelf al zei: haar plan begint nu al in duigen te vallen.'

Anselmus dacht aan George die met zijn lasbril op door een steegje strompelde. 'Hoe vind ik een man die zichzelf is kwijtgeraakt?'

'Ik zal met Cyrils nicht praten.'

'Pardon?'

'Cyrils nicht, Debbie. Ze werkt met daklozen in de buurt van Euston.'

Anselmus stelde zich een groot, chagrijnig blok van een mens voor met kortgeknipt haar en een mond als een brievenbus. 'Wat een lumineus idee,' zei hij genereus.

Bij de ingang van Larkwood rommelde de prior met een immense sleutel die honderden jaren geleden gesmeed was. Toen de deur openzwaaide pakte de prior de arm van Anselmus, en op de drempel bleven ze even staan. 'Je moet erachter zien te komen wie Elizabeth was,' zei hij. 'Zoek het kind dat een toga zou dragen die haar schouders niet konden torsen.'

Hij leek te zijn verdwenen, zo diep was de duisternis.

'Waar moet ik beginnen?' vroeg Anselmus, zich intens bewust van de aanwezigheid vóór hem.

'Met het schutblad van een weergaloos boek.'

Anselmus herinnerde zich de opdracht van de non in *De navolging van Christus*, en glimlachte naar de figuur die voor hem stond en nogmaals met het slot worstelde.

De volgende dag waren aan het eind van de middag de nodige voorbereidingen voor Anselmus' bezoek aan Londen getroffen: er was een
kamer gereserveerd bij de augustijnen in Hoxton; er waren afspraken
gemaakt met Debbie Lynwood en inspecteur Cartwright (die natuurlijk niets wist van het project van Elizabeth dat bezig was te stran-
den, noch van het bewijsmateriaal dat George Bradshaw in handen
had); na een lang en onderhoudend gesprek met het hoofd van de
Dochters van Liefdadigheid had Anselmus een afspraak met zuster
Dorothy, een eigenzinnige vrouw – zo bleek tijdens het gesprek –
die momenteel in Camberwell tegen haar zin haar pensioen genoot;
ten slotte had de prior Anselmus een envelop gegeven met geld dat
toereikend was voor de hele week, een groots gebaar waardoor Anselmus een hereniging met de keldermeester bespaard bleef.

Na de vespers riep pater Andrew Anselmus uit zijn kerkbank naar
het midden van het koor. Het was een oeroude gewoonte op Larkwood dat niemand op reis ging zonder de zegen van de prior te hebben ontvangen. Hij had een boekje dat vol stond met welbespraakte
afscheidsfrasen. Als je voor hem knielde was het altijd weer een verrassing welke spreuk de prior deze keer zou kiezen.

Terwijl hij zijn hoofd boog dacht Anselmus aan Riley, wat neerkwam op een vorm van blasfemie. Hij zag de trillende knie voor zich,
het gouden kettinkje dat aan de benige pols bungelde en de dunne,
strakke lippen. Het beeld deed Anselmus verkillen en plotseling werd
hij wakker als uit een verdoving en hoorde hij nog net de slotzin van
de prior: 'Dat het licht je op je pad moge vergezellen, over je gedachten, woorden en daden zal schijnen en je behouden thuis zal
brengen, desnoods via een andere weg.'

# 18

De avond was gevallen en George voelde plotseling de behoefte in
zich opkomen om naar een nachtopvang te gaan. Bij het Bonning-

ton Hotel, dat zich ook toelegde op het verschaffen van onderdak, stak de nachtopvang bleekjes af, maar ze hadden drie dingen gemeen: een dak, veel bedden en een goed functionerende verwarming. Drie aspecten die niet te versmaden waren wanneer het – zoals nu – buiten zo vochtig was dat het leek alsof de Atlantische Oceaan zelf op de stad afstevende. De gemeente was verantwoordelijk voor dit soort voorzieningen. Er waren erbij waar je 's nachts wakker bleef met je schoenen tegen je borst gedrukt, want als je ook maar een moment in slaap viel waren je veters verdwenen. De eerste keer dat George naar een nachtopvang was gegaan, in Camden, had hij een bed gekregen bij een witte bakstenen muur waar hier en daar een poster was opgehangen om het geheel een beetje kleur te geven. Die nacht had hij een oude man ontmoet, die hem een oud verhaal had verteld.

Zijn haar was vervilt en zijn overjas hing bijna tot op zijn schoenen. Een sjaal met blauwe en rode strepen bungelde over zijn schouder. Hij stond naar een foto te kijken van wandelaars die over een bergkam lopen, onder een blauwe hemel en omringd door heuvels die weer van een ander soort blauw waren. In dit toevluchtsoord vol kapotte bedden, sterke geuren en geschreeuw, was dit beeld van een etherische schoonheid. Onderaan stond in rode letters 'Andorra'. De man mompelde: 'Je zou denken dat het niet echt is.' Hij draaide zich om en zei, alsof hij lichtelijk verbaasd was: 'Wat brengt jou hier?'

George zei: 'Ik ben moe.'

'Dan ben je hier aan het verkeerde adres.'

'En jij dan?'

'Ik vind de plaatjes mooi. Je doet dit nog niet zo lang, hè?' Hij had het niet over de nachtopvang, maar over het leven op straat.

'Nee.' George voelde zijn ogen vochtig worden, maar hij klemde zijn kiezen op elkaar. Hij had geen recht meer op tranen.

De man heette Nino. Hij was parkeerwachter geweest. Na zijn 'vervroegde uittreding' was hij lid geworden van alle bibliotheken waar ook mensen zonder vaste verblijfplaats lid van konden worden. Hij had het bed naast George. Toen de lichten uitgingen begon hij te fluisteren.

'Heb je wel eens van Pandora gehoord?'

'Ja. Die met die doos.'

'Inderdaad. Volgens Hesiodus was zij de eerste vrouw op aarde. Weet je waar ze van gemaakt was?'

'Nee.'

'Klei. Weet je wat er in die doos zat?'

'Ratten?'

'Nee. Je bent in de war, hoewel ik moet toegeven dat deze diertjes er wel iets mee te maken hebben. Laat me voor ik verder ga eerst even duidelijk stellen dat Pandora veel onrecht is aangedaan – ik heb het in elke bibliotheek van Noord-Londen opgezocht. De klassieke geest, evenals die van de oude religies, is geneigd vrouwen de schuld te geven van elke morele catastrofe. Ik wens mij geheel van deze traditie te distantiëren.'

George moest weer huilen. Het was alsof hij weer een kind was dat 's avonds werd voorgelezen maar het verhaal niet helemaal begreep. Zijn grootvader, David – wiens naam hij had gedragen en afgezworen – was een geweldig voorlezer geweest. Terwijl hij naar Nino luisterde zag George rijk geïllustreerde boeken voor zich: een mooie prinses met lange gouden lokken en een klein gouden kistje in haar blanke handen.

Nino zei: 'In die doos roerde zich al het kwaad dat je je maar voor kunt stellen. Begrijp je?'

'Ja.'

'Een heel domme kerel haalde de deksel eraf. Luister je, vreemdeling?'

'Ja, ik luister.' George was gaan huilen. Hij beet in zijn kussen en zijn handen grepen het matras en zijn been. In de verte klonk geschreeuw. Iemand slaakte een kreet tijdens een gevecht.

'Het kwaad ontsnapte,' zei Nino zacht, 'en veroorzaakte heel veel leed. Maar weet je wat er op de bodem van die doos lag?'

George durfde het kussen niet van zijn mond te halen. Nino ging echter pas verder als George gereageerd had. 'Geen idee,' zei hij hijgend.

Nino ging steeds zachter fluisteren, waarmee hij George dwong zijn hoofd op te richten. 'Het laatste wat er uit dat onvoorstelbare domein omhoogkwam was hoop.'

George knipperde met zijn ogen, vastbesloten nog even te wachten. Hij had tranen in zijn ogen.

# DEEL DRIE

## Het pad van een jongen

I

'Ik ben niet gek, Arnold,' zei Nancy Riley tegen de hamster. 'Het
klopt allemaal.'

Het was vroeg in de morgen en ze was zojuist zachtjes naar de
keuken gegaan, haar man kreunend in zijn slaap achterlatend.

Nancy had inzicht in hoe de dingen samenhingen. Altijd al. Toen
ze voor Harold Lawton op het Isle of Dogs werkte, had ze eens een
kleine fraude ontdekt die de manager van de werf op zijn geweten
had.

'Toen ik de baas liet zien hoe hij het gedaan had,' prevelde Nancy, 'zei hij dat ik het ver had kunnen brengen.'

Dat was lang geleden geweest, maar hetzelfde gevoel dat ze iets
ontdekt had was weer helemaal over haar gekomen. Er was een verband tussen dingen die schijnbaar niets met elkaar te maken hadden:
de dood van die advocate, de foto die bij de post had gezeten en de
verandering in de nachtmerries van haar man.

Een paar weken geleden had Nancy een krant gekocht. Een naam
op pagina vijf had haar aandacht getrokken. Elizabeth Glendinning
QC, een bekend strafpleiter, was dood in een auto aangetroffen in de
East End. Ze was overleden aan een hartstilstand terwijl ze geprobeerd had hulp in te roepen. Die avond had Nancy het krantenbe-
richt aan haar man laten zien.

'Wat een toeval,' zei ze. 'Ze was aan de overkant van Mile End
Park.'

Riley knikte terwijl hij naar de krant staarde.

'Heb je haar gezien op de markt?' vroeg Nancy.

Riley bewoog zijn kaak alsof zijn kiezen jeukten.

'Ze hebben wat oude lepels op de zitting van haar auto gevonden,' vervolgde Nancy peinzend. 'Heel verdrietig, als je het mij vraagt.'

Die nacht lag Riley te kermen alsof hij boven een smeulend vuurtje geroosterd werd. Zijn gezicht was heet en nat. En toen, een paar dagen geleden, was de brief gekomen. Nou ja, het was eigenlijk geen brief. Riley scheurde de envelop open en er was een foto uit gevallen. Ze staarden alle twee naar het gekartelde vierkantje dat op de tafel lag. Nancy zag een enorme borstkas met brede bretels, een overhemd zonder kraag.

Met een dreun kwam Rileys hand neer op het lachende gezicht, alsof het een wesp was.

Nancy schrok. 'Wie is dat?' vroeg ze geschokt.

'Niemand.' Hij tuurde ingespannen naar zijn vingers alsof er iets onderuit zou komen kruipen.

Nancy drong niet aan. Dat had ze wel geleerd. Ze herkende de symptomen. Hij was als heet water in een pan dat bijna aan de kook was. Die nacht schreeuwde hij het uit. Op zichzelf was dat niets nieuws: sinds de rechtszaak had Riley last van nachtmerries. ('Risico van het vak,' had meneer Wycliffe gezegd, alsof hij ze zelf ook had.) Ze kwamen altijd op hetzelfde neer: hij rende voor zijn leven, achtervolgd door iets als een hond van het soort dat ze wel eens op de renbaan hadden gezien, en dan viel hij… maar deze keer was het anders.

'Wat is er toch?' jammerde Nancy. Ze had liggen luisteren naar zijn gemompel maar zijn schreeuw had geklonken als een baksteen die door het raam werd gegooid. Tot haar verbijstering begroef hij zijn gezicht in haar hals.

'Ik val…' Nancy streelde zijn natte schedel die benig was als een steen op het strand. Zijn hand bedekte die van haar, en zo bleven ze liggen alsof ze op een ambulance wachtten; toen kwam datgene wat nieuw was, de verandering in de droom: 'Ik val een eindeloze trap af.'

Een trap? Vreemde dingen, dromen.

Vanaf dat moment werden Rileys nachtmerries steeds erger. Om zichzelf moe te maken vatte hij de gewoonte op midden in de nacht te gaan wandelen langs de Limehouse Cut, het kanaal dat door Bow naar de Theems liep. Hij luisterde naar de vossen in de oude pakhuizen. Maar dat was later. Toen Riley deze nacht tot rust was gekomen, draaide hij Nancy de rug toe en kreeg ze een wee gevoel in haar maag omdat hij zich altijd van haar verwijderde en zij daar nooit aan gewend was geraakt. En Nancy zei tegen zichzelf: ik ben niet achterlijk. De droom, de foto en de dood van die advocate zijn op een of andere manier met elkaar verbonden. Meneer Lawton had haar eerst niet geloofd, maar uiteindelijk bleek ze het bij het rechte eind te hebben en toen zei hij: 'Je had het ver kunnen brengen.'

Nu ze erbij stilstond vond ze dat eigenlijk een belediging. De baas had zich laten ontvallen wat hij eigenlijk van Nancy dacht: dat ze haar leven vergooide. Alles wat ze gedaan had was werken voor hem en trouwen met Riley.

Samen met Rose Clarke en Martina Lynch was Nancy op de werf gaan werken toen ze zestien was geworden. Al sinds de lagere school trokken ze met elkaar op. Ze bleven onafscheidelijk en dat wist iedereen die bij Harold Lawton werkte. Elke vrijdagavond kwamen ze bij elkaar in hetzelfde café, de Admiral, dat zich bij de poort van de werf bevond en eigenlijk niet meer was dan een hol, maar wel een heel oud hol en met een zijkamertje dat gemaakt was van de kajuit van een schip. Op een groot bord van plastic stond dat de eigenaars al 'zeerotten' hadden bediend 'sinds de tijd van zeilen en tuigage'. De waard had Martina de bijnaam 'Babycham' gegeven, omdat ze nooit iets anders dronk. Het moet gezegd, Nancy was niet de mooiste van de drie – ze was kort en dik – maar dat leek er niet toe te doen als ze tussen de andere twee zat ingeklemd. Ze kleedde zich goed en er waren altijd jongens die graag aan hun tafel kwamen zitten. Terugdenkend aan die tijd herinnerde Nancy zich een klein detail over de weekends die volgden op die vrijdagavonden: dat ze haast nooit mee uit werd gevraagd. Nu kon ze dat wel toegeven. Wat deed het ertoe? Ze had haar man tenslotte niet via haar vriendinnen leren kennen.

Evenals alle anderen klokte Riley altijd om acht uur 's ochtends in. Indertijd had iedereen een kaart die in een grote machine werd gestempeld. Ook tussen de middag gebeurde dat. De jongens hadden allemaal een uur pauze, maar als ze weggingen moesten ze weer klokken, zodat gecontroleerd kon worden of ze op tijd terug waren. Het was ouderwets maar meneer Lawton had iets met dat apparaat. Hij was niet iemand die met zijn tijd meeging. Eigenlijk was het merkwaardig dat zijn bedrijf het zo lang had uitgehouden op het Isle of Dogs terwijl alle andere over de kop gingen. Hoe dan ook, op een dag bleef Riley bij het kantoor rondhangen tot ze alleen waren. Hij was een paar maanden eerder aangenomen, nadat hij was afgevloeid bij een bedrijf uit de buurt. Hij was dus nieuw, en anders dan de rest – geen vrijdagavondgast, geen drinker. Rustig. Op zichzelf. Had geen vrienden nodig – wilde geen vrienden. Zijn haar zat altijd door de war en zijn ogen stonden nooit stil. Ze waren blauwgroen en troebel, alsof ze in een fles door elkaar waren geschud. En hij had Nancy opgemerkt. Hij keek naar haar vanuit de cabine van een hijskraan. Dat wist ze doordat hij een keer de verkeerde hendel had overgehaald en alle stuwadoors waren weggerend toen hij een kist met bananen had laten vallen. Die bewuste dag voelde Nancy dat hij in haar buurt bleef, nerveus en verlegen. Ze dacht dat hij haar zou vragen voor het grote dansfeest in de White City maar dat deed hij niet. In plaats daarvan vroeg hij haar om haar baan op het spel te zetten.

'Wil je voor mij klokken? Ik moet even weg om wat huurders te spreken.'

Nancy was onder de indruk geweest. Deze man had kennelijk wat onroerend goed in bezit. Dat was niet bepaald normaal onder de jongens van Lawton. Een appeltje voor de dorst, legde hij uit. Zo liet hij anderen de hypotheek afbetalen.

'Een halfuurtje heb ik nodig, meer niet,' zei Riley, terwijl hij een blik over zijn schouder wierp.

Nancy stemde in, waarop hij haar gezicht bestudeerde alsof hij op zoek was naar oneffenheden. Toen zei hij, op een toon alsof hij haar iets kostbaars overhandigde: 'Ik wist dat ik je kon vertrouwen.'

Ze wachtte tot hij haar mee uit zou vragen maar dat deed hij niet. Ongeveer een week later stelde hij voor thee te gaan drinken in een hotel. Ze zei ja, in de veronderstelling dat hij iets op Commercial Road in gedachten had, maar hij nam haar mee naar Brighton, en dat was een dubbele schok want hij betaalde ook de treinkaartjes, en niet minder dan eersteklas. Binnen zes maanden waren ze getrouwd. Babycham en Rose waren de enige getuigen. Er was geen receptie, alleen een gratis drankje op het stadhuis en een bedeesde kus van de ambtenaar van de burgerlijke stand. Dat laatste vond haar man niet leuk. Ook was hij niet gecharmeerd van haar vriendinnen. Ze zag hen nog steeds op het werk, maar onafscheidelijk waren ze niet meer. Zo kwam er een einde aan de vrijdagavonden in het café. Dat vond Nancy niet erg, want als ze eraan terugdacht besefte ze dat ze zich daar nooit echt had vermaakt.

Ze gingen in Rileys bungalow wonen. Nancy had altijd een kruidentuin willen hebben maar er was geen tuin, alleen een betegeld plaatsje. Dus begon ze bakstenen te verzamelen die ze op het trekpad langs de Limehouse Cut vond – elke keer als ze er een in het gras zag liggen, nam ze hem mee. Langzaam, terwijl hun huwelijksleven op gang kwam, groeide de stapel bakstenen, maar het tuinbed kwam er nooit. Ze kwam een paar stenen tekort. Zo was ook hun leven samen: er ontbraken een paar stukjes. Binnen enkele weken na dat gratis drankje op het stadhuis, dook de man die haar had meegenomen naar Brighton onder – in zijn eigen huis.

Maar natuurlijk moest hij zich weer vertonen. Ze bevonden zich immers onder hetzelfde dak. Overdag was hij scherp en bruusk en ontblootte hij zijn tanden als hij zich gedwarsboomd voelde. Dan kroop zijn kaak naar voren en sperde hij zijn ogen open, waarbij hij naar opzij staarde alsof hij je niet recht aan durfde te kijken uit angst voor wat hij zou kunnen doen. 's Avonds sneerde hij naar de televisie: naar politici, soapseries, het nieuws, bisschoppen. Zijn onderlip hing scheef en zijn afgekloven nagels schraapten over de leuningen van zijn stoel en bleven aan de nylon bekleding haken. Vol walging pakte hij dan een Walt Disney-video, die hij hardhandig in het apparaat duwde. Dan klaarde zijn gezicht op. Hij huilde om *Bambi* of hief een gebalde vuist op naar de koningin in *Sneeuwwitje*. Zijn emoties vonkten en knapperden als popcorn. Maar als de film uit was,

was hij ontevreden, alsof het niet had mogen eindigen. (Nancy hield niet van de term 'labiel', maar ze had de indruk dat haar man zichzelf in toom hield, een beetje zoals een ton door ijzeren banden wordt samengehouden, en als een of twee schroeven los zouden laten zou hij eenvoudigweg exploderen. Dus leerde ze zich gedeisd te houden. Ze ging op geen enkele manier tegen hem in.) 's Nachts raakte hij haar niet aan. Er was een koude plek in het bed, precies in het midden. Zoiets als die strook die Charlton Heston als Mozes in de zee doet ontstaan. Ze waren allebei als een muur van water, wachtend op het moment waarop ze zouden instorten door het gewicht van het gescheiden zijn. Alleen gebeurde dat nooit. Zelfs niet nadat die vrouw van de politie naar de werf van Lawton kwam en haar man onder zijn kraan arresteerde. Nancy had staan kijken hoe hij werd meegenomen. Ze had staan wachten tot de ijzeren banden zouden knappen; maar dat gebeurde niet.

'Het klopt allemaal,' herhaalde Nancy plechtig. 'Ik ben niet gek.'

Plotseling verstijfde Arnold op zijn tonnetje. Zijn nek leek te kloppen alsof zijn hart in zijn keel zat.

'Je denkt te veel,' zei Riley zachtjes.

Nancy slaakte een gil. Vlak achter haar, een armlengte van haar vandaan, stond haar man. Hij droeg zijn camouflagepak met de capuchon op. Zijn mond was bijna verscholen achter de hoge kraag. Het pak had hij een oude soldaat afgenomen die zich van kant had gemaakt.

'Ik schrik me dood,' zei Nancy lachend. Toen haar hartslag tot rust was gekomen zei ze kalm: 'Wil je niet ontbijten?'

'Nee.' Zijn stem was onvast en zijn ogen stonden hongerig. 'Ik heb een klus.'

'Waar?'

'Tottenham.'

De achterdeur sloeg dicht alsof ze ruzie hadden gehad. Bij het raam keek Nancy haar man na alsof hij zich op een andere planeet bevond. Een dichte mist was vanaf de Theems op komen zetten en de straten van Poplar werden erdoor verzwolgen. Van Canary Wharf tot

Cubitt Town zou het Isle of Dogs erdoor worden opgeslokt. De straatlantaarns hingen als schotels in de lucht en Riley loste langzaam op. Toen hij verdwenen was, wendde Nancy zich tot Arnold. Zijn kleine pootjes begonnen te bewegen en zijn radje snorde en klingelde.

'Hoe is hij toch in vredesnaam zo geworden?' vroeg ze mistroostig.

2

Volgens plan kwam Anselmus om zeven uur 's ochtends aan bij de Vault, niet ver van Euston Station. De dagopvang werd aan twee kanten geflankeerd door gebouwen die in de steigers stonden en waaraan reclameborden waren bevestigd. Grote stukken dekzeil klapperden in de wind en de haspels maakten een metalig geluid. Een menselijke stoet schuifelde naar een poort met de vastberadenheid van reizigers op weg naar de Nieuwe Wereld. Anselmus liep achter hen langs een smal steegje in met kasseien. Bij de achterdeur trof hij onder een naambordje de bel aan.

'Hoe gaat het met oom Cyril?' vroeg Debbie Lynwood terwijl ze de deur van haar kantoor aan het eind van een schaars verlichte gang opende.

'Heetgebakerd en zorgelijk,' zei Anselmus. 'Ik heb een bonnetje weggegooid.'

'De oude kankeraar.'

Anselmus had een genetisch bepaalde gelijkenis verwacht – een gezet postuur in een overall – maar Debbie was tenger gebouwd. Ze droeg een zwarte broek en een scharlakenrode coltrui. Uit een verzameling emaillen badges maakte hij op dat ze geïnteresseerd was in klassieke motoren.

'Ik kan niet veel beloven,' zei ze, de handen in de achterzakken. 'Het is bijna onmogelijk om iemand te vinden die op straat leeft. Maar ik ken een man die misschien kan helpen – iemand die van de hoed en de rand weet.' Ze liep de kamer door naar een deur die naar de Vault zelf leidde. Er zat een rond raam in waardoor Anselmus een ruimte zag die blauw stond van de rook. Donkere silhouetten bewogen zich langzaam voort, alsof ze door water waadden. 'Toen ik hem vertelde wat ik van u wist,' zei Debbie peinzend, 'wilde hij u graag ontmoeten. Wacht hier.'

Ze deed de deur open en het kantoor vulde zich met een laag, bedrijvig geroezemoes. Terwijl hij zat te wachten nam Anselmus de omgeving in zich op: een muur met archiefdozen, posters waar informatie op stond, een oud schoolbureau, versleten blauwe vloerbedekking... en een korte, magere man met een staf in zijn hand die deed denken aan een gordijnroede met een geornamenteerde knop. Hij droeg een groene parka en had zijn broekspijpen in zijn sokken gestopt. Een grote rugzak hing aan zijn schouders. Hij had gepoetste, gescheurde brogues aan waarvan de neuzen elk een andere kant op wezen. Een dun, grijzig baardje bedekte zijn langwerpige kin.

'Mag ik de heer Francis Hillsden aan u voorstellen,' zei Debbie.

De reiziger maakte een kleine buiging met zijn hoofd en schudde Anselmus de hand. 'Aangenaam kennis met u te maken,' zei hij, zijn ogen afgewend. Ze waren blauw en leken hem pijn te doen.

Terwijl ze stoelen in een driehoek bij elkaar zetten, stelde Debbie voor dat Anselmus het woord zou nemen. Meneer Hillsden ging op het puntje van zijn stoel zitten waarbij hij zijn staf vastgreep alsof deze in verbinding stond met een kamer beneden.

'Ik ben op zoek naar een man van in de zestig,' zei Anselmus. 'Zijn naam is George David Bradshaw. Ik heb begrepen dat hij bekend is onder de naam Blinde George.'

'Bij wie, als u mij toestaat?' Hij had een zacht accent, zijn stem klonk verzorgd en leek afkomstig uit de West Country. 'Ik hoop dat u het mij niet euvel duidt dat ik u in de rede val?'

'Niet in het minst,' antwoordde Anselmus. Een gevoel van déjà vu gloeide als een zwak lichtje op. 'Onder die naam is hij bekend bij andere dakloze mensen.'

Meneer Hillsden knikte kort als om aan te geven dat hij notitie had genomen van het antwoord. 'De heer Bradshaw is slechtziend?'

'Nee, maar hij draagt een lasbril. Waarom weet ik niet.'

'Om zijn gezicht te verbergen?' De suggestie was gericht op een van de posters aan de muur tegenover hem.

'Misschien... Er is mij verteld dat hij nogal op zichzelf is.' Anselmus voelde zich ongemakkelijk, alsof hij zijn eigen rol in de ondergang van deze man wilde verbergen. 'Tot voor kort verbleef de heer Bradshaw onder een brandtrap in Trespass Place. Daar wachtte hij op een collega van mij die helaas is overleden. Toen ik er namens haar naartoe ging om hem te ontmoeten was hij verdwenen. Ik heb een belangrijke boodschap voor hem. Het komt erop neer dat ik namens haar door zal gaan met datgene waar zij samen mee bezig waren.'

'Allereerst betuig ik u mijn deelneming.' De oogleden van meneer Hillsden trilden alsof hij last had van stofdeeltjes. 'Maar in de tweede plaats, met alle respect, als deze meneer zich heeft teruggetrokken en met niemand contact heeft, hoe komen we dan achter zijn verblijfplaats?'

'Dat weet ik niet.'

'Een redelijk antwoord, als u mij toestaat. Waar is Trespass Place?'

Anselmus legde het uit en voegde eraan toe dat de heer Bradshaw weliswaar niet blind was, maar dat zijn geheugen wel beschadigd was en dat hij greep op de tijd hield door notitieboekjes bij te houden – een detail dat de man die hij zocht op een of andere manier leek te definiëren.

'Verstandige gewoonte,' merkte meneer Hillsden op. Toen veranderde hij abrupt van uitdrukking en keek vorsend om zich heen alsof iemand hem had tegengesproken. Hij sloeg twee keer met zijn staf op de grond, en de frons verdween van zijn gezicht. Terwijl hij zijn ogen weer liet trillen, zei hij: 'Ik wil niet onbescheiden zijn, maar heeft u de heer Bradshaw al ontmoet?'

'Ja.'

'Regelmatig?'

'Eén keer.'

'Zou hij zich u herinneren?'

Het was meer de onschuld van deze vraag die Anselmus kwetste dan de impertinentie ervan. Zijn gezicht begon te gloeien: meneer Hillsden benaderde hem zoals hij zelf meneer Bradshaw ooit had benaderd. Geen van beiden had geweten waar de ander mee bezig was geweest. 'Ik hoop van niet,' zei Anselmus ernstig, en durfde niet op te kijken. Hij liet zijn blik rusten op de glimmende brogues en de sokken die over de broek waren getrokken.

Er werd geen woord meer gezegd. Meneer Hillsden leek na te denken. Toen zei hij: 'Mijn collega's op straat hebben meestal iets wat je een rayon zou kunnen noemen. De meesten van ons zullen niet vaak ons rayon verlaten. Als we dat wel doen hebben we daar, vrees ik, meestal een ernstige reden voor. En als we verhuizen is het niet naar een ander gedeelte van Londen, maar naar een andere uithoek van Engeland. Althans, dat is mijn ervaring.' Hij ging staan, en ook Debbie en Anselmus kwamen overeind. 'Ik zal op de South Bank gaan kijken, hoewel ik vrees dat het een vergeefse tocht zal zijn. Mocht ik hem vinden, dan kan ik niet meer doen dan hem uitnodigen zich hier te vervoegen. Zonder zijn nadrukkelijke toestemming kan ik zijn verblijfplaats niet onthullen.'

'Dat spreekt vanzelf,' zei Anselmus. Hij had de merkwaardige gewaarwording alsof hij voor de hoogste rechter stond vanwege een aanklacht over zijn honorarium. Hij stopte zijn hand in de zak van zijn habijt, zich ervan bewust dat het gebaar belachelijk maar noodzakelijk was. 'Staat u mij toe uw kosten te betalen?'

'Nee, dankuwel,' zei meneer Hillsden hoffelijk. 'Ik beschik over voldoende middelen en die stel ik gaarne te uwer beschikking.' Hij keek naar zijn voeten. Toen richtte hij kordaat zijn hoofd op en gedurende een fractie van een seconde keken zijn blauwe, waterige ogen Anselmus aan. 'Ik begrijp dat u ooit advocaat bent geweest?'

'Ja.'

'Welke Inn?'

'Gray's.'

Meneer Hillsden leek de klank in te ademen. Een spookachtige kalmte veranderde zijn gezicht. 'Wonderbaarlijke vormen, waarheen zijt gij gevlogen?'

Hij fronste alsof hij zich de volgende regel probeerde te herinneren. Anselmus kende dit gedicht van Lamb, maar ook hij kwam er niet uit. Plotseling draaide meneer Hillsden zich om naar de deur met het ronde raam. Zonder aarzelen beende hij het geroezemoes en de blauwe rook tegemoet, met zijn staf op de grond tikkend.


# 3


Riley stond onder aan de trap in een leeg huis in Tottenham. Het was er koud en vochtig en zijn hart klopte snel. Hij staarde naar de onderste trede.

'Wie heeft die foto van Walter opgestuurd?'

Hij keek naar de gehavende trapleuning en volgde met zijn ogen de spijlen naar boven, naar de somberte van een onverlichte overloop. De stilte opende een deur naar die schreeuwende stemmen, het schuifelen van voeten en wat het ook was dat even later aan diggelen op de grond lag. Als jongetje had hij in de bergruimte God gesmeekt het te laten stoppen. En merkwaardigerwijs had Hij dat ook gedaan. Even later werd het rustig en dan zei hij: 'Dank u wel, dank u wel,' met zijn hoofd nog steeds onder het kussen.

Riley ging aan het werk, dat bestond uit tillen en slepen. Hij laadde de tafels en stoelen in, de spiegels en de kasten, een staande lamp en vier kandelaars. Met zijn voeten stampte hij de herinneringen aan zijn kindertijd weg, maar die van vorige week tergden hem. Zo ging het altijd. Zijn hoofd zat vol met lawaai. Hij speelde ruzies af alsof het favoriete grammofoonplaten waren, waarbij hij de woorden varieerde om een beetje afwisseling te hebben. Het putte hem uit, maar boosheid maakte dat hij zich levend ging voelen. Tijdens een hooglopende ruzie ging hij door een soort barrière heen, en dan dreef hij, nauwelijks ademend; er kwamen dingen in hem op die hij zou kunnen zeggen, en die hij liet passeren alsof hij ze aan iemand anders doorgaf. De dankbaarheid van het jongetje in de bergruimte was ver te zoeken.

Hij werkte koortsachtig. Stofwolken deden hem hoesten en spugen. Tegen het einde van de middag was hij klaar. Het huis was leeg. Hijgend stond hij in de woonkamer. Het zweet lag als een hand onder in zijn nek: wie had de foto van Walter op de post gedaan?

Hij had er niet meer naar gekeken sinds de dag waarop het plaatje uit de envelop was gevallen. Maar hij zag hem nog steeds voor zich: de man die hij geen papa wilde noemen, de man waar niemand mee spotte, de grootste man uit de straat. Walter had halters onder het bed liggen. Hij had zich opgedrukt. Hij had boksbewegingen gemaakt in de lucht, snuivend en fluitend – als bokser was hij linkshandig geweest. Hij rook naar spierbalsem. Riley zag hem alleen 's avonds omdat hij om vier uur opstond om in het pakhuis te gaan werken. Toen hij ontslagen was, moest hij koekjes verkopen met een handkar. Ze noemden hem de Koekjesman. En op de hele planeet was er geen foto van hem meer te vinden, behalve die ene die op de keukentafel was gevallen. Riley kon het niet begrijpen. Meer dan veertig jaar geleden had hij ze allemaal verbrand. Het zweet kroop langs zijn rug naar beneden. Wie kon die foto gestuurd hebben? Hij kon niemand bedenken. Ze waren allemaal dood.

Riley zat tegen de muur, zijn handen rustten op zijn knieën. Rattenkeutels lagen als kleine zwarte zaadjes langs de plint. Het vocht en de stilte sloten hem in.

Majoor Reynolds van de opvangvoorziening van het Leger des Heils droeg altijd een keurig geperst uniform. Hij had een klein snorretje dat hem het uiterlijk gaf van een piloot uit de Battle of Britain, en het feit dat hij jarenlang kornet had gespeeld was te zien aan de smalle inkeping in zijn bovenlip. Een glimmend, vierkant gezicht en prominente zwarte wenkbrauwen completeerden het beeld van een man met militante waardigheid. Riley was zijn voornaam nooit te weten gekomen. Hij kende hem alleen als 'de majoor'.

Toen deze stille soldaat het mes zag dat Riley meedroeg in zijn sok, had hij hem er meteen uit moeten gooien. Maar dat deed hij niet. In plaats daarvan nam hij de weggelopen jongen mee naar zijn kantoor, gooide het mes in de prullenbak en zei: 'Je bent nu volwassen.'

Riley lachte, zoals jongeren doen als ze nerveus zijn.

'Je bent een man.'

Rileys ogen werden glazig, maar hij bleef glimlachen.

'En een man moet goed nadenken,' zei de majoor onverstoorbaar. Hij sloeg zijn armen over elkaar en fronste zijn donkere wenkbrauwen. Met een langdurige, taxerende blik nam hij Riley in zich op, alsof hij moest schatten welke maat kleren hij aan had.

De volgende dag liet de majoor Riley weer naar zijn kantoor komen. Hij stond met gekruiste benen tegen zijn bureau geleund. Hij had een goed woordje voor hem gedaan bij een vriendje van hem dat ook in het Leger zat, en manager was bij McDougall's op het Isle of Dogs.

'Ik heb een baantje voor je, als je dat wilt,' zei hij.

'Wat houdt het in?' Hij staarde naar de glimmende schoenen van de majoor. Zelfs de zolen waren schoon.

'Kisten zelfrijzend bakmeel opstapelen.'

Riley had de advertenties overal gezien. Ze deden alsof het een soort wondermiddel was terwijl het gewoon een chemisch mengsel was. Hij zei: 'Niets rijst uit zichzelf.'

De majoor kneep zijn ogen samen alsof hij in het casino was, en vroeg zich af of deze opmerking soms een dubbele bodem had. 'Nee, inderdaad,' antwoordde hij onzeker.

Riley ging nooit meer terug naar het Leger. Hij werkte hard, en leerde een hijskraan te bedienen. Hij spaarde. Hij kocht een bungalow. En hij kocht Quilling Road. Het plan was het te verhuren en een kapitaaltje op te bouwen, maar het liep anders. Nee, zo was het ook niet. Het was een keuze; een onsamenhangende, gecompliceerde, troebele reeks impulsen en daden, maar uiteindelijk toch een heel diep soort keuze; iets kouds en moorddadigs. Het was net zoiets als wat er met hem gebeurde als hij een driftbui kreeg. Dan was het alsof hij naar zichzelf keek en niets voelde bij wat hij zag.

Het ging slecht met de haven, maar Riley overleefde. Nadat hij was afgevloeid vond hij werk bij Lawton's, waar hij Nancy ontmoette. Kleine dikke Nancy met haar hongerige ogen. Hij zag haar het eerst vanuit de hoogte, zittend op zijn kraan. Het leek alsof hij een closeup van haar zag waarin helemaal te zien was wie zij was. Haar tred was timide, alsof ze gekwetst was. Dat was het moment waarop het voor het eerst in hem opkwam om Quilling Road te verkopen. Hij dacht er serieus over om de zaak op te doeken. Maar deed het niet. Op een dag, tijdens de lunch, ging hij naar het kantoor van de manager om haar mee uit te vragen… want ze had iets dat hem raakte, dat een klein vlammetje in zijn binnenste had doen ontbranden… Maar toen het moment daar was en hij zijn mond opendeed, had hij gevraagd of ze voor hem wilde klokken zodat hij zonder toestemming weg kon om de huur te innen. Die plotselinge verandering van intentie, het feit dat hij Nancy misleidde, had hem een kick gegeven, alsof het een soort brandstichting was. (Riley begreep dat een brandend gebouw opwindend kon zijn.) Dat was weer zo'n keuze geweest – maar een die zich op een nog dieper niveau had afgespeeld, op een ijskoud plekje in hemzelf. Dat gold niet voor hoe hij met Nancy getrouwd was. Dat had iets onvermijdelijks gehad. Als in een droom had hij haar het hof gemaakt. Hij deed alles wat hij in films had gezien: gebruikte aftershave, deed vet in zijn haar, droeg een keurig pak – alles. Hij had Nancy meegenomen naar een groot hotel, een uitgebreide thee besteld en betaald met knisperende biljetten die hij zojuist van de bank had gehaald. Hij liet een vette fooi achter, en bood Nancy zijn arm aan. Op het strand van Brighton had hij zijn deukhoed in de lucht gegooid. Maar toen ze getrouwd waren en naar huis gingen en zij er was, van 's ochtends vroeg tot 's avonds laat… toen kreeg hij het benauwd. Hij wist niet hoe het moest, het dagelijkse leven. Hij zocht in zijn verleden, keek overal, trok alle laden open, in een wanhopige poging iets te vinden waar hij uit zou kunnen opmaken *wat hij moest doen*. Maar hij vond niets, alleen maar een warme mist van afkeer en walging. En daar, dag en nacht aan zijn zijde, was Nancy. Kleine dikke Nancy met haar hongerige ogen. Ze was een levende beschuldiging.

En toen kwam er hulp uit wel heel onverwachte hoek, hoewel hij dat op dat moment nog niet inzag: een vrouw in het zwart arriveerde op de werf met twee zware jongens in uniform. Twintig minuten later was hij gearresteerd. Vanaf dat moment werd Nancy niet meer gekweld door de vraag wie hij was maar door wat iemand had gezegd dat hij had gedaan. En dat gaf hem ruimte. Niet veel, maar toch iets.

Riley veegde de rattenkeutels bij elkaar en zette de stoffer en blik terug in de gangkast. Toen hij de deur dichtdeed hoorde hij weer die verzorgde stem, alsof hij aan de andere kant stond. Hij zag de schoongeborstelde nagels, de witte manchetten, de gesteven broekspijpen.

'Een man moet goed nadenken; hij moet zichzelf kennen.'

Panisch had Riley naar het motto gestaard op de rand van de pet van de majoor – 'Bloed en Vuur' – niet in staat te bevatten waarom deze man zich überhaupt om hem bekommerde.

'Ik ken mezelf beter dan u zichzelf ooit zult kennen, majoor. Ik ben op plekken geweest... hier binnen' – met een woest gebaar had hij naar zijn hoofd gewezen, alsof het een ver continent was – 'die u alleen maar kent van horen zeggen.'

'Ik heb het niet over wat je gedaan hebt. Ik heb het over wie je bent. De man achter de fouten en de verkeerde beslissingen.' De majoor leunde naar voren met zijn handen op zijn knieën, zoals een arts op een voetbalveld. Hij staarde Riley aan met heldere, ondraaglijk barmhartige ogen. 'Die zijn niet dezelfde, weet je.'

Die zijn niet dezelfde. De vreemde woorden daalden veertig jaar later weer neer in een leeg huis in Tottenham. Het werd donker in Rileys geest – zelfs uit zijn ogen leek het licht weg te vloeien. Hoe kon je een man onderscheiden van zijn daden? Als een vlammetje dat opflakkerde in de haard, zag Riley zichzelf plotseling in de deuropening van de slaapkamer staan: een jongetje in pyjama, kijkend naar hoe Walter met zijn vuisten in de lucht stond te boksen.

# 4

Tien minuten te vroeg voor zijn afspraak met inspecteur Cartwright, zat Anselmus thee te drinken in een café. Ongeveer tien minuten na de afgesproken tijd zag hij iemand in Coptic Street tussen de auto's door manoeuvreren. Een karmozijnrode sjaal fladderde rond een lange zwarte overjas.

Anselmus had inspecteur Cartwright voor het eerst tijdens het proces tegen Riley ontmoet. Daarna had hij haar nog een paar keer zien roken in de gangen van de Bailey. Hun blikken hadden elkaar gekruist en Anselmus – de gevoelige – had een zekere vijandigheid bij haar bespeurd. Die uitdrukking leek haar gezicht nog steeds niet te hebben verlaten.

'Mijn excuses dat ik te laat ben,' zei ze vriendelijk terwijl ze ging zitten. 'Drie kinderen van onder de vijf. Begin er nooit aan.'

'Ik zal mijn best doen.' Aan elk van haar oren hing een gevaarte in de vorm van een onregelmatig gevormde hulstbes, waarschijnlijk pijnlijk om te dragen en ongetwijfeld gemaakt door een van haar kinderen. Haar haar had een diepe, roodbruine kleur en was zeer kort geknipt, in precieze lijnen. 'De vorige keer dat we elkaar ontmoetten,' zei ze vriendelijk, 'geloof ik dat je net de deur had geopend waardoor de heer Riley als een vrij man de rechtszaal kon verlaten.'

'En nu,' antwoordde Anselmus, 'hoop ik weer een deur te openen, maar dan om hem weer binnen te laten.'

Uiteraard was inspecteur Cartwright zich totaal niet bewust van het feit dat Elizabeth gehoopt had Riley 'zijn goede naam' af te nemen, noch van het noodplan dat ze bedacht had, mocht zij komen te overlijden voor ze haar plan had kunnen verwezenlijken. Daarom vertelde Anselmus haar wat er gebeurd was sinds de dag waarop hij de sleutel had ontvangen.

'Jammer genoeg,' zei hij ter afsluiting, 'nam ik mijn verantwoordelijkheid een tikje later dan ze had verwacht. Toen ik bij Trespass Place aankwam was George verdwenen.'

Inspecteur Cartwright had aandachtig zitten luisteren, met enige regelmaat een oorbel met haar hand rechthangend. Met een blik op het uitgestalde gebak zei ze: 'Ik heb al een rol gespeeld in deze zaak, maar dat realiseer ik me nu pas. Heb je een momentje?' Ze zwaaide naar de ober en vroeg om een stuk dadeltaart. 'Kinderen. Ik heb suiker nodig.' De ober bracht haar een klein stukje taart op een blaadje. Na even te hebben nagedacht, begon ze te praten.

'Een paar jaar geleden legde een vriend van mij een dossier op mijn bureau. Hij heeft een informant genaamd Prosser die in antiek handelt aan de onderkant van de markt. Hij gaat bazaars en rommelmarkten af. De afspraak is dat hij ons vertelt wat hij hoort en ziet. Meestal gaat het om handel in gestolen goederen – spullen die zwart verkocht worden. Soms gaat het om drugs. Nu wil het geval dat hij drie rapporten over Riley heeft ingediend.' Ze leunde over de tafel, haar handen op elkaar. 'Prosser zei dat Riley iets van plan was maar hij kwam er niet achter wat het was. Hij was er echter zeker van dat er mensen naar Rileys kraam kwamen, geld aan hem gaven en weggingen zonder iets mee te nemen.'

'Een afbetaling?'

'Daar leek het op.'

'Steeds dezelfde mensen?'

'Vaak, maar niet altijd.'

'Misschien betaalden ze voor bescherming?'

'We hebben hem in de gaten laten houden maar het enige wat hij doet is huizen van dode mensen leeghalen en de spullen verkopen die ze hebben achtergelaten.'

Anselmus riep uit zijn geheugen de vragen op die ooit deel hadden uitgemaakt van de routine van zijn werk. 'Maakt hij te veel winst voor dit soort handel?'

'Nee. En zijn boeken kloppen – hij heeft ze allemaal op tijd bij het Companies House ingediend.'

'Leeft hij soms boven zijn stand?'

De inspecteur schudde haar hoofd. 'Hij heeft een sjofel bungalowtje, geen auto en gaat nooit op vakantie. Dus we hebben het opgegeven.'

'Maar hij krijgt nog steeds geld voor niets?' vroeg Anselmus.

'Ja.'

Anselmus wachtte.

'Een paar jaar geleden was ik in de Bailey voor een zaak,' zei de inspecteur. Op een morgen zat ik in de kantine toen mevrouw Glendinning tegenover me kwam zitten. Zonder me te begroeten vroeg ze of ik wist dat John Bradshaw dood was. Ik zei dat ik dat inderdaad gehoord had. En toen vroeg ze op een toon alsof ze informeerde naar de vertrektijden van de trein: "Ga je Riley hiervoor aanklagen?" Ik schudde nee en toen zei ze alleen: "Ah," alsof de trein vertraagd was. Vervolgens zei ze: "Ik vraag me af of hij nu op het rechte pad is geraakt." Toen vertelde ik haar over Prosser, maar ze leek niet erg geïnteresseerd.'

Anselmus lachte inwendig. Met twee rechtstreekse vragen had Elizabeth boven tafel gekregen wat ze wilde weten: hoe het stond met het politieonderzoek naar de dood van John en of Riley nog steeds verdacht werd van criminele praktijken. Gewapend met deze informatie had ze George opgespoord en was begonnen haar plan te ontwikkelen. Enigszins wegdromend zag Anselmus de voorbereidingen die Elizabeth had getroffen in een nieuw licht: haar zorgelijke bezoeken aan Finsbury Park en Larkwood, waarmee ze het kader had gevormd waarbinnen haar latere acties een plaats hadden gekregen.

Inspecteur Cartwright tikte met haar theelepeltje tegen het bord. 'Hallo.' Ze leek in een buis te turen. 'Ik ben van de politie. Handen omhoog.'

'Mijn excuses,' zei Anselmus, met zijn ogen knipperend. 'Ik werd afgeleid door een soort visioen.'

'Werkelijk? Wat zag je?'

'Dat Elizabeth jou heeft voortgedreven, zoals ze ook met mijn prior en mijzelf deed.'

Gedurende enige tijd zeiden ze geen van beiden iets.

'Ik neem aan dat dat ons tot kameraden maakt,' zei inspecteur Cartwright uiteindelijk. Ze stak haar hand uit. Toen hun handpalmen elkaar raakten zag Anselmus Elizabeth voor zich, hoe ze zich over een doos Milk Tray boog – die keer waarmee het allemaal begonnen was.

Haar haar was als een gordijn naar beneden gevallen. In zijn fantasie keek Anselmus achter het gordijn en ving haar vage lachje op. 'Ik ben bezig orde op zaken te stellen in mijn leven,' had ze gezegd.

'Ik heb nooit meer iets van mevrouw Glendinning gehoord,' resumeerde de inspecteur. 'Op de dag van haar dood liet ze een boodschap achter op mijn antwoordapparaat. "Laat het aan Anselmus over." Meer niet.'

Nu begrepen ze allebei wat dat betekende. Maar Anselmus wilde nog iets anders weten. 'Hoe zou je haar toon omschrijven?'

'Uitermate zelfverzekerd.'

Toen ze buiten stonden zei Anselmus: 'Wat me interesseert is of jij die Koekjesman ooit serieus hebt genomen.'

'We hebben al onze contacten gevraagd of die naam hen iets zei,' zei de inspecteur, 'en we hebben de naam door de computer gehaald maar het heeft niets opgeleverd. Toen ik Riley ondervroeg wilde hij geen enkele vraag beantwoorden, maar ik kwam steeds maar weer terug bij die naam.'

'Hoezo?'

'Ik merkte dat hij ervan ging zweten.'

Anselmus nam afscheid van inspecteur Cartwright nadat hij haar had beloofd contact op te nemen zodra hij iets van meneer Hillsden hoorde. Toen hij haar door Coptic Street weg zag lopen, moest Anselmus denken aan de vraag van Lamb aan de oude rechters van de Inner Temple: *Wonderbaarlijke vormen, waarheen zijt gij gevlogen?*

# 5

Op een ijskoude ochtend was Nancy van Poplar naar haar winkel gelopen. Dwars over de stoep voor haar deur lag een stapel karton met in rode letters BREEKBAAR erop. Toen ze zich over het obstakel heen boog om haar sleutel in het slot te steken, keek ze naar beneden om haar evenwicht te bewaren. Op dat moment zag ze een vinger naar buiten steken. Ze schrok, en dacht dat het een lijk was van iemand die bij een bendeoorlog betrokken was geweest. Ze tikte met haar voet tegen het karton, zich afvragend of de man in stukjes was gehakt, maar de vinger bewoog, het karton klapte als een valdeur open en er bleek een man in te zitten met een donker, harig gezicht en ogen verscholen achter een lasbril. Hij deed haar denken aan een gevechtspiloot uit de Eerste Wereldoorlog.

De man rolde op zijn zij en trok zijn knieën op. Toen kwam hij tastend langs de deur overeind, de deurknop gebruikend om zich op te richten uit het karton dat ooit had dienstgedaan als verpakking van een ijskast.

'Zit ik in de weg?'

'Helemaal niet, maar je ligt haast op de rijweg. Kun je niet zien?'

'Nee.'

Het was intens koud en de handen van de man waren vuilig blauw. Auto's reden met hoge snelheid over een bult in de weg, een schrapend en klappend geluid makend. Nancy zei: 'Wil je niet even binnenkomen om op te warmen?'

'Mag ik?'

Meneer Lawton zei altijd dat soort dingen. Mag ik? Ze deed de winkel open en sleurde het karton de deur door naar achteren. Het zou niet kloppen, naar haar gevoel, om het zomaar weg te gooien. Toen ze terugkwam stond hij binnen met zijn handen op wat Riley een figuurlamp noemde: een vrouw die van top tot teen in sjaals was gewikkeld en een fitting uit haar hoofd had steken. Zijn vingers bewogen zo behoedzaam dat ze er mooi van werd, alsof hij het voorwerp in zijn geest boetseerde.

'Ik ben mevrouw Riley.'

'Ik ben meneer Johnson.'

Wie trapte daar nou in? In de maanden die volgden werden ze vrienden. Hij was het enige dat ze voor Riley verborgen hield. En toen was hij verdwenen. In zekere zin voorgoed, want de man die uiteindelijk terugkwam was iemand anders. Hij leek kwetsbaar en onzeker en ging met trillende armen zitten.

'Wat is er gebeurd?' vroeg Nancy ongerust.

'Ik ben tegen mijn hoofd getrapt.' Zijn lasbril rustte op een verkreukelde neus. 'Ik kan me niet zoveel herinneren van wat er gebeurt. Vanmorgen, vorige week... het is allemaal weg.'

Nancy stak de gashaard aan en moest denken aan het spel waar oom Bertie de vakantie in Brighton altijd mee inluidde. Het heette 'Gekke Geheimen'. 'Zullen we een spelletje doen?' zei ze vrolijk.

'Mij best.'

'Jij vertelt mij een geheim en dan zal ik er jou een vertellen.' De achterliggende gedachte was dat mensen dan de meest idiote dingen op gingen biechten. (Oom Bertie was bijvoorbeeld ooit in een winkel naar de wc gegaan om vervolgens tot de ontdekking te komen dat het een nep-wc was die deel uitmaakte van een namaakbadkamer die alleen als model diende.)

'Dat is niet eerlijk,' zei meneer Johnson. 'Ik kan het niet onthouden maar jij wel.'

'Ik zal het aan niemand doorvertellen.'

Meneer Johnson zei: 'Ik had ooit een zoon.'

Nancy sloeg haar hand tegen haar mond. Hij leunde naar voren terwijl de stoom van zijn kleren sloeg en zijn lasbril vol condens zat en begon over zomers in Southport te praten met hetzelfde soort heimwee dat over haar kwam als ze aan Brighton dacht. En Nancy wachtte af en voelde dat er iets vreselijks met zijn jongen gebeurd was, maar hij zei niet wat. Toen meneer Johnson de volgende dag weer kwam gooide Nancy er van alles uit wat ze nog nooit aan iemand verteld had en ook nooit van plan was geweest iemand te vertellen – hoe ze Riley ontmoet had, het leven bij Lawton's dat ze kwijt was geraakt, de kinderen die ze nooit had gekregen... de rechtszaak. En meneer Johnson zat te luisteren terwijl hij zijn grijsblauwe handen warmde: een heer die zich niets zou herinneren.

Nancy keek naar het pruttelende vuurtje. Op haar schoot lag een plastic tas. Die had ze een paar weken eerder gevonden toen ze in de achterkamer haar boodschappen willen pakken. De tas zat vol notitieboeken, elk keurig op de voorkant genummerd. Ze waren van meneer Johnson, de heer die zich niets kon herinneren. Nancy had gewacht tot hij terug zou komen maar hij was opgelost in de mist, net als Riley toen hij op weg ging naar Tottenham. Ze wierp een blik op de deur… en stak haar hand in de tas. Ze wist dat het fout was, maar sinds ze had gelezen dat die advocate was overleden moest ze weer aan de rechtszaak denken. Gewaarwordingen uit die tijd waren haar weer parten gaan spelen, alsof ze een pop was waar naalden in werden gestoken. De enige manier om de pijn te verzachten was ervoor te zorgen dat ze zich met iets anders bezighield, en haar puzzelboekje was vol. Dus zocht ze in de tas naar het eerste boekje. Op de voorpagina stond geschreven: 'Mijn Verhaal.' Haar mond viel open en ze kreeg een jeukerig gevoel op haar hoofd. Dit was niet in de haak.

*Ik noem mezelf George.*

Dat wist ze niet. Ze kende hem alleen als meneer Johnson.

*Ik kom uit Harrogate, ben in Yorkshire geboren en getogen. Er loopt een klein laantje langs het bowlingveld en de oranje tennisbaan. Aan de overkant zijn huizen met gemaaide gazons. Aan het eind van het laantje staat een groepje bomen en een schutting met een poort. De zon lijkt hier altijd te schijnen en de bloemen zijn hoger dan ik. Vingerhoedskruid worden ze geloof ik genoemd. In mijn vroegste herinnering aan deze plek regent het echter. Mijn moeder had een canvas scherm gemaakt voor de kinderwagen…*

Nancy sloeg het boekje dicht. Dit was verkeerd. Toch ging haar hand weer de tas in en ze pakte een ander nummer, zich afvragend wat er met meneer Johnson gebeurd was toen hij volwassen was geworden.

*Ik had haar een paar keer gezien, altijd 's nachts. Ze stond onder een straatlantaarn zoals in de tv-serie* Dixon of Dock Green. *Het meest verbazingwekkend was haar witte hoofdtooi die leek op een tent zonder scheerlijnen.*

De bel ging.

Nancy liet het boekje vallen, kwam tot zichzelf en even later verkocht ze een spiegel aan meneer Prosser, een handelaar in de betere tweedehandsspullen. Hij slenterde altijd eerst een beetje rond, en vroeg dan hoe haar man toch aan al die goede spullen kwam. Ze liet niets aan hem los. Toen hij weg was knoopte ze meneer Johnsons tas dicht en legde hem in de onderste la van de dossierkast.

Maar toen voelde ze zich naakt. Ze leunde in haar stoel naar achteren, kneep haar ogen stijf dicht en legde haar handen op haar oren. In die duisternis voelde ze meneer Wyecliffe's geduldige 'aandacht'. Dat woord had hij vaak gebruikt. Zij dacht dat hij een tovenaar was. Hoe had hij anders het onmogelijke voor elkaar gekregen?

Nadat hij was aangeklaagd werd Riley voor de rechter gesleept: een dikke magistraat met een loopneus. Tussen een paar niesbuien door stuurde hij haar man naar Wormwood Scrubs voor een voorlopige hechtenis. Maar meneer Wyecliffe wist hem binnen een week vrij te krijgen. Zonder speciale sleutels of andere trucs, maar met 'Louter woorden, op de juiste manier gebruikt, mevrouw,' had hij, zwaaiend met een grijze zakdoek, tegen haar gezegd. 'Het enige wat mijn aandacht nu vereist is de rechtszaak.' Hij snoof en knipperde met zijn ogen alsof hij er nog niet uit was hoe hij het ging aanpakken.

De raadsman had Riley naar huis gebracht en was nog even gebleven voor een 'voorbereidend gesprek'. Ze zaten in de woonkamer en dronken 'oom Berties vergif'. Riley was vernederd en sprakeloos en kon niet Nancy's kant op kijken. Hij beefde.

'We nemen een advocaat in de arm,' zei meneer Wyecliffe veelbetekenend, om de stilte te doorbreken. 'Ik zorg dat we de beste krijgen.'

'Ik weet wie ik wil.' Het waren Rileys eerste woorden. Hij keek naar een punt bij Nancy's voeten en vroeg om een paar boterhammen.

Toen ze terugkwam zat meneer Wyecliffe aantekeningen te maken en maakte Riley een dodelijk kalme indruk. Hij beefde niet meer. Hij praatte zacht terwijl de raadsman zich vol begon te proppen alsof hij niet had ontbeten. Haar man staarde naar de grond en zei: 'Hoe moet ik in godsnaam weten wat mijn huurders uitspoken? Ik ben er haast nooit. Vraag maar aan m'n vrouw.'

'Dat zal ik aanstonds doen,' beloofde meneer Wyecliffe. 'Maar eerst zou ik graag nog een boterham willen.'

Nancy gaf hem die van haar.

De huurders bleken allemaal een huurachterstand te hebben. Uiteindelijk had Riley hen de deur gewezen. Daarom hadden ze hem erin geluisd, zei hij.

Meneer Wyecliffe knikte langzaam en plukte de kruimels van zijn knie. Terwijl hij zijn vingers aflikte, zei hij: 'Maar hoe zit het dan met Bradshaw? Hij is uw werkelijke probleem.'

'Ik heb zijn meiden op straat gezet. Dat wil hij me betaald zetten.'

'Dat is speculatie.'

'Waarom zou hij anders liegen?'

'Bradshaw heeft een goede inborst.'

'Ik ook.'

'Inderdaad.' Even later zei meneer Wyecliffe, op een toon alsof hij zojuist de gebruiksaanwijzing van een of ander apparaatje uit Japan had gelezen: 'Okidoki. Bradshaw is de pooier.'

Nancy haatte de klank van dat woord. Het was in haar eigen woonkamer uitgesproken en had een zware smet achtergelaten, een smet die ze niet meer weg kreeg. Zelfs nu Riley was vrijgesproken en al die vreselijke mensen gelogen bleken te hebben, hing die smet er nog. Iets walgelijks was haar huis binnengedrongen. Het was als wakker worden en dan te merken dat er is ingebroken. Opruimen hielp niet.

Bedachtzaam zei meneer Wyecliffe: 'Al die onzin over die Koekjesman maakt dat ze maar erg weinig over u te zeggen hebben, het maakt hun verhaal korter, voor alle drie makkelijk uit het hoofd te leren' – hij keek naar zijn lege bord – 'maar een advocaat kan tijdens een proces niet met speculatie aankomen.'

Riley leunde naar achteren, inmiddels werkelijk kalm geworden – dat voelde Nancy. 'Hoe komt u erbij dat het speculatie is?'

Meneer Wyecliffe stopte zijn papieren in zijn morsige aktetas en zei: 'Ik moet u erop wijzen dat niemand u kan redden van de waarheid of van een goed gefabriceerde leugen. Het is verdrietig maar zo is het leven: de twee zijn vaak niet van elkaar te onderscheiden.'

'Zorg nou maar dat ik Glendinning krijg.'

Nancy vocht tegen haar tranen; haar man keek naar haar, haar worsteling goedkeurend, erdoor opgelucht.

Het wachten op de dag van het proces was vreselijk, alleen al vanwege de onvoorstelbare schaamte. Op zulke momenten moesten je vader en moeder voor je klaarstaan, maar die van Nancy hadden de deur definitief dichtgeslagen – ze hadden haar man nooit gemogen, nooit. En Riley had niemand. Zelfs meneer Lawton begon vreemd tegen haar doen. Hij had 's ochtends altijd graag een beetje tegen haar lopen mopperen – dat de zaken minder gingen en er zoveel hun deuren moesten sluiten – maar nu werd hij helemaal stil en strikt, en draaide haar zijn brede, met tweed bedekte rug toe als hij iets moest zeggen. Op een dag keek ze op en zag het gepermanente hoofd van Babycham tegen het matglas van de deur. Ze hadden elkaar in geen tijden gesproken.

'Moet je horen, Nancy,' zei ze, nadat ze zich ervan had verzekerd dat de baas niet in de buurt was, 'we kennen elkaar al sinds we kinderen waren. Oké, we zijn niet meer zo dik met elkaar maar ik koester geen wrok. We maken allemaal onze keuzes en jij hebt de jouwe gemaakt. Toch ben ik aan je verplicht geen blad voor de mond te nemen. Waarom vertrouw je hem?'

Nancy was verbijsterd. Niet zozeer vanwege de schaamteloze suggestie dat Riley fout zat; het was dat woord 'vertrouwen'. Hoewel het eigenlijk duidelijk was, was nooit echt tot Nancy doorgedrongen dat haar man het er weliswaar altijd over had dat hij haar vertrouwde, maar dat zij in feite degene was die hém vertrouwde.

'Ga toch bij hem weg, meid,' had Babycham gezegd. 'We zullen je allemaal bijstaan, heus. We zijn bij elkaar gekomen om het erover te hebben.'

In verwarring gebracht, boos en met een koud en naakt gevoel tot in haar tenen, bracht Nancy hijgend uit: 'Rot toch op.' En toen, nadat ze weer op adem was gekomen: 'Riley zei altijd al dat je vol gebakken lucht zat.'

Toen het avond werd sloot Nancy de winkel af en liep over het trekpad naar huis, langs de aken en bootjes die aan de oevers van de Limehouse Cut waren afgemeerd. Onderweg vond ze een baksteen voor
het kruidenbed. Ze gooide hem op de stapel, at een gekookt ei en
keek naar een programma over het Liberiaanse scheepvaartreglement.
Na het nieuws ging ze naar bed en wachtte, zo nu en dan indom-
melend, op Riley.

Het was pikdonker toen hij naar bed kwam.

'Nancy?' Even later fluisterde hij opnieuw: 'Nancy?'

Ze verroerde geen vin. Even later strekte hij zijn hand uit en streelde minutenlang haar neus, haar lippen... haar hele gezicht, net zoals
meneer Johnson met de figuurlamp had gedaan. Toen deinsde hij terug alsof hij iets verkeerds had gedaan.

Zo ging het vaak. Als Riley een huis ontruimd had kwam hij pas
na middernacht thuis – ze wist niet waar hij was geweest of wat hij
had gedaan en dat kon haar ook niet schelen – maar dan kwam hij
met deze trillende handen naar bed. Niemand had haar ooit zo preg-
nant aangeraakt (ze had ooit een dokter dit woord horen gebruiken
om intense pijn te beschrijven, maar toen ze het in een woordenboek had opgezocht, had ze aan deze geheime momenten moeten
denken).

Nancy viel in slaap, nog nagloeiend van deze mysterieuze, uiterst
geheime gewaarwording. Naast haar begon Riley te kermen en beneden rende Arnold zo hard als zijn kleine pootjes hem dragen konden.

# 6

'Er is weer een brief van mevrouw Glendinning gekomen,' herhaalde de prior.

Anselmus had net ontbeten toen hij naar de telefoon werd geroepen. Op de envelop stond PRIVÉ en URGENT, hetgeen Sylvester er in

een zeldzame opwelling van doortastendheid toe had gebracht de prior te waarschuwen, die Elizabeths handschrift herkend had.

'Maar wie heeft die brief gepóst?' vroeg Anselmus.

'Een andere vriend, denk ik,' zei de prior. 'Zal ik hem voorlezen?'

Anselmus wierp een nerveuze blik op zijn horloge. Doordat de eerste helft van zijn volwassen leven beheerst was geweest door afspraken met de rechtbank en de tweede helft door het gebeier van klokken was Anselmus (zoals veel advocaten en monniken) lichtelijk neurotisch als het om tijd ging. 'Nee, bedankt,' zei hij. 'Zou u hem door willen faxen? Ik heb een afspraak in Camberwell.'

De zuster-overste leidde Anselmus door duizelingwekkende gangen die alleen een architect maar kon hebben ontworpen, langs verscheidene foto's van de leden van de congregatie. Anselmus merkte op hoe de hoofdbedekking door de jaren heen veranderd was van een spectaculaire constructie van gesteven linnen naar een eenvoudige sluier. Ze betraden een ommuurde tuin en zuster Barbara wees naar een pad dat aan weerszijden omzoomd was met kastanjebomen. Aan het einde zat een oude vrouw in een rolstoel. Ze droeg een wollen hoed die een opmerkelijke overeenkomst vertoonde met een kussen.

Zoals elke verstandige ondervrager zou doen, had Anselmus zich vooraf in zijn getuige verdiept. In zijn eerste telefonische onderhoud, waarin de zuster-overste hem aanvullende details had verstrekt, was Anselmus al veel te weten gekomen. Zestig jaar geleden, toen ze haar leven als geestelijke net begonnen was, had zuster Dorothy een opvanghuis in Londen geleid, voor ze als verpleegkundige op een privéschool in Carlisle werd aangesteld. Ze was er heel gelukkig, maar dienstbaarheid zou in haar leven altijd prevaleren boven persoonlijke voorkeur. Na een korte periode als geestelijke in een gevangenis in Liverpool te hebben gewerkt, werd ze naar Afghanistan gestuurd om daar als verpleegster te werken. Zeventien jaar later was ze teruggekomen om haar verstandskiezen te laten trekken. Ze keerde nooit meer terug naar haar hulppost in de bergen. Het enige souvenir aan die tijd was een Afghaanse *pakol*, de hoed die haar handelsmerk zou worden.

Anselmus liep knarsend over het grind naar haar toe.

Zodra hij binnen gehoorsafstand was, zei zuster Dorothy: 'Ik wist niet dat ze dood was tot u belde.' Haar stem klonk helder maar het spreken zelf kostte haar enige moeite. 'Dus u bent een oude vriend van haar?'

'Ja, we hebben samengewerkt in de advocatuur.'

'Vertel me eens: was ze gelukkig?' Ze sprak met de intense betrokkenheid van een oude leraar.

'Heel erg.'

'Succesvol?'

'O ja.'

De non glimlachte en slaakte een zucht. Schaduwen van takken bewogen als draden over haar gezicht. 'Zo, zo,' zei ze zacht en zangerig. Haar huid had de transparante witheid van de ouderdom en was bedekt met een veelheid van diepe lijnen. Een inkeping in haar neus onthulde een slecht geheelde breuk die ze – zo was hem verteld – had opgelopen tijdens een bezoek aan de gevangenis.

Anselmus vertelde haar over Elizabeths reputatie als advocate, over haar huwelijk en haar zoon. Zuster Dorothy luisterde gretig, het was duidelijk dat ze geen enkel detail wilde missen. Even later merkte Anselmus niet zonder raffinement op: 'En toch, ondanks al die jaren waarin ik met haar heb samengewerkt, weet ik maar heel weinig van haar verleden.'

Hij wachtte hoopvol. Sterker nog: hij deed een schietgebedje.

'Heeft ze u die foto ooit laten zien?' Ze sprak afstandelijk, één hand opgeheven alsof ze naar een muur wees.

Anselmus boog naar voren met zijn ellebogen op zijn knieën. 'Ik geloof het niet.'

'De foto van haar familie?' vervolgde zuster Dorothy, verwonderd dat haar bezoeker niet helemaal begreep waar ze op doelde.

'Nee,' antwoordde Anselmus, en probeerde niet al te geïnteresseerd te klinken.

'Zo, zo,' zong zuster Dorothy voor zich uit. Ze bestudeerde Anselmus, zoals iemand doet die op het punt staat een belofte te breken. 'De foto vertelt het hele verhaal... Het staat er allemaal op, zwart op wit... een gelukkig gezin op een zondagmiddag ergens in de jaren veertig.'

Dat deel van Anselmus dat in De Voorzienigheid geloofde slaakte een inwendige kreet van dankbaarheid. Hij zweeg, hoewel hij nauwelijks kon wachten op het moment waarop hij de geschiedenis zou horen die Elizabeth voor zichzelf had gehouden.

'Rechts staat haar vader,' zei zuster Dorothy. Om haar ogen verschenen rimpels toen ze het portret opriep. 'Een lange, dunne man met een snor en glanzend zwart haar. Hij droeg zijn hele volwassen leven dagelijks een puntboord. Het was een man die vijftig jaar achterliep.' Ze wierp Anselmus een blik toe. 'Heeft ze u ooit over hem verteld?'

'Niet uitvoerig,' antwoordde Anselmus. Elizabeth had hem zelfs nooit genoemd.

'Hij was een ongelukkige verzekeringsagent in Manchester. Nadat hij voldoende verzekeringen aan de man had gebracht sloot hij zichzelf op de zolderkamer op in de hoop een elektronische rookmelder uit te vinden. Een paar keer brandde het huis bijna af. Hij gaf het nooit op. Als het hem ooit zou lukken, dacht hij, dan zouden ze een polis naar hem noemen.'

'Is het hem gelukt?'

'Nee.' Ze zweeg een moment, haar blik gericht op een hoge, met klimop begroeide muur. 'Maar hij maakte wel een fortuin.'

Anselmus stelde zich een man voor met de schaduw van Elizabeths gezicht.

'Links staat haar moeder,' vervolgde zuster Dorothy als een gids in een museum. 'Een naaister uit Chorley. Ze draagt een geblokte jurk met enorme vierkante knopen. Een Maggie Thatcher-kapsel. Een gelukkige, propere, trotse huisvrouw. Haar enige grapje was dat zij de brandblusser had willen uitvinden.'

'En Elizabeth?' vroeg Anselmus.

'Zij is het meisje in het midden. Een laat en enig kind. Een stralende tienjarige met linten en strikken. Ooit zei ze eens dat het een in alle opzichten perfecte leeftijd was: ze was jong genoeg om te weten dat ze een kind was en oud genoeg om er bewust van te genieten.' Zuster Dorothy wierp Anselmus een blik toe. 'Dat is de foto van de familie Glendinning.'

'Hoe heeft de uitvinder zijn fortuin gemaakt?' vroeg Anselmus uitgekookt.

'Door dood te gaan,' antwoordde ze.


Elizabeth werd geboren toen haar moeder bijna vijftig was, legde zuster Dorothy uit. Haar vader was al over de zestig. Het was een laat, maar vredig huwelijk geweest. Lang nadat ze allebei aanvaard hadden dat ze het grootste deel van hun leven alleen zouden zijn, hadden ze elkaar gevonden. De komst van Elizabeth was een zegen en, zoals vaak het geval is, een onvoorziene zegen. Het onvoorziene zou een zwaar stempel drukken op het leven van het kind, want op een dag, een jaar nadat de familiefoto gemaakt was, kwam haar vader uit de zolderkamer naar beneden, mopperend over een automatische uitschakelaar. Hij zette de radio aan, nam een slokje melk uit een glas, sloot zijn ogen en stierf – alsof er kortsluiting was ontstaan. De dokter zei dat hij een mooie leeftijd had bereikt. Er was dan misschien geen polis naar hem genoemd, maar hij had wel een levensverzekering afgesloten, waardoor zijn nabestaanden er warmpjes bijzaten. Een jaar later stierf Elizabeths moeder aan septikemie die was ontstaan nadat ze een niet-ernstige verwonding aan haar been had opgelopen. Haar vader had echter nog een tweede voorziening getroffen die nog gunstiger uitpakte dan de eerste, en op veertienjarige leeftijd had Elizabeth weliswaar geen ouders meer, maar lag er wel een aanzienlijk vermogen op haar te wachten.

'Mensen zijn raar, vindt u niet?' zei zuster Dorothy terwijl ze haar hoofd schudde. 'Elizabeths vader had al die formulieren in zitten vullen maar geen testament gemaakt. Ze had dus geen wettige voogd en er waren geen familieleden die stonden te popelen om zich over haar te ontfermen. Vandaar dat de rechter erbij moest komen. Die stuurde haar uiteindelijk naar ons toe.'

De congregatie had een kostschool in Carlisle. (Waar, deduceerde Anselmus, u de medische scepter zwaaide.) Elizabeth kwam dus op die school terecht, maar het duurde geruime tijd voor ze zich had

aangepast. De eerste jaren na de dood van haar ouders werden gekenmerkt door opstandigheid en verdriet. Op een gegeven moment
begon ze de schoolapotheek te frequenteren, hoewel er doorgaans
weinig tot niets met haar aan de hand was. Hoofdpijn. Buikpijn. Splin-
ters. Maar Elizabeth begon te praten met de jonge non wier sluier
constant aan kasten en deuren bleef haken – zuster Dorothy zou nooit
wennen aan het onpraktische gewaad.

'Maar uiteindelijk werd ze een uitstekende leerling,' zei ze trots.
'Toen ze naar de universiteit ging gaf ik haar *De navolging van Christus*.'

Op een merkwaardige manier was Anselmus met stomheid geslagen. Hij kon haar niet vertellen – zoals hij van plan was geweest –
dat Elizabeth een gat in dat boek had gesneden. In een klap was alles wat met de rechtszaak te maken had onbespreekbaar geworden.
Hij voelde zich niet in staat te onthullen dat het boek – haar geschenk
– onherstelbaar was beschadigd. Voor hij zich erover kon verkneu-
kelen hoe slim hij was, hoorde hij zichzelf vragen: 'Wanneer heeft u
haar voor het laatst gezien?'

'Veertig jaar geleden.' Zuster Dorothy's stem klonk ijl, alsof ze bezig was in slaap te vallen. Ze had haar ogen dichtgedaan. Anselmus
zat nog een paar minuten naar haar te kijken en liep toen op zijn tenen weg, geheel overtuigd van het feit dat het genoeg was geweest
voor de non met de bruine pakol.

Pas toen hij de trap naar de ondergrondse afliep werd Anselmus
bekropen door het gevoel dat het hele gesprek iets ongerijmds had
gehad – maar hij kon er zijn vinger niet op leggen.

Terug in Hoxton vond hij twee vellen papier bij zijn slaapkamerdeur. Het eerste was de fax uit Larkwood. Op het tweede stond dat
hij inspecteur Cartwright moest bellen.

Bij het licht dat door het raam naar binnen viel las Anselmus de
brief van Elizabeth.

*Beste Anselmus,*
*Ik zou je zeer dankbaar zijn als je deze dame op zou willen*
*zoeken:*

*Irene Dixon*

*Flat 269*

*Percival Court*

*Shoreditch*

*Mevrouw Dixon weet misschien niet dat ik dood ben, dus wil je zo
goed zijn het haar uit te leggen als dat nodig is? Daarna zou ik
vooral luisteren en zo min mogelijk spreken. Ik raad je aan je komst
niet aan te kondigen.*

*Vaarwel, Anselmus. Je hebt me meer geholpen dan je ooit zult
weten.*

*Lieve groeten,*

*Elizabeth*

Anselmus liet zijn hand naar beneden vallen. Dit was de laatste brief,
daar was hij zeker van. Hij dacht aan de rijke wees Elizabeth die nog
niet helemaal weg was, die niet los kon laten, zelfs over het graf. Bevangen belde hij inspecteur Cartwright.

'Je gelooft dit niet,' zei ze, 'maar ik heb een brief van mevrouw
Glendinning gekregen.'

Ze spraken af elkaar een halfuur later te ontmoeten. Terwijl hij steeds
meer het gevoel kreeg als een ezeltje alle kanten te worden opgestuurd,
begaf Anselmus zich naar de volgende onvoorziene afspraak. Misschien
kwam het doordat hij weer dezelfde weg terug liep, naar de ondergrondse, dat er nog iets tot hem doordrong wat eerst verhuld was geweest: het oude vrouwtje met de wollige hoed had hem om de tuin
geleid – hij wist alleen niet hoe, en kon niet bedenken waarom.

# 7

Tijdens het ontbijt zei Nancy dat Prosser weer was komen rond-
neuzen.

Riley keek op, zette zijn thee neer en werd helemaal gek. Hij pakte een bord en smeet het als een frisbee tegen de muur. De scherven vlogen alle kanten op. Arnold rende zijn looprad uit en Nancy dook naar beneden alsof er een luchtaanval was (als tiener had ze in de ondergrondse geschuild toen Londen door de nazi's gebombardeerd werd).

'Ik kots van hem,' schreeuwde Riley. Hij krulde zijn lippen als een bokser en pufte en hijgde terwijl hij in zijn inwendige boksring heen en weer liep. 'Hij is me altijd aan het bespioneren met die sigaar in zijn hoofd.'

Riley zocht nog iets om mee te gooien, maar Nancy had de tafel afgeruimd.

'Ik ga er met Wyecliffe over praten,' nam Riley zich voor.

'Wanneer?' zei Nancy, terwijl ze een kopje liet vallen. 'Waarom?'

'Vanavond,' raasde hij. 'Dan kan hij Prosser met een dwangbevel om de oren slaan.'

Het klinkt allemaal erg juridisch, dacht Nancy, zonder precies te begrijpen wat het betekende.

Opgeladen en energiek vertrok Riley naar zijn werk. Onder zijn laarzen knerpte het aardewerk.

Toen Nancy die morgen stipt op tijd haar winkel opende, liep ze meteen naar de dossierkast. Ze maakte de plastic tas van meneer Johnson open en pakte het eerste boekje dat ze tegenkwam. Ze ging bij het vuur zitten met de bedoeling te gaan lezen, om niet meer te hoeven denken aan die jurist in dat bedompte schemerige kamertje. Maar hij liet zich niet uitbannen. Nancy liet het boekje op haar schoot vallen. Ze kon zijn adem bijna voelen en de nootjes ruiken.

Een paar weken na de 'voorbereidende bespreking' in de bungalow, had meneer Wyecliffe Nancy een brief gestuurd waarin hij om haar 'welwillende medewerking' vroeg.

Ze dacht dat juristen geen baard mochten dragen maar deze had er een die aan een oude toiletborstel deed denken. Ze mocht hem niet. Niet omdat hij honger kreeg toen hij zijn eetlust had moeten verliezen, zelfs niet vanwege het kruisverhoor waaraan hij haar had onderworpen (hij zat over zijn bureau geleund, plukkend aan zijn harige kin, had geen uitvluchten getolereerd en was in haar privéleven gaan spitten: hij leek op iets uit te zijn maar wilde niet zeggen wat het was). Nee, ze had hem niet gemogen omdat ze te veel had gezegd. Een deel van haar was afgehaakt. Het was donker geweest in de kamer, de ramen zaten potdicht en hij had zich zojuist een weg door haar leven gegeten alsof het een zoveelste boterham was. En er was nog iets: zijn ogen stonden te dicht bij elkaar.

Meneer Wycliffe was begonnen met te zeggen dat wat zij hem vertelde volkomen vertrouwelijk zou worden behandeld.

'Hoe komt het dan in mijn verklaring?'

Daar had hij niet van terug. Hij was niet gewend aan vrouwen die konden nadenken. Maar hij legde het uit. Hij was de professional. Hij moest alles weten. 'U moet zich voorstellen dat ik een puzzel moet maken die u niet kunt zien. U zult zich afvragen waarom ik nou juist dit of dat stukje pak. U hoeft niet te denken aan het grotere geheel: laat dat maar aan mij over.' Nancy veronderstelde dat juristen daarom zoveel verdienden: omdat ze dingen zagen die alle andere mensen niet konden zien. En toen was meneer Wyecliffe zomaar ergens begonnen en had niet meer losgelaten. 'Ik neem aan dat uw man zo nu en dan uitgaat met de jongens?'

'Nooit. Hij is altijd thuis.'

'Altijd?'

'Nou ja, afgezien van zijn werk en dat…'

'Elke avond?'

'Ja, behalve als hij moet overwerken.'

'Wordt u wel eens door een vreemde man opgebeld?'

'Natuurlijk niet.' Ze kruiste haar armen strak over haar borst. 'Waarom zou ik?'

'Iemand die uw man wil spreken?'

'Nee.'

'Belt meneer Riley wel eens met iemand die u niet kent?'

'We zijn man en vrouw.' Nancy werd nu eerder ongemakkelijk dan kwaad, omdat ze de vragen ervoer als trappen in haar zij, maar ze was er trots op dat ze die laatste had afgeweerd. Ze waren man en vrouw. Tot de dood ons scheidt. In voor- en tegenspoed.

'Is dat nee?'

'Ja.'

Meneer Wyecliffe knikte zoals haar oom Bertie altijd deed nadat hij zijn kansen bij de races van Ladbrokes had ingeschat. 'Precies wat ik dacht.' Hij kauwde op een potlood en glimlachte naar Nancy. Zijn ogen lagen te diep in hun kassen. Hij had geen woord opgeschreven.

'Uw man maakt dus veel overuren?'

'Hij werkt voor zijn geld, ja.'

'Uiteraard. Dat overwerken, doet hij dat altijd op dezelfde dagen?'

'Niet meer, nu het zo slecht gaat in de haven.'

'Natuurlijk. Maar het is regelmatig?'

'Als het zich voordoet. Meneer Lawton heeft geluk gehad, dus ja, er is altijd van alles te doen. De baas moet zorgen dat hij de concurrentie voor blijft, en mijn man is er altijd, en hij is altijd bereid een handje te helpen. Hij is een van zijn beste mensen. Heeft nog nooit een dienst gemist.'

'Daar twijfel ik niet aan. Heeft hij wat contanten achter de hand?'

Nancy voelde dat ze begon te blozen. 'Nee.'

Meneer Wyecliffe draaide zijn potlood rond en beet in het hout. Hij zei: 'Gaat u met hem mee als hij de huur ophaalt?'

'Waarom zou ik?'

'Huurders wel eens ontmoet?'

'Nee.'

Weer deed hij haar denken aan oom Bertie met de *Racing Post*. 'Heel verstandig,' zei hij. 'Laat ze daar maar lekker zitten.'

'Mijn idee.'

Nancy wilde een luchtje scheppen maar meneer Wyecliffe leek haar in de klem te hebben. Hij zei: 'Hoe vaak gaat uw man naar dat huis?'

'Geen idee, een of twee keer per week. Als er iets gedaan moet worden. Hij doet al het onderhoud zelf. Om de kosten te drukken.'

'Heel verstandig. Laat me nu eens een paar namen noemen.'

Nancy had het gevoel dat ze zou stikken als hij nog langer doorging.

'David?'

'Nee.'

'George?'

'Nee.'

'Bradshaw?'

'Nee.'

Meneer Wyecliffe bestudeerde het potlood zoals een filmster naar een sigaar kijkt, en Nancy zag dat het lood gebroken was. Hij begon op het droge uiteinde te kauwen. 'Staat meneer Riley bij iemand in het krijt?'

'Absoluut niet.'

'Waarom dan al dat overwerk?'

'Wij willen ook ooit graag een huis als het uwe.'

'Een loffelijk streven dat echter wel eens op een aanzienlijke teleurstelling zou kunnen uitlopen.'

Plotseling stond de kleine man op en deed de deur open. Hij kwam terug en legde een vette hand op haar schouder. 'Het spijt me maar het ventilatiesysteem is een beetje primitief hier.' Hij keek haar aan met een vreemde blik, alsof hij weer honger had gekregen. 'Nog één naam, nou ja, een bijnaam eigenlijk.' Nancy sloot haar ogen. Met zachte stem vroeg hij: 'Ooit van de Koekjesman gehoord?'

Met twee handen greep Nancy haar hoofd vast, alsof het anders in tweeën zou splijten. 'Nooit.'

'Is meneer Riley bang?'

Bang? Wat een vraag. Haar man was voor niemand bang. Een plotselinge hitte verspreidde zich over haar borst, gezicht en schedel – de menopauze, die haar vertelde dat ze nooit een kind zou krijgen, dat het te laat was. Dat had de dokter gezegd. Zelfs in haar eigen oren klonk het vreemd toen ze antwoordde: 'Ja.'

'Waarvoor?'

Nancy wilde het niet zeggen. Het klonk idioot. Als haar gevraagd was of haar man kwaad was, had ze gezegd: 'O ja,' en was de kous af geweest. Maar deze vraag had iets dieps in haar aangeroerd, een soort denken dat zich niet in haar hoofd afspeelde maar ergens anders – het was eigenlijk geen denken; ze wist niet wat het was maar het gebeurde diep in haar longen, en nog lager, in haar maag. 'Nou,'

zei ze, terwijl ze zich zwak voelde en zich opnieuw grote hoeveel-
heden zweet aandienden. 'Hij was bang voor de jager in *Bambi*, ook
al krijg je die helemaal niet te zien.'

Meneer Wyecliffe knikte als een dokter, zonder van enige verbazing blijk te geven.

Nancy ging door, verblind door zweet en gêne. 'Hij is ook niet
dol op de nieuwe koningin in *Sneeuwwitje*.'

Meneer Wyecliffe bleef met zijn hoofd knikken, zijn ogen waren
dicht. Toen vroeg hij: 'Hoe vindt hij de kleine prinses?'

Dat was het moment waarop Nancy te ver was gegaan – zonder
te begrijpen waarom, behalve diep in haar binnenste. Ze antwoordde: 'Hij haat haar.' Ze had altijd een hekel gehad aan dat h-woord.
Het was hard en scherp en op de een of andere manier duister.

Het zweten was gestopt en een koude rilling ging door haar heen.
Nancy zat met haar armen stijf over elkaar en voelde zich alsof ze
poedelnaakt op de ijsbaan van Hammersmith stond. Het scheen jaren te kunnen duren voor ze van die vernederende opvliegers af was.
Dat had de dokter gezegd. Nancy pakte een zakdoekje.

'Ik denk niet dat we u als getuige zullen oproepen.' Meneer Wyecliffe legde zijn potlood neer. Nancy wist – omdat ze niet gek was –
dat hij dat ook nooit van plan was geweest.


De auto's klapten tegen de bult en scheurden weer verder langs Nancy's deur. Terwijl ze onzeker met haar ogen knipperde, alsof ze zojuist geland was, pakte Nancy het boekje dat op haar schoot lag. Het
viel vanzelf open in het midden. Gemorste koffie of thee had de inkt
doen uitlopen en het papier was geribbeld en kleverig.

> … en haar haar was zo strak naar achteren getrokken. Zoals al het
> personeel van het Bonnington moest ze een zwarte jurk dragen met
> een kanten schortje. Daardoor zag ze eruit als een kamermeisje uit
> The Forsyte Saga. Ik zag hoe ze door de gang liep, een karretje vol
> met lakens voor zich uit duwend. Dat was de eerste keer dat ik
> Emily zag. En ik zei tegen mezelf: voor het einde van het jaar ben
> ik met deze vrouw getrouwd. Uiteindelijk vond ik het kantoor van

*de manager. Zuster Dorothy zei dat hij onbeschoft zou zijn en dat*
*was hij ook, maar ze had ook gezegd dat ik op zijn glimlach moest*
*letten, en dat deed ik. Hij zei: 'Jongeman, het enige wat je moet*
*doen is koffers dragen, alleen je mond opendoen als je iets gevraagd*
*wordt en niet rond blijven hangen voor een fooi. We zijn hier in*
*Londen, niet in New York.' Ik was wat een Amerikaanse*
*zakenman ooit 'de bell hop' noemde – waarschijnlijk omdat ik aan*
*kwam rennen zodra ik dat belletje van de receptie hoorde. Helaas*
*had Emily geen belangstelling voor mij.*

Nancy was nu weer helemaal terug bij zichzelf. Gretig sloeg ze de
bladzijde om maar deze zat aan de volgende vastgeplakt met iets wat
op jam leek.

*… en daar was hij, hoog in de lucht, opgetild door een verpleegster.*
*Ik zei: 'O mijn god, neem me niet kwalijk,' omdat ik dacht dat ik*
*de verkeerde kamer was binnengelopen. Maar toen zag ik Emily in*
*het bed liggen. En toen besefte ik dat de baby die omhoog werd*
*gehouden en nu op weg was naar de weegschaal, mijn zoon was. Ik*
*had zijn geboorte op een paar seconden na gemist. Ik herinner me*
*geen geluid, geen schreeuw.*

Langzaam deed Nancy het boekje dicht, op het punt dat haar het
meest interesseerde. Dit moest de zoon zijn die hij op een dag zou
verliezen, de jongen die over de pier van Southport had gerend. Uit
respect voor meneer Johnson las ze niet verder, want in al hun gesprekken had hij haar niet verteld wat er gebeurd was.

Ik ben een vreselijke vrouw, dacht Nancy. Meneer Johnson had
zijn eigen tragedie en toch had ze die gebruikt om in weg te vluchten, alsof zijn verhaal niet echt was.

# 8

George stond op, pakte de resterende plastic tas en verliet Trespass Place. Toen hij onder de boog door liep wist hij dat hij er nooit meer terug zou komen. Het wachten was voorbij.

Veel mensen denken dat daklozen vanuit plotselinge impulsen leven. Het ene moment zitten ze in een portiek – waar ze al maanden bivakkeren – het volgende zijn ze vertrokken. Zo'n vertrek komt echter wel degelijk voort uit een beslissing. Verandering van plek is een soort gehoorzaamheid aan een voornemen – zoals het weggaan thuis ook ooit was geweest.

Toen George Trespass Place vond, al die jaren geleden, had Nino gezegd dat het leven op straat vergeleken kon worden met een voettocht rond de wereld. 'Op een bepaalde manier keer je je af, maar het kan er uiteindelijk ook toe leiden dat je weer terugkeert.' Het eerste gedeelte had George onmiddellijk begrepen, want zijn aankomst onder Blackfriars Bridge was een poging geweest om één specifiek gesprek te ontlopen.

Na het proces kwam George nauwelijks meer uit zijn leunstoel in de zitkamer. Hij zat naar het raam gekeerd, naar de boomtoppen van Mitcham. John was veertien. Niet lang daarvoor was hij begonnen zijn haar met gel in de war te brengen. Zijn huid was ruw, alsof hij zijn wangen met een nagelborstel bewerkt had. Hij kwam steeds weer de kamer binnen en ging elke keer op een andere stoel zitten alsof hij zijn vader steeds vanuit een nieuw gezichtspunt wilde bekijken. Het deed George denken aan de badmeesters in het zwembad. Die staarden op zo'n speciale manier naar bepaalde mensen die ze misschien zouden moeten redden. Ze waren altijd jong en atletisch en zelfverzekerd. John was echter klein van stuk, en had dunne armen en lange vingers.

Op een dag was John op de leuning van een stoel gaan zitten. Hij had zijn vingers ineengestrengeld en leek op een man die op het punt staat te gaan springen. *Countdown* was op televisie en een montere presentator telde getallen bij elkaar op in een tempo waarin George niet eens kon denken. Hij voelde dat John zich naar hem toe boog.

'Pap, ik geloof alles wat je in de rechtszaal hebt gezegd.'

De plaatselijke media hadden George afgeslacht. De openbare aanklager overwoog vervolging – voor een niet nader gespecificeerd delict.

'Bedankt.' Het klonk futiel, maar zijn hart had met een soort vreugde tegen zijn borstkas gebonkt.

'Je moet jezelf niets verwijten, pap,' zei John. Hij bracht zijn haar nog meer in de war, waardoor zijn zelfvertrouwen toenam. 'Het doet er niet toe dat Riley ermee is weggekomen. Hij deed ook maar wat hem werd opgedragen. De politie pakt altijd de mensen die niet echt belangrijk zijn... Dat is jouw schuld niet.'

George stond zichzelf toe naar zijn zoon te kijken. Het viel hem zwaar omdat de jongen zo oprecht was, en er zo vurig op gebrand leek te zijn om zijn vader te redden.

'Ik vraag me af wie die Koekjesman zou kunnen zijn?' vroeg John koeltjes.

De jongen had diep nagedacht en bepaalde conclusies getrokken. Hij had besloten wie de werkelijke misdadiger was, degene die niet door de politie gearresteerd was. George richtte zijn blik weer op de televisie, waar de eindstand werd voorgelezen. Zonder na te denken zei George: 'Dat zou je aan Riley moeten vragen.'

Die opmerking moest als een zaadje in de bodem van zijn geest zijn gevallen, want het zou nog jaren duren voor de jongen in actie kwam.

Toen George uit zijn eigen huis was weggelopen had hij zich afgewend van die opmerking tijdens *Countdown*. Hij had zich ook afgewend van de oceaan van herinneringen die Emily in hem opriep. Nauwelijks had hij echter Nino ontmoet, of de oude man zette hem ertoe aan ze weer onder ogen te zien – en niet alleen in het voorbijgaan, maar zo gedetailleerd als hij ze maar aan het papier van zijn notitieboekjes wist toe te vertrouwen. Het was echter toch essentieel geweest dat hij zich aanvankelijk had afgewend.

Het was eenzelfde soort vastberadenheid die hem er nu toe bracht

Trespass Place te verlaten, en daarmee nam hij ook afstand van 'een groots plan om... ten val te brengen...' of zoiets; Elizabeth had vaak pompeuze zinsneden gebruikt om te beschrijven wat ze aan het doen waren. Hij wist wel waarom: evenals George ging het er bij haar ook niet in dat Riley niet voor de rechter zou kunnen worden gesleept voor de moord op John. Dat alles – een rechtszaak en de nasleep ervan – bevond zich op een verstild plekje op de aarde. George liep verder, terwijl zijn plastic tas langs zijn been schuurde.

Hij moest al een halfuur gelopen hebben toen hij merkte dat hij naar het zuiden liep, weg van zijn vertrouwde buurt. Hij ging nooit naar het zuiden. Mitcham lag in het zuiden. Hij vroeg zich af waar hij heen ging; weer moest hij aan Nino denken en aan wat de oude man had gezegd toen ze de nachtopvang verlieten, de ochtend na het verhaal van Pandora. 'De straat, daar vind je de verhalen,' zei hij op plechtige toon, leunend tegen een muur bij Camden Lock. 'Verhalen over hoe je hier gekomen bent en hoe je weer weg kunt komen.' Maar hij had nog iets gezegd, iets wat George beangstigde: 'Er zijn ook verhalen over hoe je hier kunt blijven.'

Dat wilde George niet. Plotseling, zijn pas versnellend, wilde hij het uitzonderlijke verhaal vertellen over een man die door weg te gaan zijn beginpunt weer had teruggevonden: het verhaal van de man die uiteindelijk weer thuiskwam.

# 9

'Je kunt alles achter je laten,' zei de majoor. 'Maar dat zal je meer kosten dan je tot nu toe betaald hebt.'

Hij was zomaar uit zichzelf naar de rechtszaal gekomen, zo leek het althans. Hij had zijn pet op, alsof hij in een parade meeliep. Voor het eerst zag Riley de sleetse glans van zijn uniform, en de rafelige epauletten. Het proces kon elk moment beginnen. De getuigen zaten al klaar. De advocaten hadden zich in hun zwarte gewaden gehuld. De majoor had hem in een piepkleine spreekkamer apart genomen. Het feit dat hij ervan uitging dat Riley schuldig was, leek de lucht te hebben opgeklaard alsof er een desinfecterend middel gebruikt was.

Riley hield zich van de domme. 'Waarom zou ik dat doen?'

'Voor jezelf,' zei hij, alsof dat iets waardevols was. 'En zodat je niet meer iedereen om je heen hoeft te kwetsen.'

Riley keek over zijn schouder. De spreekkamer had een wand met grote, beslagen ramen. Aan de andere kant zag hij Wyecliffe staan. Hij leek in gebed te zijn.

'Je kunt nu nog terug,' vervolgde de majoor op dwingende toon. 'Al het andere is een illusie. Als je het doet zal ik je helpen. Ik denk niet dat er iemand anders is die zich daartoe geroepen voelt.'

Riley lachte op een manier die hij gênant vond want zijn stem sloeg over. Hij zag hoe de mond van de majoor zich verhardde; de rode afdruk van het mondstuk van zijn kornet verbleekte en verdween. Riley zei: 'Indertijd had ik gered moeten worden, nu niet meer.'

Hiermee had hij de majoor gevoelig willen treffen, maar dat gebeurde niet. Hij bleek veel alerter te zijn dan Riley had verwacht.

'We kunnen altijd gered worden,' zei hij. 'Je moet gewoon stoppen met wegrennen.'

Het was niet zozeer het idee als wel het weerzinwekkende medeleven van de majoor dat Riley deed huiveren. 'Dat heb ik gedaan. En ik heb de zaak omgedraaid: nu ben ik degene voor wie men op de vlucht slaat.'

Dat kwam aan. Het afgrijzen dat hij op het gezicht van de majoor zag verschijnen, wond hem op. De man in het uniform gaf echter niet op – dat kon Riley aan zijn ogen zien – hij zocht naar wat Wyecliffe 'verzachtende omstandigheden' noemde die konden verklaren waarom Riley deed wat hij deed. En Riley dacht: die zijn er niet. Maar dat kon de majoor niet accepteren. Hij weigerde te geloven dat er mensen bestonden die tot in de kern verdorven waren – en dat sommige daar zelfs voor kozen. Maar wie konden ze de schuld geven? Rileys moeder? Walter? Geen van beiden. Riley walgde van het medeleven dat zijn identiteit had opgeslokt. De eeuwige consideratie, het was een vorm van zelfbedrog. Natuurlijk kon die familiegeschiedenis in de rechtszaal in zijn voordeel gebruikt worden, maar dan zou hij zichzelf schuldig moeten verklaren en dan moest hij op de knieën. Maar wacht even – Riley voelde zijn trots ergens in zijn ingewanden branden – ik heb zelfrespect. Ik ben iemand. Uiteindelijk heb ik me min of meer op eigen kracht opgewerkt. Een zuur soort opwinding ging als een kramp door hem heen: dit kon niemand hem afnemen: de kern van zijn wezen, het oneetbare gedeelte. Een bittere vrucht was uit het afval van zijn keuzes opgebloeid. Niemand maar dan ook niemand zou die vrucht aan zijn moeder teruggeven.

'Als je schuld bekent,' zei de majoor werktuiglijk, 'kan ik wellicht een goed woordje voor je doen.'

Riley wierp een blik op het motto dat op zijn pet stond – 'Bloed en Vuur' – zoals hij ook gedaan had bij hun eerste ontmoeting. Destijds had het medeleven van de majoor hem in paniek gebracht. Wat was er gebeurd? Nu voelde hij niets. Hij observeerde de hoop en de intenties van de man tegenover hem, meer niet. Het had er alle schijn van dat hij was gekomen om een bekentenis uit hem te krijgen, hiertoe ongetwijfeld aangezet door Wyecliffe, die buiten op zijn nagels stond te bijten. Maar de majoor had zijn eigen drijfveren. Hij geloofde in de bedoelingen van de Heer, en dat alles toch nog goed zou kunnen komen. Riley stond op en maakte daarmee een einde aan het gesprek. Vanuit de hoogte keek hij met een afstandelijk, goddeloos medelijden naar beneden. De oude soldaat leek zijn eigen marslied niet te horen: je kon iemand niet redden als hij dat zelf niet wilde.

Riley liep het kamertje uit en zou de majoor nooit meer terugzien. Binnen enkele minuten zat hij in het beklaagdenbankje. En pas toen hij daar zat, met aan elke kant een bewaker, drong het tot hem door dat hij nog een keuze had gemaakt; dat hij nog steeds zijn handen had kunnen opheffen zonder iemand behalve zichzelf de schuld te geven. Het gaf aan hoe zijn daden zijn denken een stap vooruit waren. Hij had geen moment serieus overwogen schuld te bekennen, omdat hij op een koortsige manier uitzag naar het proces, naar wat er zou kunnen gebeuren. Niemand kon het weten, maar Riley had een hereniging op touw gezet en die wilde hij niet missen, hoewel het proces voor hem persoonlijk een onvoorstelbare beproeving was. Hij wilde zien wat George zou doen als hij zag wie Riley verdedigde.

Hij werd niet teleurgesteld. De rechtszaak eindigde precies zoals hij verwacht had maar niet op de manier die hij had voorzien. Die truc over David en George was verbijsterend geweest. Als Riley de majoor was geweest, had hij God gedankt.

Op de dag van zijn vrijspraak trok Riley Nancy de zitkamer in. Hij was ontnuchterd, om het zo maar eens te zeggen. De koorts was voorbij en met een verschrikkelijke helderheid begreep hij dat Nancy hem al die jaren geobserveerd had. En toen dat duidelijk werd was ze de rechtszaal ontvlucht, net als George.

'Vertrouw je me?' Hij stond voor haar en hield haar armen vast, alsof ze hem anders zou slaan.

'Ja.'

Aan Nancy's ogen was te zien dat ze een moeilijk besluit had genomen. Het licht was weg, alsof er een scherm naar beneden was gevallen om het grijpen en graaien een halt toe te roepen. Ze leek ouder en van hem afgesneden op een manier die Riley duidelijk maakte dat er van werkelijke verbondenheid nooit sprake was geweest.

*Ja.* Het was alsof ze hem opnieuw haar jawoord had gegeven. Het was een tweede kans.

Op basis van deze gelofte zette Riley Quilling Road te koop. Toen reed hij naar een plek waar hij sinds zijn elfde niet meer was geweest: Hornchurch Marshes. Hij liep een pad af met platgetreden gras tot hij bij vier keurige rechthoekige vijvers aankwam die als ramen waren aangelegd, met een omlijsting van bakstenen. De plek stond bekend als de Four Lodges. Hij begon moeizaam te ademen en kreeg pijn op de borst. Er was niets veranderd. Hij huilde hartverscheurend terwijl hij keek naar de mannen op hun krukjes en de wolken van muggen.

Anselmus liep door de versierde hekken van Gray's Inn Gardens. Als jongeman had hij er hier van gedroomd in de Bailey te staan, een doorgewinterd jurist te zijn, een korzelige legende in een haveloze toga. Liggend in het gras had hij denkbeeldige tegenstanders aan een kruisverhoor onderworpen en met hooghartige hoffelijkheid onderuitgehaald. Aan zijn fantasie ontsproten rechters hadden toegekeken en zich verbaasd over zoveel talent in iemand die nog zo jong was. Niet zo heel veel later had hij weer over het grind van dezelfde grillige lanen gelopen, denkend aan een flakkerend licht boven een schip van een kerk, en aan een aandachtige stilte.

'Goedemiddag pater,' zei inspecteur Cartwright opgewekt.

Anselmus wierp een snelle blik naar rechts, alsof hij betrapt werd. Ze zat met haar benen over elkaar op een bankje chips te eten. Op haar schoot lag een bruine envelop. Haar oren waren nog steeds zwaarbeladen met de gevoelsuitingen van haar kind.

'Kijk hier eens naar,' zei ze. 'Óf mevrouw Glendinning speelt een spelletje, óf ze is uiterst voorzichtig.'

Anselmus ging naast haar zitten en zocht in zijn borstzak naar zijn bril. Opgelucht door de onverwachte scherpte van zijn zicht haalde hij even later een bundeltje papieren uit de envelop. Om hem met rust te laten maakte inspecteur Cartwright een ommetje.

Er bleken vier bundeltjes te zijn, die elk met een nietje tot een soort boekje waren samengebonden. Op het eerste bundeltje stond 'Nancy's Schatkamer', op het tweede 'Rileys Rommel'. Het bleek om de jaarlijkse aangifte te gaan die bij het Companies House was ingediend. Er was niets onderstreept of aangevinkt. Anselmus bladerde de twee andere bundeltjes door. Deze bleken te bestaan uit gekopieerde kwitanties, ook weer met de twee bedrijfsnamen erop, en ook zonder verdere aantekeningen. Hij keek naar de data en merkte op dat de bundeltjes dezelfde tijdspanne besloegen als de officiële aangifte. Verwonderd keek hij nogmaals in de envelop, en zei: 'Was er geen begeleidende brief bij?'

Inspecteur Cartwright likte het zout van haar vingers en zei bruusk: 'Nee.' Ze liet het zakje in de afvalbak vallen en liep terug naar de bank. Ze verklaarde zich nader: 'Er was wel een kaartje bij met een handtekening. De uitleg over de cijfers moet George Bradshaw hebben.'

'Maar waarom zou je het bewijs scheiden van de uitleg ervan?' vroeg Anselmus zich af.

'Ik denk dat mevrouw Glendinning de persoon niet helemaal vertrouwde die ze had opgedragen de envelop te versturen.'

'Maar waarom zou ze zo iemand dan überhaupt benaderen?'

'Misschien omdat hij of zij – net zoals jij en ik – bij de oorspronkelijke rechtszaak betrokken was.'

Anselmus zette zijn bril af en keerde terug naar een aangenaam wazig universum. 'Maar waarom heeft ze dit opgestuurd? Ze had toch alles aan George Bradshaw kunnen geven?'

Zonder aarzelen antwoordde inspecteur Cartwright: 'Misschien heeft ze voorzien dat een man met een half geheugen zou kunnen verdwalen voordat hij gevonden werd.'

Dat klonk enigszins bijbels, iets wat Anselmus' gedachtegang vertraagd zou hebben, ware het niet dat hij zich plotseling in contact voelde met Elizabeth, en zijn denken een grote sprong maakte. 'Wat betekent dat de cijfers die jij gekregen hebt voor zichzelf zouden moeten spreken.'

'Daar ben ik het mee eens, maar dat doen ze niet – tenminste niet voor mij. Ik heb die gegevens van het Companies House bekeken, dus ik denk dat de clou in die kwitanties te vinden moet zijn.'

Anselmus sloeg in diepe concentratie de bladzijden om. In feite kon hij zonder zijn bril de cijfers niet lezen. Hij grijnsde veelbetekenend.

'Zou je ernaar willen kijken?' vroeg inspecteur Cartwright terwijl ze op haar horloge keek. 'Jij krijgt misschien wel weer zo'n visioen.'

Toen ze weg was vroeg Anselmus zich af waarom hij inspecteur Cartwright niet verteld had dat hij ook een brief had ontvangen. Er was geen enkele aanleiding om te denken dat het bezoek aan mevrouw Dixon vertrouwelijk moest worden behandeld. Toch wist hij dat hij het voor zichzelf moest houden. Waarom? Hij nam een mooi paadje dat tussen de gebouwen uit de tijd van koning George doorliep, waar hij als student had lopen dagdromen over grootse daden die hij ooit zou verrichten, en toen kwam hij tot de merkwaardige conclusie dat hij Elizabeths geest was binnengegaan; dat hij begon te voelen wat zij wilde, hoewel hij nog niet begreep wat het uiteindelijke doel ervan was.

In High Holborn kwam Anselmus in botsing met een non die niet keek waar ze liep. Plotseling had hij een zinnige ingeving, en hij draaide zich om en keerde terug naar Gray's Inn. Omdat hij niet precies wist tot wie hij zijn vraag moest richten, begaf hij zich naar de bibliotheek in South Square. Een klein vrouwtje aan de hoofdbalie bleek daar te zitten om mensen bij te staan die het echt niet meer wisten.

'De archieven van de Inn zijn uitgebreid,' zei ze, 'en niet alles is op de computer ingevoerd. We werken vanuit het heden steeds verder terug in de tijd.'

'Uiteraard,' antwoordde Anselmus. 'Je moet nooit bij het begin beginnen.'

Het was aardig bedoeld maar kwam er helemaal verkeerd uit. Aangezien hij wijs kon zijn als het over kleine dingen ging, deed hij er verder het zwijgen toe. En aangezien zij gevoelig was, hield ze het bij een glimlach.

'Het punt is,' vervolgde ze, 'dat materiaal over mevrouw Glendinning zich overal kan bevinden. Als u me een nummer geeft waar ik u kan bereiken, zal ik vanmiddag even voor u rond gaan spitten. Ik raad u aan in de tussentijd wat oude jaargangen van *Graya* door te nemen.'

In dit blad werden allerlei gebeurtenissen besproken die de leden van de Inn betroffen. Het lag voor de hand om het door te nemen. Anselmus schreef het faxnummer van Hoxton op en installeerde zich aan een tafel in de buurt van de jaargangen die van toepassing waren op zijn onderzoek. Meer dan een uur was hij bezig alle verwijzingen naar Elizabeth op te slaan. Hij vond een kort stukje over haar aanstelling als QC, en een langer biografisch artikel dat verscheen toen ze plaatsvervangend rechter werd aan het hooggerechtshof. Al het achtergrondmateriaal klopte met hetgeen zuster Dorothy had verteld: ze was geboren in Manchester, ging in Carlisle naar school, studeerde in Durham.

Anselmus was echter teleurgesteld want hij vertrouwde op de grillen van zijn intuïtie. En die vertelden hem dat er iets niet klopte. In een telefooncel bij de bibliotheek belde hij de administratie van de universiteit waar Elizabeth haar studie had gedaan. Hij somde de gegevens op die hij uit *Graya* had gehaald. Ongeveer gelijktijdig hoorde hij het zachte tikken dat gevolgd werd door een wat hardere tik op de returntoets, en toen was het even stil.

'Het spijt me,' zei de man op gelijkmatige toon. 'Er heeft hier in die periode niemand gestudeerd die Elizabeth Glendinning heette.' Hij begon weer te typen. 'We hebben nooit een studente gehad met die naam.'

Anselmus stak Gray's Inn Square over alsof pater Andrew naast hem liep. *Zoek het kind dat een toga zou dragen die haar schouders niet konden torsen.*

Ze hadden geen van beiden aan de mogelijkheid gedacht dat er sprake kon zijn geweest van verwisselde identiteiten, of van een geschiedenis die in vlammen was opgegaan.


I I


Hoe dichter George Mitcham naderde, des te zwaarder werd zijn lichaam. Moeizaam sleepte hij zichzelf voort, zijn eigen straat in, langs de verlichte ramen van de Aspen Bank. Overal stond de televisie aan en waren de gordijnen dichtgetrokken om de avond buiten te sluiten. Tegenover het huis van George was een grasveldje met een speeltuin. Een lage omheining met een hekje gaf vorm en gewicht aan het geheel. George ging op een draaimolen zitten en liet zijn been over het asfalt slepen. Hij keek naar nummer 37 alsof het er niet echt was;

alsof het bij de eerste aanraking zou verdwijnen. Emily was boven. George zag haar schaduw groot afgetekend tegen de muur waarachter zich de schoorsteen bevond. Ze liep snel heen en weer.

Een uiterst ongewoon gevoel van verstilling kwam over hem. Het was een plechtig moment, een moment dat hij graag met Nino had willen delen: zijn leven op straat stond op het punt te eindigen; hij had een voetreis om de wereld gemaakt en was teruggekomen op het punt van vertrek. Hij zette zich af en de draaimolen begon licht wiebelend rond zijn as te draaien. George zag zijn huis, de bomen, de torenflats in de verte, de lichten van de Aspen Bank en toen was hij weer terug bij zijn huis. Hij draaide en draaide, moed verzamelend om het grasveld en vervolgens de verlaten straat over te steken.

Het licht op de bovenverdieping ging uit.

Beneden ging het licht aan.

George drukte zijn voet als een rem op de grond en de draaimolen kwam piepend tot stilstand.

De voordeur ging open en Emily kwam naar buiten. Ze zette enkele stappen op het tuinpad terwijl ze haar arm door de riem van haar tas stak. Haar kapsel was anders, maar de bewegingen van haar lichaam, de minieme aarzelingen, waren hetzelfde.

George stond op en riep zachtjes: 'Emily.' Hij kreeg het niet voor elkaar om zijn mond en zijn longen hun werk te laten doen. Hij was leeg. Hij kon alleen nog maar zijn voeten optillen en laten vallen.

Plotseling werd het licht dat door de geopende voordeur naar buiten viel geblokkeerd. Er verscheen een grote man met een rinkelende sleutelbos in zijn hand. Hij hield hem omhoog om de sleutel te vinden die hij nodig had.

'Heb je alles?' vroeg hij gemelijk.

Emily knikte. Ze keek omhoog, naar de sterren.

George kon zijn benen niet stilhouden. Zijn ogen waren nat en hij had zijn handen gevouwen. Hij bevond zich nog in de schaduw maar zou aanstonds het bleke, oranje licht betreden.

De deur sloeg dicht en de grote man legde een zware arm om Emily heen. Weer klonk het metalige geluid van de sleutelbos en twee koplampen lichtten op. George stapte van het gras op de stenen, maar viel bijna om en kreunde. Hij was op een losse steen gestapt maar wist zijn evenwicht te behouden en liep terug langs de Aspen Bank, de weg die hij enkele minuten geleden gekomen was, en die hij een paar jaar eerder gegaan was.

Een motor sloeg sputterend aan en wielen begonnen te draaien. Even later reed de auto hem langzaam voorbij en ving George een glimp op van zijn vrouw. Ze zat in de passagiersstoel naar voren gebogen, haar gezicht tekende zich in de buitenspiegel af. Doordat de auto sneller ging rijden kon hij echter haar uitdrukking niet zien. Aan het eind van de straat zag hij de richtingaanwijzer knipperen en toen was hij alleen.

Waar moet ik nu heen? dacht hij. Hierover had Nino niets gezegd.


## 12


Jaren geleden had meneer Wyecliffe haar gebeld om het goede nieuws te brengen.

'We hebben gewonnen,' riep hij uit en zijn baard had langs de hoorn geschraapt.

Met een misselijk gevoel had ze in de deuropening op haar man staan wachten. Toen hij thuiskwam lachte hij niet en zei ook niets over hoe de zaak die tegen hem was aangespannen in duigen was gevallen. Hij trok haar mee naar de zitkamer en vroeg of ze hem vertrouwde. Terwijl ze hem strak aankeek, zei ze uit de grond van haar hart: 'Ja,' en toen kuste hij haar snel op de wang, alsof er mensen zouden gaan klappen. Toen reed hij weg.

Riley zette Quilling Road te koop. Hij knapte de bungalow op, en nam ontslag. Binnen een week zat meneer Wyecliffe in de zitkamer met een snack in zijn hand advies te geven: 'U zou onregelmatig ontslag kunnen overwegen.'

En dat deed Riley. Hij sleepte meneer Lawton voor de rechter vanwege het feit *dat hij Riley de laan had uitgestuurd*. Het was weer een overwinning voor Riley, en het bedrijf keerde hem duizenden ponden uit. Nooit zou Nancy die laatste truc begrijpen, maar meneer Wyecliffe kende de kneepjes van zijn vak. Niemand leek echter in te zien dat Nancy de dupe werd van deze tweede overwinning. Ze kon immers moeilijk als boekhoudster bij Lawton's aanblijven. Ze nam haar ontslag. Meneer Wyecliffe achtte dit 'verstandig' maar het leek hem niet dat hier nog iets uit was te slepen.

Met al dat geld kocht haar man een krot op een ondergrond van sintels tegenover een morsig fish-and-chips-kraampje.

'Waar heb je dat nou voor nodig?' vroeg Nancy.

'We gaan in zaken,' zei Riley alsof ze gingen emigreren. Hij was gespannen. Het leek alsof hij al zijn schepen achter zich verbrandde... behalve Nancy. Hij vroeg haar niet eens wat zij wilde. Ze was deel van hem, zoals zijn handen en voeten deel van hem waren. Ze waren man en vrouw.

Wat Riley betrof, die kocht een bus zonder ramen. Hij betimmerde de binnenkant met multiplex – de bodem, het dak en de zijwanden – en bracht er systemen met planken op aan. Hij zette een advertentie in de plaatselijke kranten waarin stond dat hij huizen ontruimde. En het liep goed. Zelfs zo goed dat hij twee jaar later een paar garages moest huren voor de opslag van goederen. Met een bon van het Leger des Heils kon je er uitzoeken wat je wilde. Op zijn manier was Riley best een goed mens.

Zo viel alles langzaam op zijn plaats nadat haar man uit de Old Bailey was thuisgekomen. Dag in dag uit zat Nancy bij de gaskachel en werkte zich door een dik puzzelboek heen. Het was wel heel wat anders dan haar dagelijkse scherts met Babycham bij Lawton's. Ze begon met het idee te spelen terug te gaan naar de plaats waar ze als kind haar vakanties had doorgebracht, naar de pier en de feestelijke lichtjes van het Palace, de goochelaars en de opwindende fanfares. Maar haar man voelde hier niets voor. Ze hadden een leven: Riley in zijn bus en Nancy in haar winkeltje. Hij moest altijd onderweg zijn en zij moest op haar plek blijven. Als dit is wat er gebeurt als je een rechtszaak wint, dacht ze vaak, hoe zou het dan zijn om er een te verliezen?

Een paar maanden later kocht Nancy schuldbewust maar resoluut haar eerste hamster, Stallone. Schuldbewust omdat ze hiermee een pijn in haar hart wilde verzachten; resoluut omdat dit iets was waar Riley haar niet mee kon helpen. Hij had haar pijn immers veroorzaakt. Toen ze met haar nieuwe vriendje, een kooi en een zak gedroogde maïs bij de toonbank stond voelde ze zich niet eens vernederd. Integendeel, ze trilde haast van opwinding omdat iets zo kleins, zo onopgemerkts, het object zou worden van de *eenvoud* van haar affectie. De gecompliceerde gevoelens gingen naar haar man.

Het probleem was echter dat Riley niet gek was. Hij voelde dat Nancy haar affecties verdeelde. En hij werd jaloers... jaloers op een hamster. Nancy zou ervan hebben kunnen genieten dat men naar haar gunsten dong, ware het niet dat ze diep in haar hart wist dat de situatie deerniswekkend was. Het was ook, praktisch gezien, verdrietig, want hamsters gaan helaas niet zo lang mee. (Stallone haalde de drie, maar Mad Max en Bruce legden er al na tweeëneenhalf jaar het bijltje bij neer.) En je kunt niet laten merken dat je verdriet hebt, tenminste niet zonder belachelijk te zijn. Dus deed ze alsof ze niets voelde, zorgde voor de begrafenis en ging gauw naar de dierenwinkel om een nieuwe te halen. Het hoorde eigenlijk niet, maar wat moest ze anders?

Riley zag de hamsters komen en gaan zonder er iets van te zeggen – behalve die ene keer.

Toen Nancy Bruce op zijn zij aantrof, zei ze droevig: 'Ach, waar ben jij nou heengegaan?'

'Nergens,' had Riley uit de andere kamer vanuit de schommelstoel geroepen.

'Wat bedoel je daarmee?' zei Nancy scherp. Ze hield niet van dit soort praatjes.

'We komen nergens vandaan, uit het niets komen we, en we gaan ook nergens heen, alleen maar terug naar het niets,' antwoordde hij, als een oude man die zijn verhaaltje afdraait. 'En daartussenin leven we.'

Nancy wierp een blik op Bruce. Ze wilde dat hij in een andere dimensie zou voortleven... samen met oom Bertie, haar vader en moeder en alle andere mensen van wie ze gehouden had... ook al was iedereen met iedereen gebrouilleerd geweest.

'Wat heeft het voor zin?' vroeg Riley zachtjes.

Hij was op een vreemde manier opgewonden en Nancy vroeg zich af waar hij toe in staat was – waar wie dan ook toe in staat was – als het waar was, als je echt nergens in geloofde dat het leven enige zin gaf (niet alles natuurlijk, maar in elk geval de buitenkant). Maar zo was Riley. Hij meende het niet echt. Hij zei iets maar deed iets heel anders. Hij hield van Nancy, hoewel hij het nooit had gezegd, en het ook nooit kon uiten.

Riley stampte het huis uit om te gaan werken en Nancy ging naar de winkel en kocht Arnold. Denkend aan haar man zei ze (niet voor de eerste keer): 'Hoe is hij toch zo geworden?' Ze stelde de vraag echter werktuiglijk, zonder zich echt af te vragen wat het antwoord zou zijn. Het was niet belangrijk voor haar. Een boek genaamd *Het geheim van Graham Riley* zou zij niet kopen. De inhoud zou namelijk niets te maken hebben met waarom zij van hem hield.

Waarom hield ze van hem? Er was geen antwoord op vragen als deze. Als er een lijst van 'redenen' zou bestaan, dan zou Rileys gedrag die lijst jaren geleden al ongeldig hebben gemaakt. Lijsten hadden alleen betekenis voor mensen als Wyecliffe. Uiteindelijk was het onverklaarbaar dat het feit dat hij haar gevoel voortdurend op de proef had gesteld haar hart eerder had geopend dan dat het erdoor gesloten was. Het was heel eenvoudig: wat ze zag, daar hield ze van. Babycham had dat niet kunnen begrijpen – en dat had ze ook gezegd (ze had van haar hart nooit een moordkuil gemaakt). Toen ze op een vrijdagavond in de Admiral zaten – het was een van de laatste keren dat ze als groep bij elkaar waren – had Nancy met haar glas zitten spelen terwijl ze worstelde om de juiste woorden te vinden. Ze had gebloosd en op dat moment had er een fruitmachine gerinkeld. Uiteindelijk had ze gezegd dat je Nancy moest zijn om Riley met Nancy's ogen te kunnen zien.

# 13

Anselmus wandelde van Hoxton naar Shoreditch, naar een torenflat waarvan de verlichte ramen zich chaotisch verspreid als braille tegen de nachtelijke hemel aftekenden. Hier en daar wapperde de was op een balkon. De lift deed het niet, dus Anselmus liep behoedzaam de betonnen trappen op, langs verklaringen van liefde en haat, en raakte vervuld van de overtuiging dat het hele vochtige bouwwerk gedoemd was de grond in te zakken.

Mevrouw Dixon loerde over de deurketting naar haar bezoeker. Ze stond enigszins gebogen en keek hem argwanend met half dichtgeknepen ogen door haar grote brillenglazen aan. 'Bent u van de gemeente?'

'Nee,' antwoordde Anselmus vriendelijk. 'Ik ben een vriend van mevrouw Glendinning.'

De deur ging dicht, er klonk gerammel waarna de ketting uit de sleuf gleed. De deur ging open en Anselmus rook de zoetzure geur van kant-en-klaar bezorgde maaltijden.

'Wanneer komt ze weer?' vroeg mevrouw Dixon bezorgd. 'Ik mis haar… De verhalen, de cakejes en alles…'

Mevrouw Dixon liet zich in een leunstoel vallen die bij een volle salontafel stond. Er stond een bord met een restje jus in het midden. Een wipneus en roze wangen riepen associaties op met een lappenpop. Ze had krulletjes waar een zweem van blauw overheen lag.

Anselmus zei: 'Ik ben gekomen om u te vertellen dat mevrouw Glendinning niet meer terugkomt. Het spijt me heel erg.'

Mevrouw Dixon legde haar vork en mes recht. 'Ze is dood?'

'Ja.'

'Haar hart?'

'Ja.'

Anselmus ging op een rotankrukje zitten. Vergeefs probeerde hij zich de uitwisseling van ontboezemingen voor te stellen. Hij keek om zich heen en zag geen schilderijen of klokken aan de muur en

ook geen ansichtkaarten op de schoorsteenmantel. Er liep een opge-
vulde barst over het plafond in de vorm van een uitgedroogde blik-
semschicht. Een sofa die ooit deel had uitgemaakt van een driedelig
bankstel stond aan de andere kant van de salontafel. Daar moest Elizabeth hebben gezeten toen ze vertelde wat de specialist had gezegd.
Om daarna naar huis te gaan, naar haar borreltje met Charles en
Nicholas.

Hoewel hij gedeeltelijk Frans was, was het op emotionele momenten Anselmus' Engelse kant die zich krachtig deed gelden. 'Zal
ik een kopje thee voor u zetten?' vroeg hij warm.

Mevrouw Dixon schudde haar hoofd. Ze bewoog haar mond terwijl ze een zoutvaatje, een servetring en een schoteltje anders neer-
zette. 'Ze was mijn vriendin, weet u.'

Emoties deden haar gezicht verkrampen, alsof ze iets wilde zeggen. Uiteindelijk gooide ze eruit: 'Ik zat hier al zo lang in mijn eentje en toen kwam ze zomaar ineens naar me toe.'

'Wanneer was dat?' vroeg hij argeloos.

'Ruim een jaar geleden,' antwoordde ze terwijl ze een zakdoekje
uit haar mouw haalde. 'Ik was naar de gemeente gegaan omdat ik zo
eenzaam was, weet u. Maar ik heb het gevoel dat ik haar al mijn hele leven ken.' Ze leefde op. 'Begrijpt u wat ik bedoel?'

'Ja.' Hij keek naar mevrouw Dixon, die ver weg achter haar tafel
zat. Ze had haar ogen stijf dicht en hield een tissue tegen haar mond
gedrukt. Haar hand viel naar beneden en een van haar lippen trilde.
Ze hoestte. 'Heeft Elizabeth u over mij verteld?'

'Nee,' gaf Anselmus toe. 'Ze heeft me alleen gevraagd of ik naar
u toe wilde gaan als ze zou overlijden.'

'Was er geen andere boodschap?'

Haar been begon op en neer te gaan. Anselmus keek ernaar en
fronste.

'Heeft ze… iets over mijn jongen gezegd?' Ze keek hem strak aan.

'Wie?' vroeg Anselmus vriendelijk.

'Mijn zoon.' Mevrouw Dixon boog zich naar voren, druk met haar
handen bewegend. 'Hij raakte vermist, jaren geleden, toen hij nog
een jongen was, en Elizabeth zei dat ze hem misschien op zou kun-

nen sporen. Ze had zoveel contacten en zo... Ik ben nooit te weten gekomen wat er van hem geworden is... Het was een goeie jongen, weet u...' De wanhoop had haar gezicht veranderd. Ze was een totaal ander iemand geworden. Haar stem begon metalig te klinken. 'Heeft ze een boodschap voor mij achtergelaten?'

Anselmus ging naar de sofa, om dichter bij deze angstige, kwetsbare moeder te zijn. 'In zekere zin wel, ja.' Hij sprak zacht. 'Elizabeth heeft me gevraagd naar u te luisteren.'

'Wat?'

'Elizabeth had het idee dat u met mij zou willen praten,' antwoordde hij zachtzinnig.

'Maar ik heb verder niets te zeggen,' zei mevrouw Dixon terwijl ze zich weer naar achteren liet vallen. Nu was het verwarring en waakzaamheid die haar gezicht veranderden. 'Heeft ze u iets verteld?'

Anselmus antwoordde niet. Hij keek haar onderzoekend aan, vurig hopend dat ze prijs zou geven wat ze achterhield.

'Heeft ze het u verteld?' Haar stem sloeg over.

De advocaat in Anselmus zou nu alles hebben gedaan om erachter te komen wat Elizabeth hem verteld zou moeten hebben, maar een soort clementie in hem kreeg de overhand en hij zei: 'Ik weet van niets. Maar alles wat u mij vertelt blijft tussen ons.'

Mevrouw Dixon keek hem aan alsof ze zojuist in de boeien was geslagen. Met plotselinge waardigheid zei ze: 'Wilt u nu alstublieft gaan? Ik ben helemaal ontdaan. Ik had nooit gedacht dat ze niet meer zou komen en ik ben te oud hiervoor... Hoor eens, gaat u nou maar...'

Anselmus legde uit dat ze niets te vrezen had; dat hij meteen weg zou gaan en nooit meer terug zou komen; dat hij haar zijn telefoonnummer zou geven voor het geval ze van gedachten zou veranderen. 'Als ik weg ben, bedenkt u zich dan alstublieft dat een vriendin mij gestuurd heeft – uw vriendin, die ook mijn vriendin was.'

In de gang bleef Anselmus staan bij een verkreukeld plaatje in een goudkleurig lijstje. Het was zo'n negentiende-eeuwse afbeelding die je vaak in de sacristie of in uitdragerijen aantrof: een man met prachtige spieren die het kruis van Jezus draagt en zijn hoofd hoog heeft opgeheven naar iets donkers en wonderbaarlijks in de wolken.

'Simon van Cyrene,' zei mevrouw Dixon. Haar herwonnen kalmte was nog broos. 'Het is van mijn moeder geweest.' Toen Anselmus weer begon te lopen, zei ze: 'Kunt u de gemeente vragen of ze iemand sturen?'

# 14

Riley reed met hoge snelheid over Commercial Road en via Houndsditch naar de City. Hij parkeerde op de uitrit van een winkel in Cheapside, niet ver van Wyecliffe & Co.

'Wat leuk om u te zien,' zei de jurist terwijl hij over stapels papieren een klamme hand naar hem uitstak. Zijn gezicht was donker, grijs en harig; zijn ogen glansden. Het was jaren geleden dat Riley in deze kamer verschenen was, maar meneer Wyecliffe leek hem te verwachten. 'Gaat u toch zitten. Wat kan ik voor u doen?' Zijn silhouet tekende zich af tegen de dichtgeschilderde schuiframen. Net als bij de Four Lodges was ook hier niets veranderd. Zelfs de lucht was hetzelfde. Het was er als in een warme grafkamer, toch ging er een rilling door Riley heen.

'Er zit iemand achter me aan,' zei hij bruusk.

'Dat gevoel heb ik zelf ook vaak.' Hij pakte een glazen bol met daarin een blokhut en een soort rendier. Toen hij ermee schudde begon het te sneeuwen.

'Ik meen het,' snauwde Riley.

'Ik ook,' galmde Wyecliffe terwijl hij naar voren leunde en zijn kin op zijn pafferige hand liet rusten. 'Vertel me wat u naar deze droevige plek heeft doen teruggaan.'

Dat was typisch Wyecliffe. Hij verwees naar zaken zonder ze ooit echt te benoemen. De laatste keer dat Riley hier geweest was, was toen Cartwright hem de dood van John Bradshaw in de schoenen probeerde te schuiven. Hij was misselijk geweest van angst.

'Een kerel die Prosser heet hangt steeds bij Nancy rond en stelt vragen.'

'Hoe heet hij van voren?'

'Guy.'

Meneer Wyecliffe streek met een vinger langs zijn snor. 'Nou en?'

'Nou én?' snoof Riley. 'Hij wil weten waar ik mijn spullen vandaan heb, alsof er een luchtje zit aan wat ik doe.'

'En is dat zo?'

'Absoluut niet.'

'In dat geval,' zei meneer Wyecliffe op geruststellende toon, 'hoeft u zich nergens zorgen om te maken.' Hij zweeg een moment. 'Meneer Riley, we kennen elkaar al heel wat jaren. Als u mij nu gewoon het hele verhaal vertelt, dan zal ik kijken wat ik kan doen.'

'Iemand probeert me angst aan te jagen,' kermde hij.

'Op wat voor manier?'

'Ik kreeg een brief.'

'Wat stond daarin?'

'Niets.' Meer kon Riley niet zeggen, maar hij had hulp nodig. 'Het was alleen een foto.'

'Van wie?'

'Dat doet er niet toe,' zei Riley en hij ging steeds hoger praten. 'Ik dacht dat Prosser die brief misschien gestuurd had, dat is alles.'

'Buitengewoon onwaarschijnlijk,' merkte Wyecliffe zelfverzekerd op. 'Iemand die slim genoeg is om een foto voor zichzelf te laten spreken, zal zichzelf niet zo gauw verraden door stomme vragen te gaan stellen.'

Door angst gedreven flapte Riley er bijna uit wat hij het grootste deel van zijn leven had binnengehouden. 'Ik wil alleen maar weten of u ervoor kunt zorgen dat ze stoppen met in mijn verleden te graven.'

'Dat hangt er een beetje van af,' zei meneer Wyecliffe. Hij bedekte de glazen bol met zijn hand. 'Wie zou het verder nog kunnen zijn die de spade ter hand heeft genomen, om het zo maar eens te zeggen?'

'Geen idee,' blafte Riley. Die vraag hield hem dag en nacht bezig.

Behalve Prosser kon hij verder niemand bedenken. John Bradshaw was met een vraag en een belofte bij hem gekomen, maar had nooit antwoord gekregen. Riley zei: 'Ik kan niemand bedenken die nog in leven is.'

'Wel iemand die dood is?' De jurist schudde de bol heen en weer.

Riley hield zijn adem in en voelde de hitte als een kroon op zijn hoofd neerdalen. 'Speel geen spelletjes met mij, Wyecliffe.'

'Ik ben bloedserieus.'

Rileys slapen begonnen te kloppen. 'Een dode?'

'Ja.'

Riley kon niet meer helder denken. Alleen de levenden konden hem raken. Hij trok met zijn hoofd, alsof hij een paar vliegen wegjoeg.

'Goed,' zei meneer Wyecliffe en slaakte een diepe, teleurgestelde zucht. 'Als u verder geen namen voor mij heeft – hoe vergezocht ze ook mogen lijken – kan ik niets doen. U zult af moeten wachten wat ze gaan doen met de informatie die ze hebben.'

'Ze?'

'Bij wijze van spreken,' antwoordde de jurist. Hij stak zijn duimen in zijn vestzakjes en vervolgde: 'Misschien heeft uw correspondent een paar mensen opgedragen namens hem of haar op te treden.' De blik waarmee hij Riley bekeek hield het midden tussen medelijden en verwondering. 'Weet u, uiteindelijk draait alles om feiten.'

'Feiten?' De verandering van onderwerp bracht Riley van zijn stuk.

'Ja. Bekende en onbekende feiten.' Meneer Wyecliffe zwaaide met zijn handen over het bureau alsof hij een soort bezweringsritueel uitvoerde. 'Wij juristen verzamelen de feiten die bekend zijn voor de jury. U zou verbaasd staan over de diversiteit aan verhalen die een slim iemand kan destilleren uit dezelfde feiten'– de gedachte deed hem grinniken – 'en als het een spelletje was zou ik zeggen dat je waar voor je geld kreeg. Maar na veertig jaar ervaring bij de rechtbank kan ik u dit vertellen.' De scherts was verdwenen en in de kamer leek de schemering te vallen. 'Niemand kan iets veranderen aan een feit dat voor zichzelf spreekt. Het is als een foto.'

Riley trok aan zijn bovenste knoopje. Wyecliffe was helemaal niet van onderwerp veranderd.

'Geef me de naam van degene die op die foto staat,' zei de jurist op zalvende toon.

'Ik heb niet gezegd dat het een man was.'

'Daar heeft u gelijk in.' Hij knikte complimenteus.

'Als ik het vertel, kunt u me dan helpen?'

Hij begon weer te krabben, ditmaal aan zijn harige wang. Hij zuchtte en fluisterde: 'Dat hangt ervan af.'

Riley schopte zijn stoel naar achteren en rukte aan de deur. Alles hing er altijd maar van af. Ook de vorige keer had Wyecliffe zo gereageerd, hij had hinten gegeven, gezucht en nergens van opgekeken.

Toen hij op Cheapside aankwam, zag Riley dat er een wielklem aan zijn bus was bevestigd. Razend trapte hij tegen het grote gele ding en rukte de bon van de voorruit. Hij was bijna in tranen. Er zat iemand achter hem aan en hij kon niet weg. Een misselijkmakende kalmte daalde op hem neer toen tot Riley doordrong wat voor de hand lag: wie het ook was, hij of zij kende het antwoord waar John Bradshaw naar op zoek was geweest.

# 15

George wist het niet zeker, maar hij nam waarschijnlijk dezelfde route terug naar de rivier die hij gegaan was toen hij de eerste keer uit Mitcham vertrok. Terwijl hij liep moest hij denken aan Nino's verhaal over goed en kwaad. Elizabeth was dol geweest op het einde van het verhaal, George had het begin echter nooit goed begrepen. Nu ze dood was kwam het weer bij hem boven.

'Ik heb een heel rare droom gehad,' zei Nino toen ze samen op een bank zaten bij Marble Arch. 'Ik stond op een weg tussen hemel en aarde parkeerbonnen uit te schrijven. Er kwam een verslaggever aan. "Waar wachten al deze mensen op?" vroeg ik. "Nergens op," antwoordde hij. "Ze kunnen niet naar de hemel omdat ze niets goeds hebben gedaan en ze kunnen niet naar de hel omdat ze niets slechts hebben gedaan. Geen opzienbarende primeur, maar toch een aardig verhaal." Hij liet me de kop zien die hij in zijn boekje had opgeschreven: *Ze leefden zonder lof of blaam.*'

Meer had Nino niet gezegd.

'Wat moet ik daar nu weer van denken?' vroeg George.

Nino kreeg iets strengs over zich, alsof hij moest uitleggen wat de dubbele gele strepen betekenden. 'Wees niet lauwhartig, oude vriend. Alleen dan zul je genade vinden of beloond worden.'

George had het Elizabeth verteld, die het had opgeschreven en hem gevraagd had het nog een keer langzaam te herhalen.

Maar wat had het voor zin gehad? Waar was ze nu? En waar was hij zelf?

George liep over Blackfriars Bridge en wierp een blik in de richting van Trespass Place. Aan de overkant van de Theems begon hij naar het oosten te lopen, naar Smithfield en Tower Hill – de weg naar het Isle of Dogs en de woestenij vol kippengaas met hangsloten. Rechts stroomde het vettige water van de rivier majestueus voorbij en links van hem raasde het verkeer. In gedachten ging George terug naar toen hij om drie uur 's nachts een smeedijzeren hek had opengetrokken. Geen seconde had hij daarbij gedacht aan lof of blaam.

Drie opgemaakte meisjes stonden aan de overkant te kleumen.

'Kom binnen,' zei hij. 'Ik heb warm water en een broodrooster.'

Hij volgde hen door een steegje naar een deur die hij op een kier had laten staan en keek naar hun blote benen, de blauwe aderen en het kippenvel. Het was eind november, de maand van de korte dagen en hevige regenval, de maand waarin de kerst fonkelend in de etalages werd aangekondigd. George maakte warme chocolademelk. Hij vertelde hun niet dat de opvang vol was en dat ze weer weg moesten. Laat ze even hun warme drankje opdrinken, dacht hij, zo lang duurt dat niet. George ging naar een andere ruimte om de nodige telefoontjes te doen. Alles was vol, maar in de Open Door in Fulham konden ze om halfnegen terecht: dat duurde nog vijf uur. Vijf uur om het op te geven. George was er lang geleden achtergekomen dat je met sommige jongeren maar één kans kreeg om ze de helpende hand te bieden, en dat ze die soms zelfs niet aannamen. Maar sommigen deden dat wel – en daarom ging hij elke avond naar het hek, voor het geval er iemand stond die de uitgestoken hand wel zou aannemen. Terwijl hij stond te wachten tot het brood uit de broodrooster sprong, hoorde hij een naam: Riley, en toen nog een andere: de Koekjesman. Toen hij terugkwam hielden ze op met praten. Hij zei: 'Als jullie dit op hebben, moeten jullie weg.' Ze maakten geen bezwaar.

Hij liep achter hen aan naar het hek. Hun schoenen tikten op de stenen als vallende knikkers en zoals zo vaak voelde George zich weer medeplichtig aan moord. Het jongste meisje had een getatoeëerde draak boven haar oor. Haar hoofd was kaalgeschoren. De drie meisjes hadden al zo'n vijftig meter gelopen toen hij hen inhaalde.

'Als jullie terug willen vechten, zal ik jullie helpen.'

Twee meisjes staarden hem aan, de derde begon te lachen. Ze deinsden terug, omgeven door een sluier van regen.

Daar had het bij moeten blijven. Maar een week later stonden ze weer bij het hek, weer op een onzalig tijdstip, en wilden weten wat hij bedoeld had. George stond aan de ene kant, de meisjes aan de andere. Ze werden gescheiden door tralies. Er was zoveel dat niet gezegd hoefde te worden: wie ze waren, wat ze deden, zelfs waar ze het deden, wanneer en hoe: eigenlijk alles behalve het waarom – die onmogelijk intieme geschiedenissen die niet tot een grote gemene deler konden worden teruggebracht.

George zei door de tralies: 'Wat is er bij de Open Door gebeurd?'

'Wegkomen is één ding,' zei het meisje met de draak. 'Maar u had het over terugvechten.'

Hij draaide aan het slot en trok het hek naar zich toe.

George maakte weer chocolademelk voor Anji, Lisa en Beverly.

'Ik geloof jullie,' zei hij.

'Wat gelooft u?' zei Anji. Ze sprak namens de anderen; ze was de oudste, op negentienjarige leeftijd was ze een soort leider.

George zag wrok in hun ogen en een opstandig soort kwetsbaarheid. 'Ik begrijp het niet alleen,' zei hij terwijl het hem zwaar te moede was, want hij kende deze blik; hij had zich ooit zelf zo gevoeld, 'ik zal er ook iets aan doen.'

Zonder enige aanmoediging begonnen ze over Riley te praten, ze verdrongen elkaar om maar degene te zijn die de details gaf over zijn uiterlijk en zijn gewoontes. George zat met glazige ogen te luisteren. Toen deze man nog een jongen was geweest, was hij een soort broer voor hem geweest. Sindsdien had hij zich vaak afgevraagd of Riley hoorde bij degenen voor wie de hulp te laat was gekomen, of dat hij zich had afgewend. Het kwam ongetwijfeld doordat hij aan het verleden zat te denken, dat hij traag reageerde. Toen de drie meisjes hem aan begonnen te staren, uitgeput en verwachtingsvol, zei hij: 'Ik bel morgen de politie.'

'De politie?' zei Beverly. Haar mond stond open als die van haar draak.

'Ja.'

'Voor ons?'

'Ja.'

Toen begreep George waarom ze waren teruggekomen. 'Wacht even,' zei hij vol ongeloof. 'Jullie dachten toch niet dat ik bedoelde dat ik hem de hersens in zou slaan?'

De drie samenzweerders wierpen elkaar blikken toe. Ontmaskerd leken ze nog jonger en nog onhandiger. Lisa stond op en deed haar bomberjack aan. 'Dus we vechten terug door een klachtenformulier in te gaan vullen?'

'Nee, door Riley voor de rechter te dagen.'

'Dat is makkelijk gezegd. Wij kunnen het doen, u blijft buiten schot.'

Anji volgde Lisa naar de deur terwijl Beverly, die nog steeds op een stoel hing, George recht in de ogen keek. 'Ze zullen geen spaan van ons heel laten.'

Voor zover het van belang is te weten wanneer alles gebeurde, was dit het moment waarop George zijn verstand verloor: toen er twee tieners bij de deur stonden en een derde op het punt stond zich bij hen te voegen. 'Inderdaad. Maar mij kunnen ze niets maken.'

'Wat heeft u ermee te maken?'

Die vraag ging hij niet beantwoorden. 'Als ik jullie verhaal bevestig,' hield hij vol, 'dan wordt Riley veroordeeld. Mij kunnen ze niets maken, helemaal niets.'

'Wat gaat het u kosten?'

'Het hoort bij mijn werk.'

'Waarom doet u dit?'

Weer ontweek hij de vraag. 'Het kan niet misgaan.'


De volgende morgen werd George met een zucht van verlichting wakker toen hij zich herinnerde dat Beverly zich bij haar vriendinnen had gevoegd. Een week later echter – het was weer ongeveer drie uur 's nachts – had de zoemer George uit een diepe slaap gehaald. Het was een slechte nacht geweest, met een vechtpartij omdat mensen voor hun beurt gingen. Humeurig stommelde hij naar het hek en zijn ogen voelden zo zwaar dat hij nauwelijks iets kon zien. Hij hoorde de stem van Anji:

'We willen het erop wagen, als u het nog wilt.'

Verdwaasd liet George zijn hoofd tegen het hekwerk rusten. De wijsheid van deze kinderen, dacht hij. Ze vertrouwen alleen diegene die evenveel te besteden heeft als zij. Het was de laatste keer dat het hek openging; en weer maakte George chocolademelk met toast.

'Als ik het doe,' zei hij behoedzaam, 'gaan jullie dan naar de Open Door?' Ze beloofden het alle drie terwijl George naar een tijgerkop keek die hem vanachter Beverly's andere oor toegrijnsde. Die was er de vorige keer nog niet geweest.

Merkwaardigerwijs waren het de draak en de tijger die op de dag van het proces op de vlucht sloegen. Anji en Lisa hielden zich wel aan de afspraak. Toen werd George opgeroepen. Als hij ook maar in de verste verte had vermoed wat hem in de rechtszaal te wachten stond, dan had hij zich op straat bij Beverly gevoegd. In de gang greep Jennifer Cartwright hem bij zijn arm. 'Waar ga jij in godsnaam naartoe?'

'Naar huis.'

'Waarheen?'

'Ik ga naar huis.'

'Waarom?'

Hij antwoordde niet.

'Twee meisjes hebben zojuist de volle laag gekregen.' Ze was ziedend. 'Dus jij gaat nu niet naar huis.'

George nam de bus naar Mitcham in de wetenschap dat Anji, Lisa en Beverly niet naar de opvang in Fulham zouden gaan. Dat was zijn schuld. Uiteindelijk had die politievrouw gelijk gehad.

Veel later had George in zijn notitieboekje geschreven: 'Wie had ooit kunnen denken dat Riley zou worden vrijgesproken door een vraag over mijn grootvader?' En pas toen was het tot hem doorgedrongen dat zijn ondergang niet was begonnen bij het hek van de nachtopvang, toen hij volwassen was, maar dat het terugging tot een geheim uit zijn kindertijd.

En nu, terwijl hij langs de Theems wandelde, vroeg hij zich af waar de lof en de blaam te zoeken waren? Dat was een lastige vraag, want het had niet anders kunnen gaan. Genade of beloning? Die vraag was nog lastiger.

George volgde de weg met de kinderkopjes die tussen de pakhuizen en de hijskranen doorliep. Hij dook in een gat van de omheining en bevond zich op een vlakte van gebroken bakstenen. Een gure wind kwam van de Theems, rukte aan zijn haar en sneed in zijn neus. Hij stond op Lawton's Wharf. Hier eindigde zijn lange zwerftocht. Hij was dakloos geweest zonder te weten waar hij heenging, maar nu was hij aangekomen op zijn bestemming – op de plaats waar hij vaker geweest was dan waar ook. Hij zag een trappetje in de kademuur. Hij trok de felgekleurde sportschoenen uit die hij in Old Paradise Street gekregen had en legde ze apart. Langzaam liet hij zich in de rivier zakken. Zijn kleren werden zwaar en de kou klauwde zich vast in zijn benen en maag. Een pijnlijke gedachte ging door zijn hoofd: voor Emily was hij al dood.

# 16

Anselmus ging naar bed met de boekhouding en de bonnen die naar inspecteur Cartwright waren opgestuurd. Zelfs met zijn bril op was er niet één kolom waar hij een touw aan vast kon knopen (als advocaat had hij zich altijd verre gehouden van zaken waarin cijfers en getallen een rol speelden). Hij legde de papieren op de grond en richtte zijn aandacht op iets waar hij beter mee uit de voeten kon: een bonte verzameling hardnekkige vragen. En hij deed iets wat advocaten altijd doen: hij maakte een ordening in twee groepen.

In de eerste plaats vroeg hij zich af waarom Elizabeth hem naar mevrouw Dixon had gestuurd zonder dat hij er ook maar enig idee van had wat zij zou gaan zeggen. Wat had het voor zin hem niets, en haar alles in handen te geven – dat wil zeggen: zij kon weigeren om met hem te praten, hetgeen ook gebeurd was. Waarom zou Elizabeth nog een risico hebben genomen dat het welslagen van haar plan in gevaar kon brengen? Want zoals George Bradshaw verdwenen was – wat ze had kunnen voorzien – zo had mevrouw Dixon geweigerd over haar vermiste zoon te praten, en ook dat had Elizabeth kunnen weten. Het enige antwoord dat Anselmus kon bedenken was dit: de basishouding die Elizabeth had aangenomen bij haar poging om iets van het verleden goed te maken werd gekenmerkt door een ondubbelzinnig respect voor de vrije keus van alle betrokkenen. Niemand zou tot iets worden gedwongen en er zou niets geforceerd worden.

De tweede groep vragen intrigeerde Anselmus het meest. Wat was het verband tussen de eerste opdracht en de tweede? Hoe verhield zich de vermiste jongen tot de poging Riley nogmaals voor het gerecht te krijgen? Toen Anselmus naar mevrouw Dixon zat te luisteren, hoorde hij hoe haar klinkers zich verzetten tegen de invloed van het zuidelijke Engels; de noordelijke intonatie in het woord 'cake' was bijvoorbeeld nog helemaal intact en luid en duidelijk te horen. Dus wie was die vermiste jongen? Een goede jongen was hij geweest, een goede zoon. Nu hij de bonte verzameling vragen overzag, kwam

Anselmus tot een zinnige, zij het ongemakkelijke slotsom: de twee zaken die Elizabeth aan hem had toevertrouwd waren bezig volledig in het honderd te lopen.

Eerder die avond had Anselmus echter op een heel ander front toch enige vooruitgang geboekt. Hij was zich uiteraard gaan verdiepen in het verleden van Elizabeth, hoewel ze had gedacht dat hij namens haar alleen maar verder zou gaan, niet terug in de tijd. Wat hij tot nu toe ontdekt had was interessant.

Nadat hij bij mevrouw Dixon was weggegaan, had Anselmus zich naar Trespass Place begeven in de hoop dat George Bradshaw zijn oude plek weer zou hebben opgezocht, maar het was er stil en kaal. Ontmoedigd was hij naar Hoxton teruggekeerd, waar een stapeltje faxen uit Gray's Inn op hem lag te wachten. Hij bladerde ze door terwijl zijn *shepherd's pie* in de magnetron ronddraaide. Het waren allemaal berichten over Elizabeths loopbaan als juriste die door de bibliothecaresse in omgekeerde chronologische volgorde waren geordend. Pas toen Anselmus de laatste faxpagina voor zich had, besefte hij dat hij in een eerder stadium een cruciale fout had gemaakt. Het was logisch dat deze Glendinning niet naar Durham University was gegaan. Nogmaals las hij de namen. Het was een lijst waarmee de Honourable Society of Gray's Inn bekendmaakte wie er op 15 oktober 1950 tot de Balie waren toegetreden. De bibliothecaresse had aangegeven om welke naam het ging: Elizabeth Steadman.

Glendinning was natuurlijk de naam die ze na haar huwelijk had aangenomen. Anselmus kende haar alleen onder die naam. De meeste vrouwelijke advocaten bleven na hun huwelijk onder hun meisjesnaam werken, omdat ze hun reputatie onder die naam hadden opgebouwd. Elizabeth had echter haar meisjesnaam laten vallen en had een nieuwe start gemaakt. Anselmus ging zitten, plotseling opgewonden geraakt door de gedachte dat er nog iemand was die deze blunder begaan had, alleen had zij niet het excuus dat ze niet beter wist. Toen zijn gedachten een warboel dreigden te worden, pakte hij de telefoon en belde de prior.

'Zuster Dorothy heeft de hele geschiedenis afgedraaid van meneer G., de gefrustreerde uitvinder, en mevrouw G., de immer dienstbare echtgenote.' Er viel een korte stilte. 'Maar die naam klopte niet. Ze heetten meneer en mevrouw Steadman.'

'Leraren blijven hun leerlingen dikwijls volgen,' antwoordde pater Andrew vol vertrouwen. 'Misschien wist ze wel dat Elizabeth getrouwd was en heeft ze de namen per ongeluk verwisseld.'

Het is niet verboden voor monniken om hun prior tegen te spreken, maar het geeft wel een speciaal gevoel als ze dat doen. 'Dat dacht ik eerst ook,' zei Anselmus warm. 'Maar ze had Elizabeth in geen veertig jaar gesproken of gezien. Eigenlijk kon ze de naam Glendinning niet eens weten.'

Zo speciaal was het gevoel nu ook weer niet, maar de stilte die viel had een bijzonder gewicht. Anselmus zei: 'Maar waarom zou zuster Dorothy liegen?'

'Misschien heeft zij – net als jij – haar woord gegeven,' zei pater Andrew, en hij klonk wat verder weg, alsof hij zich inmiddels naar de haard had omgedraaid. 'Misschien,' vervolgde hij, 'was dat wel de eerste van een reeks beloftes die Elizabeth gezocht en verkregen heeft.'


# 17


Riley nam de bus naar huis omdat de fascisten die hem de wielklem hadden bezorgd de telefoon niet opnamen. Hij ging via de achterdeur naar binnen, nadat hij even was blijven staan om naar de bakstenen te kijken die Nancy al hun hele huwelijk verzamelde. Ze scharrelde rond in het gras bij de Limehouse Cut en bracht ze een voor een mee naar huis. Uitgeput na zijn schermutseling met Wyecliffe, verslagen door de parkeerpolitie en verkleumd tot op het bot voelde Riley zich plotseling zwak: affectie roerde zich in hem alsof hij een slok van Berties vergif had ingenomen.

Het leven van Riley en Nancy had iets ironisch: vóór de rechtszaak had Riley Nancy op een afstand gehouden, maar ze kwam steeds weer terug; na de rechtszaak wilde hij haar graag in zijn buurt hebben, maar toen bleef zíj op een afstand. Toen Riley haar vertelde wat er met zijn bus was gebeurd, was ze heel begripvol geweest. Ze zei precies wat hij wilde horen, maar was ver weg. Ze vroeg niet eens wat hij eigenlijk in Cheapside te zoeken had. Toen Riley later in zijn schommelstoel hing, hoorde hij een heel ander soort gesprek. Terwijl Nancy de tafel afruimde, vroeg ze Arnold hoe het met hem ging, of hij nog geen genoeg kreeg van zijn looprad, of hij niet eenzaam was in zijn kooi. Rileys stoel kraakte naarmate hij heftiger ging bewegen en zijn afgunst toenam.

Toen Nancy naar bed was gegaan, bleef Riley op en keek naar het langzaam dovende vuur. In de stilte van de nacht haalde hij de foto van Walter uit zijn zak. Zonder ernaar te kijken gooide hij hem op de smeulende kolen. Hij hoorde het knappende geluid waarmee het papier vlam vatte. Toen hij in de haard keek, was er alleen nog een gekruld stukje as over.

*Wie heeft die foto gepost?* Tot dusver had Riley zich beperkt tot de levenden, maar de jurist had zijn aandacht op de doden gevestigd. Wie zou hij bedoeld kunnen hebben? Of had hij hem willen treffen door te suggereren dat hij nooit had geloofd wat hij over John Bradshaw had gezegd?

Plotseling begon Arnold in zijn looprad te rennen.

Jaren na de rechtszaak was Riley bezig met een ontruiming toen zijn mobieltje het zenuwslopende deuntje begon af te draaien waarvan hij niet wist hoe het te veranderen. Hij gaf een dreun op het apparaatje om het te laten stoppen.

'Wilt u mij helpen de Koekjesman te vinden?'

Riley was verbijsterd. 'Met wie spreek ik?'

'Iemand die weet dat u niet als enige schuldig bent.'

Riley kon geen woord uitbrengen. Hij liet zich zakken op wat een nabestaande een 'crapaud' had genoemd.

'Als u het me vertelt,' zei de jonge stem, 'kan ik het de politie vertellen. Ik zal meteen weer ophangen. Als ze zelf het bewijs gevonden hebben, kunnen ze hun werk doen zonder ons erbij nodig te hebben. U hebt niets te vrezen.'

211

In de hoek van de kamer hipte een parkiet van de ene tralie op de andere terwijl er een klein belletje rinkelde. Die hoorde bij de inboedel. 'Met wie spreek ik?' vroeg Riley opnieuw.

'Met de zoon van George Bradshaw.'

Riley keek hoe het vogeltje zaadjes pikte, waarbij zijn groen met gele kopje op en neer ging alsof hij steeds een elektrische schok kreeg. Riley zei: 'Wie is er nog meer van op de hoogte dat je mij belt?'

'Niemand.'

'Komen ze erachter?'

'Nee. Dat beloof ik.'

Veel later kwam Riley tot de slotsom dat sommige grote beslissingen niet zo makkelijk genomen worden als je zou denken. Als een muur worden ze opgebouwd, van onderen af. Je staat op de bovenste laag stenen, en legt er steeds een laag op, zonder dat je eraan durft te denken waar het allemaal op uitdraait. Uiteindelijk sta je zo hoog dat je niet meer naar beneden kan. Toch is er vanaf het begin een soort weten; en bijna roekeloos wordt de muur dan weer afgebroken in hanteerbare brokken, en vervolgens weer opgebouwd.

Zo kwam het dat Riley, zonder een werkelijke beslissing te hebben genomen, er zomaar uitflapte: 'Ik moet erover nadenken. Bel me over zes maanden terug.'

De volgende dag ging Riley in een opwelling naar Lawton's Wharf. Alles was verkocht of gesloopt. De donkerblauwe rivier leek alles te hebben verzwolgen. Plotseling ontroerd, stond hij op het fundament waar ooit zijn kraan op had gestaan, en met zijn ogen zocht hij de avondlijke hemel af naar de plek waar Nancy's raam was geweest.

Wat moest hij beginnen met de zoon van Bradshaw? Hij staarde naar de werf, sentimenteel over een periode waarin hij nooit echt gelukkig was geweest. Zijn ogen bleven rusten op het bord GEVAAR dat aan het prikkeldraad hing dat de toegang naar de hoofdkade afsloot. Iets verderop zag hij een rij plastic afzetkegels liggen. Aan de andere kant ervan waren de houten plankieren zwart en groen uitgeslagen.

In de zes maanden die hierop volgden kwam Riley vier keer laat thuis en zei hij tegen Nancy dat hij panne had gehad. Hij klaagde erover tegen Prosser en de anderen. Hij kocht reserveonderdelen, bewaarde de bonnetjes en deed alsof hij zijn bus repareerde. Hij raakte in steeds hogere sferen, al bleef zijn blik gericht op wat zijn handen en voeten aan het doen waren.

Arnolds looprad draaide en draaide.

Riley had gehoopt dat de jonge Bradshaw de zaak zou laten rusten, maar hij belde terug, zoals hij had gezegd. Met trillende stem, maar zijn zenuwen in bedwang houdend, zei Riley: 'Kom zaterdagavond naar Lawton's Wharf.'

Waarom in godsnaam daar? Het was niet alleen omdat het een verlaten en gevaarlijke plek was. Riley had het niet uitgedacht, maar instinctief wilde hij de wereld van de gemiste kansen uitroeien, hij wilde er voor eens en voor altijd een eind aan maken. Zodoende werd de muur weer gereduceerd tot hanteerbare brokken: om zes uur verliet Riley een bazaar in Barking, de regen vervloekend. Een halfuur later belde hij Nancy om te zeggen dat zijn bus het had begeven. Om zeven uur knipte hij het prikkeldraad door. Om tien over zeven begon hij de afzetkegels te versjouwen. (Ze waren gevuld met beton dus hij sleepte ze een voor een naar de rand van de werf en duwde ze de rivier in.) Omdat de plankieren verrot waren, kroop Riley over een steunbalk en tegen halfacht stond hij aan de rand van het water te wachten. Om acht uur kwam er iemand aan.

Riley keek de jongen niet één keer rechtstreeks aan. Hij hield zijn blik naar beneden gericht en begon een conversatie die geen zin had want hij was veel te ver heen om nog te kunnen luisteren.

'Ik wil alleen maar mijn vader rehabiliteren,' zei John Bradshaw. De motregen tikte op hun schouders.

'Rehabiliteren'. Wat een huiveringwekkend heftig woord. Deze jongen zou het nooit opgeven.

Angst speelde zeker ook een rol – niet het soort angst waar Riley als kind aan ten prooi was geweest, maar eerder iets organisch, iets wat hij voortdurend voelde als hij zich er rekenschap van gaf (zoals een onregelmatige hartslag). Het was een angst die als inkt zijn bedoelingen vertroebelde – en hij duwde en duwde maar… hopend maar ook niet hopend dat het zou gebeuren; dat hij zichzelf later zou kunnen troosten met de gedachte dat het nooit zijn bedoeling was geweest.

De plankieren kraakten. Toen stortte een gedeelte in en van het ene op het andere moment was Riley weer alleen. Er klonk een kreet maar na het plonzende geluid was er niets meer te horen... helemaal niets... alleen maar het gekabbel van de rivier en het tikken van de regen.

Riley wachtte een halfuur, en hield de rand van de kade in de gaten. Toen ging hij naar huis en maakte Nancy in bij een spelletje domino.

De volgende morgen ging hij, zoals gebruikelijk, naar zijn werk. De weken gingen voorbij en hij deed de dingen die hij altijd deed. Maar zoals Arnolds snorharen altijd nat werden als hij van de melk had gelikt, zo is moord altijd ook een soort zelfmoord. Tegenover de majoor had Riley een bitter soort trots gevoeld over de identiteit die hij zichzelf had aangemeten. Hij had geen verzachtende omstandigheden aangevoerd. Ook verlossing riep alleen maar verachting bij hem op, of er nu een hiernamaals bestond of niet. Maar sinds de dood van John Bradshaw kon hij deze houding niet meer volhouden. Hij voelde een vreemd, nieuw soort walging ten opzichte van zichzelf en de wereld. Hij probeerde te twijfelen aan het feit dat hij hem geduwd had. Sommige grote beslissingen waren misschien opgebouwd uit kleine keuzes, maar waar Riley niet uitkwam was waarom hij, als de wereld anders was geweest, niet voor dit eindresultaat zou hebben gekozen. En zo gleed Riley langzaam in een afgrond van zelfmedelijden, want hij begon zich af te vragen of hij wel uit vrije wil had gehandeld, of hij ooit vrij was geweest, of hij dat ooit zou zíjn. En binnen enkele maanden, na jaren op het rechte pad te zijn geweest, begon Riley met zijn nieuwe intrige.

En toen lag er zomaar ineens een envelop met een foto op de mat. De foto confronteerde Riley met de periode die hij zo nadrukkelijk had proberen te vergeten. Hij werd overweldigd door machteloosheid – hij kon dat gezicht niet vernietigen, noch kon hij iets doen aan wie het ook was die dit gestuurd had. Nu hij gestrand was, had hij Nancy nodig. Hij voelde een behoefte die sterker was dan alles wat hij gevoeld had sinds de rechtszaak. Het leek ongelofelijk maar het was waar: het was een hamster die hem in de weg stond. Het was vernederend.

Het rad viel stil. Arnold had eindeloos gerend. Als hij op de weg had gezeten was hij in Penzance uitgekomen.

Riley liep naar de keuken, beet in een appel en gooide die vervolgens in een plastic zak. Nog steeds kauwend opende hij de kooi en liet Arnold op het fruit vallen. Toen volgde hij het weggetje dat naar de Limehouse Cut liep. De vuilnisbakken stonden buiten. Een grote hoeveelheid bolletjes van polystyreen stuiterden over het plaveisel, bewegende witte vlekken in de duisternis. Hij liet de zak langs zijn broekspijp schuren, als een jongetje dat in de winkel op de hoek een zak snoep had gehaald – kleverige dingen uit de hoge glazen potten die mevrouw O'Neill voor hem ophield. Zij was altijd alleen maar aardig tegen hem geweest – maar met een soort medelijden waaruit bleek dat ze alles doorhad, tot en met zijn blauwe plekken. 'Hij heeft zo zijn luimen.' Dat had zijn moeder over Walter gezegd. Luimen. Het klonk als een drankje van Babycham, met limonade en een kersje. 'Maak je niet druk, jongen,' zei zijn moeder eens. Ze had haar eigen gespleten lip afgeveegd alsof ze zojuist een zak fish-and-chips had verorberd. 'Je bent van je fiets gevallen, oké?' Haar ogen waren al jaren zo droog als een woestijn.

Bij het kanaal aangekomen, bleef Riley staan. De zak schuurde langs zijn been. Aarzelend begon hij na te denken. In zekere zin hoorden Walter, John Bradshaw en Arnold bij elkaar. Ze waren elk op een geheel eigen manier zo veel sterker geweest dan hij. En met die verschrikkelijke gedachte liet hij de zak los.

## 18

Hoewel George verwacht had dat het gewicht van zijn natte kleren hem snel zou doen zinken, bleef hij drijven. Door een beweging die het midden hield tussen zwemmen en watertrappen raakte hij verwijderd van het punt waar hij te water was gegaan. Bij zijn voeten voelde hij een koudere stroming; de kleine golfjes die tegen zijn gezicht klotsten deden hem spugen. Nu werd hij meegetrokken naar het gedeelte waar de stroming het sterkst was. De laatste grote meerpaal doemde op uit de schaduwen en markeerde het einde van de kade die langs de werf liep. George draaide zich om in het water.

Voor zover hij zich van tevoren iets bij dit moment had voorgesteld, was het dat hij zijn laatste gedachten aan John zou wijden. Tot zijn verbazing bevond hij zich echter in zijn eigen jeugd, en rende hij over een slingerend paadje achter een rij gemeentewoningen in Harrogate. Het was een zonnige dag en de grond onder zijn voeten was droog en hobbelig. Aan zijn rechterhand waren schuttingen en kleine tuinen met schuurtjes... ramen met witte kozijnen in rode bakstenen muren... een glanzende kat lag languit op het warme leisteen. Links van hem bevonden zich boomstronken en takken die een tennisbaan met rood gravel aan het zicht onttrokken... verderop een grasveld waar gebowld kon worden... een fluwelen podium voor mannen met witte jassen en kale hoofden, sommige met grote petten op... Hij danste en sprong van pure levenslust en voelde hoe zijn hart schrijnde van de inspanning. Hij was tien en wilde altijd tien blijven. Aan het eind van het pad, bij zijn huis, stond een boom met aan de stronk een dichte kluwen van zuring. George begon te zinken toen hij zich herinnerde dat hij op zijn knieën ging zitten, hijgend en nieuwsgierig, om als een konijn een helder, knisperend blaadje te proeven.

Iets metaligs sloeg tegen zijn hoofd. Instinctief zwaaide hij met zijn armen en happend naar adem kwam hij naar boven. Hij zag een blikje op en neer gaan in het water. Toen hij opkeek zag hij een jongen op de rand van de kade zitten, zijn benen bungelden boven het water. Een klein geschoren hoofd leek een nauwkeurig uitgesneden gat in de donkere lucht. Plotseling was hij verdwenen. Woede stuwde warm door zijn vermoeide oude aderen. 'Het rotjoch…' George begon te hijgen. Als een gewicht daalde de kou op hem neer. Paniek nam bezit van hem. De jongen verscheen langs de rand van de werf. George schreeuwde om hulp. Een dunne arm zwaaide uit en iets hoekigs vloog met een sierlijke boog door de lucht als een vallende ster zonder staart. Het landde met een doffe klap op het wateroppervlak. Opnieuw zwaaide de arm uit.

'Wie denk jij goddomme wel dat je bent!' schreeuwde George. Amechtig ontdeed hij zich van zijn jas en begon woedend naar de kant te bewegen. Ontspannen slenterend volgde de jongen de vorderingen van de zwemmer, nog meer brokken steen in het water gooiend. Ze kwamen lukraak om George heen in het water terecht. George trok zichzelf langs een roestige ijzeren ladder omhoog en zakte spugend op de kade in elkaar. Zijn tanden maalden op het ritme van een levendige herinnering, en toen begon hij te huilen. De zon scheen warm op zijn nek en hij was weer een jongen die op zijn knieën bij een boom zat en een blaadje at. Het smaakte verbazingwekkend bitter, terwijl hij op iets zoets had gehoopt. Hij boog zijn hoofd en opende zijn betraande ogen: de jongen slenterde met zijn handen in zijn zakken naar de omheining.

George probeerde te schreeuwen maar er kwam geen geluid. Moeizaam kwam hij overeind en strompelde achter zijn belager aan. Hij viel herhaaldelijk om en haalde daarbij zijn handen en knieën open. De pijn maakte hem alert. Met een manische intensiteit zette George zijn absurde achtervolging voort, gedreven door een onzinnige behoefte een elementaire, furieuze dankbaarheid tot uitdrukking te brengen. Onder het schijnsel van een straatlantaarn bukte de jongen zich en kroop door een gat in het gaas. Tegen de tijd dat George druipend op de weg stond die langs meneer Lawtons verloren koninkrijk liep, was de moordenaar verdwenen.

Een paar uur later bereikte George wankelend de brandtrap en zag tot zijn verbijstering dat zijn bed voor hem klaarlag. Terwijl bewustzijn veranderde in pijn en een diepe, immense huivering hem beving, nam een zinsbegoocheling tijdens zijn laatste wakende moment bezit van hem: hij had gezworen dat hij iemand langs de trap naar beneden zag komen.

## 19

Nadat Nancy naar bed was gegaan, Riley in zijn schommelstoel achterlatend, lag ze te draaien en te woelen, geërgerd door vragen als door bulten in het matras. Waar was meneer Johnson? Wat moest ze met zijn notitieboeken doen? Wie was de man op de foto? Wat deze laatste vraag betrof had Nancy wel enige vooruitgang geboekt: het zou Rileys vader kunnen zijn, dacht ze, omdat hij nooit over hem sprak. Of misschien had zijn moeder die foto gestuurd: ook over haar sprak hij nooit. Zo was Riley. Hij was zo anders dan wie ook, dat je niet verbaasd zou zijn als hij helemaal geen ouders had gehad. Ze lachte om haar eigen grapje, ging op de andere helft van het bed liggen en schudde haar kussen nog eens op. Naar Arnold luisterend, werd ze uiteindelijk doezelig.

Nancy werd wakker. Er was iets veranderd in huis, maar ze wist niet wat. Riley lag niet naast haar... ze hoorde hem in de keuken. De achterdeur ging open en dicht. Een opwelling van medeleven maakte dat ze uit bed kwam en naar het raam liep: haar man kon nog niet naar bed komen, hij moest zichzelf uitlaten, als een hond, tot hij zo moe was dat zijn geest hem niet meer lastig kon vallen. Dat had het Britse rechtssysteem met haar man gedaan – een man die niets fout had gedaan.

Ze schoof het gordijn een paar centimeter opzij. Aanvankelijk zag ze niets. Aan de overkant waren een paar ramen langs de randen verlicht... het vuilnis stond buiten. Door haar adem raakte het raam beslagen. Ze wreef erover met de mouw van haar nachtjapon en toen zag ze hem. Riley was bij de hoek van de straat aangekomen. Ze kende zijn loopje, de manier waarop hij zijn armen als losse touwen heen en weer liet slingeren.

Nancy ging terug naar bed en twintig minuten later gleed Riley naast haar tussen de lakens. Ze verroerde geen vin en hij bewoog zich niet. Vrijwel meteen begon hij te snurken, liggend op zijn rug met zijn handen onder zijn hoofd. Nancy kon niet meer in slaap komen omdat ze werd afgeleid: er was iets veranderd in huis, maar ze kon er haar vinger niet op leggen.

## 20

In zijn slaap rende Riley door een donkere gang naar een raam waarvan de omtrek door het binnenvallende licht niet goed te zien was. Hij rende geruisloos. Het enige geluid dat hij hoorde was het ademen van Het Ding achter hem. Verblind gooide hij zich door het glas alsof het overtrekpapier was. Zijn maag barstte open en hij begon te vallen.

Al tijdens zijn val wist hij dat dit de oude droom was – de droom die hij voor het eerst had gehad op de dag dat hij was vrijgesproken. En toen de trap voor zijn ogen opdoemde wist hij – alsof hij in zijn hoofd de pagina's omsloeg – dat dit allemaal was begonnen nadat hij de foto had ontvangen. Hij observeerde zichzelf en beleefde tegelijkertijd de groeiende doodsangst.

De nachtmerrie veranderde plotseling van omgeving. Riley was niet langer aan het vallen. Zijn maag zat in zijn buik. Hij liep door een smalle gang in een stil rijtjeshuis. Boven waren drie slaapkamers. Buiten, aan de achterkant, was een kleine tuin met een poort waarachter drie bomen stonden. Het was hem niet duidelijk hoe hij dit alles wist, hoe hij kon weten dat de voordeur groen was en de keukenvloer was belegd met namaakmarmer. Het hoorde eenvoudigweg bij hoe het was om in dit lege huis te zijn. Hij bewoog zich langzaam, als een duiker. Zonlicht scheen op de zwevende stofdeeltjes. Aan zijn rechterkant zag hij door een deuropening een ijzeren schouw. De haard was schoon. Er stond een emmer naast, en een veger op een standaard; de pook was weg. Er kwam een soort blaffen uit Rileys onderbuik naar boven – een hevig schokken dat werd veroorzaakt doordat hij zag waar hij was: dit was waar hij woonde. Hij merkte op dat hij geen man was en ook geen jongen, maar iets ertussenin. Voor zich, iets naar links, zag hij een hand op het tapijt liggen. De hand hing boven de onderste trede van de trap. De toeschouwer in Riley trad terug. Riley werd weer Riley, in zijn totaliteit. Langzaam en dapper liet hij zijn blik langs de arm naar boven gaan, langs de schouder omhoog naar het vervilte haar.

Een levenloos, liefdeloos gezicht keek hem aan. Rileys afgrijzen was zo groot toen hij zichzelf daar zag liggen dat hij niet eens kon schreeuwen.

# DEEL VIER

## Het pad van een meisje

.

# I

Anselmus en meneer Hillsden stonden tegenover elkaar. Tussen hen in lag George Bradshaw in een ziekenhuisbed. De helft van zijn gezicht fronste alsof hij gedeeltelijk verlamd was. Zijn haar en baard waren met een tondeuse verwijderd, ruige stoppels achterlatend. De huid rond zijn ogen was bleek, alsof hij zojuist twee weken op een zonnige piste in de Alpen had doorgebracht.

'Ik herken hem niet,' zei Anselmus zacht. De man in de getuigenbank was rijzig geweest en imponerend. Waar was hij in vredesnaam geweest sinds hij de rechtszaal was uitgelopen? Door wat voor tocht werd een mens zo aangetast? Hij zei: 'Hoe hebt u hem gevonden?'

'Met uw welnemen,' zei meneer Hillsden. 'Ik heb in Trespass Place gebivakkeerd.'

'Al die tijd?'

'Inderdaad. Op de bovenste overloop van de brandtrap.' Zijn twee handen rustten op de geornamenteerde knop van zijn gordijnroede. 'Hij heeft een aangename plek uitgekozen, als ik zo vrij mag zijn. Uitzicht op het zuiden en niet ver van de noodzakelijke voorzieningen.' Zijn stem klonk uiterst ironisch – als die van een commentator die niet goed kan uitleggen wat hij gekend en gezien heeft. Zijn waterige blauwe ogen kwamen niet hoger dan Anselmus' gekruiste armen.

Meneer Hillsden bleek op Blackfriars Bridge met zijn staf een ambulance te hebben aangehouden. Vervolgens had hij de hele nacht in het ziekenhuis zitten wachten tot de Vault openging en een verpleegster zo vriendelijk was geweest contact op te nemen met Debbie Lynwood. Deze had Anselmus onmiddellijk gebeld, die op zijn beurt een bericht voor inspecteur Cartwright had achtergelaten. Het was negen uur in de ochtend.

Anselmus bestudeerde de gedraaide figuur in het bed. Op zijn getuigenverklaring had gestaan dat David George Bradshaw getrouwd was en een kind had, en als sociaal werker in dienst was van Bridges, de nachtopvang. 'Als je wakker wordt,' zei Anselmus, zich nauwelijks meer bewust van zijn omgeving, 'vertel me dan alsjeblieft wat ik fout heb gedaan.'

Drukte en naderende voetstappen kondigden de komst van een specialist aan, die zwaar gebukt ging onder een stethoscoop en omringd werd door studenten. 'Bent u de geestelijk verzorger?' vroeg hij. Zijn toon was vriendelijk, maar suggereerde wel dat hier sprake was van een – zij het behandelbare – afwijking van de norm.

'Nee.'

Zijn blik verplaatste zich naar meneer Hillsden. 'Familie?'

'Met uw welnemen, nee.'

'Als u het niet erg vindt,' zei hij gehaast, 'ga ik verder met mijn werk.'

'Ga uw gang,' zei Anselmus, en stapte naar achteren.

De dokter bladerde snel door het medische dossier dat op een klembord was bevestigd terwijl zijn jeugdige toehoorders zich in een boog rond het bed opstelden. Meneer Hillsden kwam niet van zijn plaats maar bleef met gebogen hoofd tussen de studenten staan, zijn handen op zijn staf rustend.

'Man van in de zestig,' galmde de specialist. 'Eerste keer opgenomen na een pak slaag op Waterloo Station. Meervoudig geslagen op het schedeldak. Geen eerdere opnames'– hij wierp een blik op een jongeman die ijverig met pen en papier in de weer was – 'Edgerton, hou eens op met schrijven en luister. Denk na. Dat is veel moeilijker. Gevolg: gescheurd aneurysma. Louise, definitie graag.'

'Een uitstulping in de wand van een ader of slagader,' zei de jonge vrouw, 'waardoor bloed in de hersenen lekt.'

'Dat is juist.' De dokter hing het klembord aan het bed. 'De vereiste chirurgische procedure is enigszins te vergelijken met het plakken van de binnenband van een fiets, maar wel een stuk moeilijker. Leg dat maar vast voor het nageslacht, Edgerton. In het onderhavige geval hebben zich geen postoperatieve complicaties voorgedaan. Eén mankement echter: verlies van het kortetermijngeheugen. Behandeling?'

Louise werd aangekeken.

'Die is er niet.' De dokter keek zijn patiënt meelevend aan. 'Om gebeurtenissen vast te kunnen houden is een regelmatig leven, en de steun van anderen, onontbeerlijk. Als hij niets opschrijft zal het recente verleden zich terugtrekken als het water op Dover Beach. In de gegeven omstandigheden is dat misschien niet eens zo slecht. Gisteravond heeft iemand hem gevonden, doorweekt. Nu heeft hij een lichte tot matige vorm van onderkoeling. Behandeling, Gardner?'

'Bedekken met dekens en op kamertemperatuur houden.'

'Exact,' antwoordde hij. 'Wat je hier ziet is een pandemische aandoening gekenmerkt door statische houding en verminderde maar omkeerbare gevoeligheid voor prikkels van buitenaf. Diagnose?'

Er viel een stilte.

'Met uw welnemen,' zei meneer Hillsden op verontschuldigende toon, 'het woord "in slaap" heeft het voordeel dat het kort is.'


Toen ze de ziekenzaal hadden verlaten, stonden Anselmus en meneer Hillsden weer tegenover elkaar, nu bij een deur waar UITGANG op stond. Deze keer stond er niets tussen hen in, behalve een soort ongemakkelijkheid die misschien past bij vrienden die elkaar lang niet gezien hadden. Anselmus keek naar het gebogen hoofd, de groene parka en de gepoetste, gebarsten brogues. Terloops, zoals hij misschien ook zou doen bij een wat stijve, sociale gelegenheid, vroeg hij: 'Als u mij toestaat, tot welke Inn behoort u?'

Een moment ontmoetten meneer Hillsdens waterige ogen de blik van Anselmus. Een vaag lachje roerde zich onder zijn grijzende baard. 'De Inner Temple.' De woorden waren nauwelijks te horen.

'Welk kantoor?' vroeg Anselmus achteloos.

'Vellum Square, nummer 3.'

'Ah.' Anselmus kende het goed. 'Tegenover die schitterende magnolia?'

Meneer Hillsden knikte. 'Er is ook een zonnewijzer.'

Er klonken galmende voetstappen die snel naderbij kwamen. Anselmus ving een glimp op van de karmozijnrode sjaal van inspecteur Cartwright. Hij riep, ze bleef staan en liep een paar passen terug. Ze zwaaide even, toen kwam ze naar hen toe.

'Zij zal u net zo dankbaar zijn als ik,' zei Anselmus, zich weer tot meneer Hillsden richtend... die echter verdwenen was. Anselmus rende door de deur met EXIT erop en kwam in een trappenhuis uit. Hij leunde over de reling en zag alleen een schaduw die naar beneden bewoog.

'Kom terug!' schreeuwde hij.

Het tikken van de staf op het steen klonk als het werken van een geduldige timmerman. Buiten het zicht sloeg een deur dicht en Anselmus was alleen met inspecteur Cartwright.

'Wie was dat?' informeerde ze. Ze bracht een geur van lavendel met zich mee.

'Gewoon een ander lid van de Balie,' antwoordde hij.

In de cafetaria zochten Anselmus en inspecteur Cartwright een plaatsje bij het raam uit. Diep beneden hen leek de Theems nauwelijks te stromen. Rond de weerspiegeling van de parlementsgebouwen en de Big Ben lichtte het water op. De lucht was immens, koud en blauw.

'Heb je iets kunnen afleiden uit Rileys boekhouding?' vroeg de inspecteur terwijl ze door het schuim van haar hete chocolademelk roerde.

'Nee,' antwoordde Anselmus. 'Hoe ik ook mijn best heb gedaan.'

'Ik neem aan dat het er niet meer toe doet, nu meneer Bradshaw weer boven water is gekomen.'

Anselmus staarde naar zijn toast. Het was een sneetje zacht wittebrood vol additieven. Niet bepaald de voedzame plakken vol noten en volkoren granen die hij op Larkwood gewend was. Dit had een heerlijk moment moeten zijn, maar met meneer Hillsden was ook zijn eetlust verdwenen. 'De brief van Elizabeth is vernietigd,' zei hij even later. 'De kleren van George zijn vannacht om drie uur in de vuilnisbak terechtgekomen. De vuilniswagen kwam om zes uur. Ik was hier om halfacht. Ik denk dat dat verklaart wat er in onze afwezigheid gebeurd is.'

'We zitten dus weer vast,' merkte inspecteur Cartwright op.

'Niet helemaal,' zei Anselmus. Hij koos zijn woorden zorgvuldig, een gedachte aan haar voorleggend die eerder die ochtend in hem was opgekomen. 'Mensen van allerlei pluimage worden door het kloosterleven aangetrokken. Sommigen zijn heel begaafd maar net als wij allemaal moeten ze jarenlang dezelfde routine volgen. En dan op een dag... geeft de prior zo iemand een taak. En plotseling barst al dat ongebruikte talent open, in de wasserij, de keuken of – ik denk nu aan een specifiek geval – bij de boekhouding van de priorij. Het is verder voor ons allemaal een ramp natuurlijk, maar op dat ene terrein wordt er bij ons een mate van efficiëntie bereikt waar de Bundesbank jaloers op zou zijn. Met andere woorden: ik ben er sterk toe geneigd Rileys boekhouding aan broeder Cyril voor te leggen. Cyril is namelijk iemand die tot in de kleine uurtjes op zoek is naar een paar pence, en die vindt hij ook nog.'

Inspecteur Cartwright zou de originelen naar Larkwood faxen zodra ze terug was op het bureau. Anselmus schreef het nummer voor haar op, en zei dat hij pater Andrew telefonisch op de hoogte zou stellen, zodat de zaak soepel zou verlopen. 'Intussen,' zei hij, 'wacht ik tot George wakker wordt.'

Waar was Riley mee bezig? De vraag bleef onuitgesproken maar was wel wat hen samenbond. Inspecteur Cartwright nipte van haar warme chocolademelk en Anselmus knabbelde aan zijn koude toast.


2


Riley loerde kwaad naar Prosser, naar zijn vilten hoed en naar de sigaar die onder zijn krulsnor tussen zijn lippen geklemd zat. Ze hadden allebei in Beckton Park hun kraam opgebouwd. De lucht was scherp en door de vorst was het gras hard en geribbeld. De 'dealer', zoals hij zichzelf noemde, was naar Rileys plek gewandeld en neusde tussen zijn spullen. Hij hield zijn handen op zijn rug, pakte hier en daar iets op en knikte goedkeurend.

'Blijf bij Nancy uit de buurt,' zei Riley.

'Waar heb je het over?' Traag kwam er een sliertje rook uit Prossers neusgaten.

'Je hebt me gehoord.'

Prosser wilde weglopen, maar hij aarzelde. 'Hoor eens, Riley, we zitten allebei in zaken, dus ik zal er geen doekjes om winden. Ik ben alleen maar in je winkel geïnteresseerd, niet in dat vrouwtje van je. Het is een geweldige locatie die je daar hebt. Ik wil je niet beledigen maar ik denk dat de investering die nodig is voor dat pand buiten jouw bereik ligt.'

'Rot op.'

'Ik geef je er een goede prijs voor.' Hij knipoogde en liep achteruit.

'Die winkel komt nooit te koop.'

Riley hield zichzelf overeind, zijn armen strak om zijn borstkas geslagen. Een kilte was in zijn botten gekropen en met een onbehaaglijk gevoel kwamen de vragen van Wyecliffe weer in hem naar boven. Ze hadden zich in zijn hoofd vastgezet en hem van zijn laatste beetje zielenrust beroofd. Hij had gehoopt dat de jurist een magische truc uit zou halen, dat hij de wet op verbijsterende wijze naar zijn hand zou weten te zetten, zodat Riley beschermd was. Maar dat zat er niet in deze keer. In plaats daarvan had hij alles erger gemaakt – opzettelijk – met die opmerking over de doden die Riley op de hielen zouden zitten. Voor het eerst had Riley geen Wyecliffe aan zijn zijde: hij was helemaal alleen. Riley klemde zijn armen nog steviger om zijn romp. Hij had zich nog nooit zo kwetsbaar gevoeld. Iemand had het op hem gemunt. Hij wachtte en hield hem in de gaten en het moment zou komen waarop hij zich zou openbaren. Een vertrouwd soort herrie begon diep in zijn brein te schallen: hij hoorde gebonk tegen de muur en geschreeuw boven, op de overloop. Riley bedekte zijn oren met zijn gehandschoende handen en probeerde het geluid van zich af te schudden. Gewelddadigheid begon in hem te kolken, zijn ogen werden glazig en droog.

Riley knipperde met zijn ogen. Beckton Park doemde voor hem op alsof hij het voor het eerst zag. Bomen, gras en mensen kregen vorm. Prosser was op een commode gaan zitten alsof het een troon was en zat rokend en met over elkaar geslagen benen naar hem te kijken. Ondanks de kou voelde Riley zweet in zijn ooghoeken prikken. Toen het stil werd in zijn hoofd ging hij zitten. Hij was enigszins buiten adem.

Alsof iemand een radio bij zijn oor had aangezet, hoorde Riley zichzelf tegen Nancy praten tijdens het ontbijt.

'Ik heb het gedaan,' zei hij eerlijk, zichzelf verachtend. 'Ik heb het wieltje geolied en toen heb ik waarschijnlijk de kooi open laten staan.'

Bijna verdwaasd leunde Nancy over het aanrecht. Ze kon geen woord uitbrengen. Riley kon het niet begrijpen. Ze had drie hamsters gehad. Ging er een dood, dan kocht ze een nieuwe. Het was routine geworden. Maar deze keer was alles anders. Ze was nog nooit zo van streek geweest.

Riley wendde zich af om aan de herinnering te ontsnappen. Zijn oog bleef meteen hangen aan een reclamebord waarop een lachende vrouw met een fles melk te zien was. Haar lippen waren rood en haar tanden zo wit als de lucht. Op de achtergrond stonden een heleboel kinderen die naar de fles keken, alsof daar hun levensgeluk in zat. Hij vloekte en keek de andere kant op. Maar daar stond een vrouw met een kinderwagen en een slanke, tanige man naast zich die eruitzag alsof hij een kater had. Hij sloot zijn ogen om *aan alles* te ontsnappen. Toen hij ze weer opendeed zag hij een nieuweling die ongeveer dertig meter van hem vandaan het opschrift van zijn bus stond te lezen.

Majoor Reynolds had ooit tegen hem gezegd: 'Je hebt veel keuzes gemaakt en je kunt ook andere keuzes maken.' Dat denkbeeld was als pek aan Riley blijven kleven. Hij had het niet weg kunnen krijgen. Hij wilde maar één ding: een warm bed om in te slapen, maar de majoor had hem woorden gegeven die brandden. *Je kunt ook andere keuzes maken.* Het idee was afschrikwekkend…

De man kwam naderbij. Hij was van middelbare leeftijd en droeg een bomberjack, jeans en een pet. Hij plukte onzeker aan de rits van zijn jack, deed hem open en dicht en zei: 'Kan ik een nummer kopen?'

Rileys ogen laadden zich op met zoveel walging dat hij ze voelde prikken. Wilde hij dit nog wel blijven doen?

'Neem me niet kwalijk,' zei de man angstig, 'ik heb me vergist.'

Riley gebaarde dat hij terug moest komen en pakte een opschrijf-boekje. Hij bladerde de lege pagina's door tot hij een kaartje aantrof dat hij in een telefooncel op Trafalgar Square had gevonden. Langzaam las hij het nummer voor.

De man leek wakker te worden, begon zijn zakken te bekloppen in een poging normaal over te komen. Hij haalde een verkreukelde envelop en een pen tevoorschijn.

'Ik zal het nog even herhalen,' zei Riley, zijn aandacht naar Prosser verleggend. De dealer was vanachter zijn kraam naar voren gekomen en volgde elke beweging die Riley maakte. Hij stak een nieuwe sigaar op en keek naar de roodgloeiende as.

Nadat hij het nummer had opgeschreven zei de man: 'Ik heb begrepen dat het vijftien pond kost?'

'Het blijft tussen ons,' zei Riley, terwijl hij het geld aannam. 'Dat is de enige regel.'

Haastig maakte de man zich tussen de schragentafels en de lanterfantende mensen uit de voeten, vol verachting nagekeken door Riley. Toen de man uit het zicht verdwenen was, deed Riley alles wat hij dan altijd deed (in gedachten steeds terugkerend naar Nancy, zoals ze daar helemaal van streek bij het aanrecht had gestaan). Hij nam een vaas van zijn tafel die op '£15' was geprijsd. Hij verpakte de vaas in krantenpapier en stopte hem in een kist – om te worden vervoerd naar de winkel in Bow. Toen deed hij een kwitantieboekje open waar 'Verkochte items bus' op stond, en maakte een bon voor een fictieve transactie: 'Een Vaas. £30 contant ontvangen.' Voorzichtig maakte hij het origineel los van de blauwe doorslag die eronder zat. Normaal gesproken was die bestemd voor de klant, maar aangezien er geen klant was scheurde Riley de doorslag in stukken. Vervolgens opende hij een kwitantieboekje waar 'Aanwinsten' op stond, en maakte een tweede kwitantie, voor een denkbeeldige aankoop: 'Een Vaas. £15 contant betaald'.

Toen hij klaar was gooide Riley de kwitantieboekjes in een kartonnen doos die bij zijn voeten stond. Hij keek ernaar – naar datgene waar zijn hele systeem op stoelde. Sinds zijn kindertijd had hij niet meer zo'n sterke neiging gehad om te vluchten: weg van de stemmen, de reclameborden, weg van de vunzigheid van zijn bestaan. Heel, heel lang geleden had hij echter geleerd dat blijven een bijzonder soort genot met zich meebracht.

Prosser ging een eindje wandelen, zijn sigaartje rokend. Hij deed alsof hij zijn dikke benen wilde strekken en zijn tenen wilde warmen, maar in feite probeerde hij erachter te komen wat er zich voor zijn ogen had afgespeeld… net als Riley die ochtend – met een onpasselijk gevoel in zijn maag – had geprobeerd te begrijpen wat Nancy bezielde.

# 3

'Gebruik wijze woorden niet op een verkeerde manier,' citeerde pater Andrew.

Anselmus had naar Larkwood gebeld om de prior alvast te waarschuwen dat er een fax aankwam en dat hij hoopte dat Cyril zo vriendelijk zou willen zijn om zich erover te buigen – hoewel dit laatste onwaarschijnlijk was, was het toch belangrijk een man niet altijd zijn verleden na te dragen. Op de achtergrond had hij een klok horen luiden en toen had hij in een opwelling van heimwee zijn hart geopend: hij wist niet wat hij tegen George Bradshaw moest zeggen; hij ging gebukt onder een schuldgevoel. En dat had het bekende citaat van de woestijnvader opgeroepen.

Anselmus legde de hoorn neer. Terwijl hij de frase bedachtzaam herhaalde, liep hij terug naar de ziekenzaal waar een verpleegster hem vertelde dat George niet alleen wakker was geworden maar inmiddels op een stoel zat en hem graag wilde ontmoeten.

Bij de deur bleef Anselmus staan. Uit een radio klonk een blikkerig geluid waarin hij Bunny Berigan herkende in 'I can't get started'. De trompet haalde hoog uit terwijl Anselmus naar de ingezwachtelde voeten en gehavende benen van George keek. Toen gaf Bun er een stem aan:

> I've flown around the world in a plane
> I've settled revolutions in Spain
> The North Pole I have charted
> But still I can't get started with you.

Met het beeld van Emily Bradshaw in Mitcham voor ogen, ging Anselmus naar binnen.

George had zitten dirigeren maar begon onmiddellijk overeind te komen, met trillende polsen steunend op de leuningen van zijn stoel. 'Elizabeth zei dat u zou komen,' riep hij uit, terwijl hij een hand naar hem uitstak. 'Het gekke is alleen' – hij lachte zachtjes, vooruitlopend op het grapje dat hij ging maken – 'dat ik me niet meer kan herinneren waarom.'

Anselmus lachte dunnetjes en huiverde toen de oude man zijn hand vastgreep. Terwijl hij mompelde hoe aangenaam de kennismaking was, ging hij op de rand van het bed zitten, zich nog steeds afvragend hoe hij de zaak moest aanpakken. Hij kon George niet aankijken, net als meneer Hillsden niet in staat was geweest Anselmus aan te kijken. Er was echter toch iets wat hen verbond, want ze waren allebei in de ban van Bunny Berigans trompetsolo.

'Zelfs Louis Armstrong waagde zich niet aan dat nummer,' merkte Anselmus op toen het was afgelopen. Het was dan wel geen wijze opmerking, maar ook geen verkeerde.

George gaf Anselmus een vriendschappelijk duwtje, alsof ze makkers waren die samen een biertje dronken. 'Tegenwoordig,' zei hij, 'heb ik geen invloed meer op mijn geheugen. Als we elkaar morgen weer zien, verwacht dan niet verder te kunnen gaan waar u gebleven was, maar begin weer helemaal van voren af aan. Ik vrees dat ik iemand ben die steeds weer met een schone lei begint... Maar dat is zo erg nog niet, toch?'

Anselmus keek op, plotseling drong het tot hem door dat hem een soort kwijtschelding was verleend. Georges gedachten leken als een patroon van stippels over zijn gezicht te gaan, alsof je hem zou gaan begrijpen als je maar lang genoeg naar hem keek. Er waren geen barrières meer over: je keek zo de diepte in. Anselmus staarde George aan – keek in zijn binnenste – en zag geen kwaadheid, geen wrok, geen trots – alleen maar een soort glinstering, maar dat kwam misschien door het schelle licht, hoewel... misschien ook niet. Onhandig tastend naar een manier om zijn zelfvertrouwen terug te krijgen, zei hij: 'Meneer Bradshaw, over die rechtszaak, ik heb u toen een heel rare vraag gesteld...'

George stak zijn hand omhoog. 'Ik heb nergens meer last van,' zei hij eenvoudig. 'Ik heb het losgelaten... als een steen in de Theems.' Hij klopte Anselmus op de arm, aangevend dat dat specifieke onderwerp was afgehandeld.

Anselmus voelde zich gedesoriënteerd, want deze gebroken man sprak in een idioom dat hij nauwelijks kon volgen (een probleem dat hij ook eens in Tsjecho-Slowakije had gehad, met iemand van de verkeerspolitie). Aan de ene kant was de vergeving snel gekomen en totaal geweest, aan de andere kant was ze gegeven vanuit een sfeer van afstandelijkheid die Anselmus nooit eerder had meegemaakt, behalve bij een paar oudere monniken op Larkwood. Hij kreeg echter geen gelegenheid zich nog langer met dit mysterie bezig te houden, want George was al op een volgend onderwerp overgegaan.

'We zijn achter Riley aan gegaan en ik heb beslag gelegd op de spullen, zoals Elizabeth me had opgedragen.'

'Ja.'

'Ze heeft ontdekt waar hij mee bezig was – het stond in de boeken, in de cijfers. Open en bloot. Zodra ze doorhad hoe het zat, is ze naar hem toe gegaan.'

'Naar wie?'

'Naar Riley.'

Dit had Anselmus niet verwacht. 'En wat gebeurde er toen?'

'Ze ging dood,' antwoordde George. 'Ik bedoel niet dat hij haar iets heeft aangedaan, het is alleen zo dat de dood hem altijd achtervolgt.'

Aarzelend vroeg Anselmus: 'Heeft ze u uitgelegd hoe Riley te werk ging?'

'Een paar keer.'

'Weet u nog wat ze zei?'

Er was geen twijfel mogelijk: wat hij dacht stond op zijn gezicht te lezen. Het was duidelijk dat hij Anselmus op dit moment nogal traag van begrip vond. 'Wat denkt u zelf?'

'Ik denk het niet,' antwoordde Anselmus verontschuldigend.

'Klopt.' George zat er echter niet over in. 'Elizabeth heeft het opgeschreven. Het zit in mijn jaszak.'

Voorzichtig legde Anselmus uit wat er met zijn kleren gebeurd was, en dus ook met de brief van Elizabeth, maar de oude man zei alleen maar 'Ah'. Het leek alsof hij eenvoudigweg nog een steen in de rivier liet vallen. Anselmus was perplex. Alsof hij zichzelf probeerde te troosten, zei hij: 'Maar er is nog hoop. Inspecteur Cartwright heeft alle zakelijke papieren per post ontvangen.' Plotseling kreeg hij een idee. 'Heeft u die soms opgestuurd?'

'Dat kan ik me niet herinneren.'

Anselmus haalde een grijns van stal. 'Nee, natuurlijk niet. Sorry.'

'Maar op de een of andere manier denk ik niet dat ik iets gepost heb.' George wreef met een vinger door zijn wenkbrauw, alsof hij een versplinterde gedachte weer naar de oppervlakte probeerde te krijgen. Maar de gedachte liet zich niet oproepen. Hij haalde zijn schouders op en zei: 'Kan de inspecteur er iets van maken?'

'Nee.'

'Ah.'

'Maar binnenkort kijkt er iemand naar die oog heeft voor dit soort zaken.'

'Heel goed.'

'U hebt uw bijdrage geleverd,' zei Anselmus, vanuit de behoefte iets terug te geven aan een man die zo veel gegeven had. 'Rust nu maar goed uit.'

George hief zijn benen op en keek naar zijn omzwachtelde voeten. 'Ik ben mijn schoenen kwijtgeraakt, ergens, en toen kreeg ik het zo vreselijk koud en werd ik zo nat.' Hij raakte in verwarring, zijn geest zette zich schrap; hij leek een geluid te horen, een soort schrapen aan de andere kant van de muur. Zachtjes zei hij in zichzelf: 'Nee... nee... het is weg.'

Later die dag zou Anselmus inspecteur Cartwright bellen om verslag te doen van het gesprek waaruit bleek hoe weinig George wist, en hoeveel. Maar eerst had hij iets anders te doen. Hij reikte diep in het domein van het geheugen waar we allemaal onze oudste herinneringen bewaren, en zei: 'Zou je naar huis willen, George?'

# 4

Nick Glendinning zat in de zitkamer in St. John's Wood en speelde met een papiertje. Er stond een telefoonnummer op van de vrouw die gevraagd had naar 'haar jongen', de vrouw tot wie Elizabeth waarschijnlijk haar laatste woorden had gericht. Ze had Charles niet gebeld, en ook geen politie of ambulance. Ze had deze vreemde gebeld. Wat had ze gezegd voor ze stierf?

Aanvankelijk hield Nick zichzelf voor dat pater Anselmus zich ontfermd had over de laatste wensen van zijn moeder – zo had ze dat geregeld – dus probeerde hij die vraag te vergeten: hij meldde zich aan als vervangend huisarts en probeerde een normaal leven te leiden. Tot het tot hem doordrong dat er nog een geheim was waarop hij was gestuit, zijn moeders laatste geheim; en dat haar laatste woorden belangrijker waren dan de sleutel of wat het ook was dat zich in die doos bevond. Dit besef liet hem niet meer los. Daarom pakte hij de telefoon.

'Mijn naam is Nicholas Glendinning,' zei hij. 'Ik heb begrepen dat u mijn moeder hebt gekend?'

Hij drukte de hoorn tegen zijn oor om het beven van zijn hand tegen te gaan. Hij hoorde iemand moeizaam ademhalen.

'Mag ik bij u langskomen?' zei Nick, nog harder drukkend.

Hij hoorde een fluitend geluid. 'Heeft ze het over mij gehad?'

'Nee.'

'Wat wilt u?'

'Ik wil over mijn moeder praten.'

De ademhaling kwam tot rust. 'Dat wil ik ook heel graag.'

Nadat hij het adres had opgeschreven stond hij op en draaide zich om. In de deuropening stond zijn vader. Hij had zijn armen half opgeheven, en leek op zo'n entertainer in Covent Garden die pas beweegt wanneer je hem geld geeft.

Roerloos keken ze elkaar aan. Toen verscheen er een grimas op Charles' gezicht en hij stak een vinger in de lucht alsof hij ineens weer wist waar hij naar op zoek was. En hij stommelde haastig naar boven.


Nick zat op de sofa naast het lage tafeltje in de flat in Shoreditch. De oude vrouw droeg een gele jurk met bloemetjes, alsof ze naar de kerk ging, of naar een zomers tuinfeest. Ze droeg oorbellen, een collier en had krakende leren schoenen aan. De kamer was opvallend netjes maar het was er erg koud, ondanks het feit dat de radiator aanstond, wat bleek uit een tikkend geluid. Ze had de ramen open gehad en een luchtververser gebruikt. Nick vond de veelheid aan beelden en gewaarwordingen ronduit vervreemdend. Hij kon zich niet voorstellen dat zijn moeder door dat vuile trappenhuis had gesjouwd, noch dat ze hier had gezeten, voor deze verschijning met het zilveren kapsel en de tragische oogopslag.

'Ik weet niet eens hoe u heet,' zei hij onhandig.

'Mevrouw Dixon,' zei ze, tegelijkertijd haar keel schrapend. 'Iets drinken?'

'Ja, alstublieft.'

De lage tafel was bedekt met een wit kleed en zag eruit alsof er een kleine ontvangst ophanden was. Mevrouw Dixon schonk thee in oeroude porseleinen kopjes. 'Melk of citroen?'

'Melk graag.'

Er volgde een heel ritueel, alsof hij de dominee was of de landheer. Ze reikte Nick de suiker aan en een theelepeltje dat van het eiland Man afkomstig was, en ze bood hem een broodje jam aan dat op een gebakstandaard lag.

'Uw moeder was mijn vriendin,' zei ze trots. 'De Gemeente heeft haar gestuurd toen ik eenzaam werd.'

Het was duidelijk dat ze van 'De Gemeente' had gehoord dat Elizabeth dood was. Aan de vlakke klinkers van het woord 'eenzaam' was te horen dat ze niet uit Londen kwam. Haar accent was zachter geworden, maar de noordelijke intonatie van dat ene woord was onmiskenbaar. Voor Nick kon bedenken wat hij zou gaan zeggen, begon mevrouw Dixon weer te praten.

'Ze kwam hier elke vrijdag, en dan praatten we... hoofdzakelijk over mij en mijn familie.' Met een elegant gebaar hief ze haar kopje op. 'Ze had zoveel vragen, en het deed me goed mijn hart te luchten. Het is niet goed om alles op te kroppen, zeg ik altijd maar.'

'Absoluut.'

'U bent dokter, is het niet?'

'Ja.'

'Goed zo!' riep ze uit.

Nick nam kleine teugjes van zijn thee en vroeg zich af hoe gauw hij zich met goed fatsoen uit de voeten zou kunnen maken. Mevrouw Dixon ging zich echter steeds meer op haar gemak voelen. Het had iets roofzuchtigs zoals ze genoot. 'Biscuitje?' zei ze, naar de standaard wijzend.

'Graag.'

Ze leunde naar achteren in haar stoel, en hield haar kop en schotel voor haar boezem. Eroverheen kijkend zei ze: 'Ik heb haar zoveel over mijzelf verteld, maar ik heb haar nooit iets gevraagd... Vindt u het erg om mij iets over haar te vertellen?'

'Wat wilt u weten?' vroeg Nick.

'Nou... wat dan ook. Ik zou graag willen weten waar ze vandaan kwam... Eigenlijk de dingen die ik háár verteld heb.'

Nick gaf zich over aan de situatie, zoals zijn moeder ook moest hebben gedaan toen ze zich realiseerde waar ze in beland was. De vraag van mevrouw Dixon was echter zo breed dat hij niet wist waar hij moest beginnen. En toen dacht hij aan de foto.

'We hebben thuis een familieportret,' zei hij bedachtzaam. 'Daar staat mijn moeder op als kind, met haar ouders.'

De foto stond in de zitkamer in St. John's Wood. Als jongen had Nick vaak naar de sepia gezichten getuurd van de plechtstatige man en zijn trotse, robuuste vrouw. Ze stonden er stijf en serieus bij, maar straalden toch iets gelukkigs uit, ze voegden zich naar de in hun tijd gebruikelijke vormelijkheid. Om zijn hals zat een puntboord en zij was gehuld in een geblokte jurk. In het midden stond Elizabeth, haar lange haar was naar achteren getrokken en met linten samengebonden. De hand van haar vader was afgedwaald en rustte liefdevol op haar knie, iets wat aan de aandacht van de fotograaf ontsnapt was. Op de achtergrond was een klok te zien en een hoge ladekast. Elizabeth zei altijd dat haar begrip van wie zij was – waar ze vandaan kwam, wie ze geworden was, haar eigenschappen en waar ze hun oorsprong vonden – op die ene foto was vastgelegd, op dat ene moment waarop de flits had geknald. Het was haar manier om aan Nick uit te leggen, toen hij ouder werd, waarom ze afstandelijker was geworden; en waarom er zelfs in haar lach iets melancholieks school. Toen hij een tiener was had haar ingetogenheid, haar gebrek aan vitaliteit hem soms geërgerd, en omdat hij een tiener was had hij dat ook tegen haar gezegd. Nu werd hij triest bij de gedachte dat hij haar ooit op haar nummer had gezet, terwijl er zo'n tragedie over dat keurige gezin op de foto was neergedaald.

Nick begon mevrouw Dixon uit te leggen hoe die gebeurtenis zijn moeder al voor haar vijftiende van al haar verwachtingen beroofd had. Dat haar vader heel plotseling voor haar ogen was overleden.

'Wat gebeurde er dan?' vroeg mevrouw Dixon, terwijl ze boven haar theekopje met haar ogen knipperde.

'Hij ging zomaar dood, alsof het licht werd uitgedaan.'

'Maar hoe kwam dat?'

'Een zwak hart.' Nick begreep dat nu, nadat dokter Okoye de diagnose had vastgesteld.

'Wat was haar vader voor iemand?' vroeg mevrouw Dixon even later.

'Mijn moeder sprak zelden over hem,' antwoordde hij. 'Ze zei ooit eens dat er geen dag voorbijging waarop ze niet aan hem dacht.' Nick nam een slokje thee – die inmiddels koud was doordat hij had zitten praten – en zei met een vreemde ontroering: 'Ze zei dat ik precies op hem leek…' Toen hij deze zin uitsprak tegen de opgedirkte vreemde tegenover hem, begreep Nick voor het eerst zijn eigen adolescentie, en zijn moeders angsten als ouderfiguur. Ze had geprobeerd hem duidelijk te maken hoe het kwam dat ze niet meer op één lijn zaten, maar hij had haar niet begrepen.

'En Elizabeths moeder?' vroeg mevrouw Dixon. 'Hoe is het haar vergaan?'

'Niet zo goed.'

'Dat verbaast me niet.'

'Dat bedoelde ik niet.' Hij zweeg, want hij wilde er niet veel meer over vertellen. 'Ze is ook overleden, niet zo lang daarna, aan een bloedvergiftiging.'

Mevrouw Dixon zag eruit alsof ze geschokt was en Nick voelde een steek van ergernis omdat hij bang was dat zijn moeders leven deel was geworden van een soapserie.

'Bedankt dat u me heeft verteld wat er met Elizabeth gebeurd is,' zei mevrouw Dixon terwijl ze haar kopje op de tafel zette. 'Nu begrijp ik waarom ze voor me wilde zorgen.'

'Werkelijk?' vroeg Nick, nieuwsgierig geworden.

'Ja. Weet u… Ook ik heb tegenslag gekend.' Ze pakte een papieren servet. 'En ik weet hoe het is om iemand te verliezen en naar hem terug te verlangen. Natuurlijk hebben ze bij de gemeente al deze gegevens in hun dossiers staan, en dat zullen ze uw moeder verteld hebben. Dus toen ze bij mij aan de deur kwam bracht ze godzijdank niet alleen medelijden mee, maar ook… zichzelf.' Het servet scheurde in haar handen.

Nick schaamde zich ervoor dat hij zich geërgerd had aan deze arme vrouw die werkelijk verdriet had. Hij wilde eigenlijk weg, maar nu was het moment aangebroken waarop hij de vraag kon stellen waarvoor hij gekomen was. Hij zei: 'Voordat mijn moeder stierf heeft ze nog gebeld… met u.'

Mevrouw Dixon knikte. Haar mond stond strak en haar ogen waren plotseling uitdrukkingsloos.

'Zou u het erg vinden mij te vertellen wat ze tegen u gezegd heeft?'

'Niet in het minst.' Zoals ze daar zat maakte mevrouw Dixon plot-

seling een tragische, geïsoleerde indruk, alsof ze als enige was over-
gebleven na een tuinfeest. 'Elizabeth zei... "Het spijt me erg, maar
ik kom niet meer bij u langs." '

Nick was met stomheid geslagen. Het laatste stukje van zijn moeders leven was gewijd geweest aan een project waarvan het doel en
de betekenis heel persoonlijk waren geweest. Haar laatste woorden
waren echter gericht geweest tot een vergeten vrouw, ergens halverwege in een torenflat, die zich netjes kleedde om thee te drinken; tot
degene die haar waarschijnlijk het meest nodig had.

5

Toen er gesproken werd over naar huis gaan fluisterde George: 'Kan
dat?'

'Ben je er klaar voor?' vroeg Anselmus.

'Ja.' Op zijn gezicht stond zowel verlangen als angst te lezen. Hij
schoof heen en weer op zijn stoel.

'Mocht je vergeten dat ik geweest ben,' zei Anselmus zelfverzekerd, 'dan zal ik je verrassen als ik terugkom,' en hij bedacht dat hij
zelden iets had gezegd waar zoveel waarheid in school. Hij wist zeker dat Emily Bradshaw dan bij hem zou zijn.

Niet zozeer uit ongeduld als wel uit opwinding sloeg hij hard op
de klopper van het rijtjeshuis in Mitcham. Een silhouet kwam naar
de deur, gefragmenteerd in een cirkel van onregelmatig glas.

Emily Bradshaw stond bij de erker en Anselmus, die bij de leuning
van de sofa was blijven staan, voelde de spanning van haar aarzeling.
Zwijgend was ze naar haar post gelopen, zonder hem een stoel aan
te bieden. Wanneer het verleden zijn einde nadert, dacht Anselmus,
raak je in paniek. Hij wist precies wat hij zou gaan zeggen. In de ondergrondse had hij zijn woorden zorgvuldig gewogen. 'Vorige keer
vertelde u mij dat niets uit niets voortkomt.'

Emily schoof met de rug van haar hand de vitrage opzij, een paar centimeter maar. 'Dat komt uit *The Sound of Music*.'

'Sorry?'

'*The Sound of Music*. Dat zingen Maria en de kapitein in de tuin als alles op zijn plaats is gevallen.' Een onmetelijke droefenis klonk door in haar woorden. Haar hand viel langs haar zij naar beneden.

Anselmus voelde zich sterker worden; deze momenten konden worden overwonnen. Hij zou haar naar een gelukkig einde toe praten. 'Ik heb George gezien. Hij is klaar om thuis te komen.'

'Ja, ik weet het.'

'Pardon?'

'Hij is teruggekomen.' Ze tilde de vitrage weer op en keek mistroostig naar buiten.

'En weer weggegaan?'

'Ja.'

'Maar waarom?'

Het tuinhek klikte dicht en de voordeur ging open. Anselmus' medeleven viel weg. Het was gericht geweest op een happy end in Salzburg. Hij voelde de kilte van werkelijke compassie. In de gang schudde iemand met veel gestamp de week van zich af. 'Allemachtig, wat is het koud. Maar het is vrij-dag!' Het klonk geruststellend, gemoedelijk en geaard. Een rits zoefde omlaag.

Emily verplaatste zich naar het midden van de kamer. Ze ging niet zitten, dus Anselmus bleef ook staan. Ze zei: 'De plaats van George is niet opgevuld. Denk dat niet, alsjeblieft. Maar ik kan ons leven samen niet begrijpen, dat is alles. En als je iets niet kunt begrijpen, dan is het…'

Een rond gezicht met sproeten en vegen smeerolie nam Anselmus verbaasd op. 'O, hallo, neem me niet kwalijk dat ik stond te vloeken als een…'

'Geeft niets. Ik ben het er helemaal mee eens, het ís koud.'

'Peter, dit is pater Anselmus. Hij kent George.'

De hand die hem werd toegestoken was groot en getekend door werk en fatsoen. Anselmus beantwoordde het gebaar. Hoewel hij eerst aan een roeispaan had moeten denken, voelde de hand nu aan als een vette spons.

Emily zei: 'Pater Anselmus was juist van plan om op te stappen.'

Peter stond als een wegversperring in de deuropening. Zijn blauwe overall stond open, eronder waren een trui met een v-hals, een overhemd en een das zichtbaar. Een klein buikie deed de wol licht opbollen. Hij ademde oppervlakkig in terwijl hij met zijn praktische, nuchtere ogen een mankement leek op te nemen, een lekkende leiding, iets basaals wat niet gemaakt kon worden. Turend door een soort nevel, vroeg hij: 'Hoe gaat het met hem?'

'Redelijk. Niet slecht,' zei Anselmus, zich gevangen voelend tussen een behoefte aan eerlijkheid jegens Peter, en gevoeligheid jegens Emily.

'Nou, dat is goed nieuws, toch?'

'Ja, dat is het inderdaad.'

Anselmus stelde zich voor hoe deze grote man hier was aangekomen, zijn geordende leven opgevouwen in kartonnen dozen: een paar schilderijtjes, de tinnen beker van zijn vader, een paar speelgoedautootjes, bergen onderbroeken, een doosje met borstels, doeken en schoensmeer. Anselmus zei: 'George maakt nergens aanspraak op.' Het was een vreemde opmerking. Hij wist niet waarom hij het zei.

Peter liet zijn blauwe armen op twee pilaren rusten en hield zijn hoofd schuin. Hij werd kaal. Zijn resterende haar was geplet door de helm die hij op zijn werk moest dragen. 'Emily, laat hem terugkomen. Neem hem terug.' Hij trok de rits van zijn overall omhoog, alsof hij zojuist uit een kleedkamer was gekomen. 'Het is zijn huis.'

Emily was in tranen. Ze liep langs Anselmus en zei: 'Peter, zou je misschien een kop thee willen zetten?'

'Wilt u ook, pater?'

'Nee, hij wil niet,' snikte Emily.

Toen ze bij de voordeur stonden en Anselmus al een voet op de tegels had gezet, vroeg hij: 'Is er iets wat ik tegen George moet zeggen?'

'Ja.' Emily zocht nerveus in haar zakken.

Anselmus zei: 'Ik denk dat ik het wel uit kan leggen zonder iets tegen hem te zeggen.' Hij keek naar Peter, die zich buiten gehoorsafstand bevond.

Emily zei: 'Zeg tegen hem...' Haar gezicht verkrampte. Ze pakte een ballpoint die gelekt had, en een bonnetje. Met een zwaaibeweging smeet ze ze tegen de muur en knalde de deur dicht.

Anselmus liep de zaal binnen. George was aangekleed, zat met zijn benen over elkaar en wipte zijn ene been op en neer. Hij deed denken aan een opa die in de wachtkamer zat en zijn oren gespitst hield tot zijn naam werd geroepen. Ze hadden hem opgeknapt. Zijn haar was nog niet lang genoeg voor een scheiding, maar de sporen van de kam waren wel te zien. Iemand had een oud colbertje opgedoken. Op het borstzakje stond een wapen met het motto: *Legis Plenitudo Caritas*. De liefde vervult de wet.

Voor Anselmus iets kon doen, wierp George hem een snelle blik toe en vertrok zijn gezicht in een grimas. Zijn voeten gleden weg, ook al had hij schoenen aan, en hij kromde zijn handen om de leuningen van zijn stoel. Zijn benige schouders spanden zich toen hij overeind kwam, en voor Anselmus er iets aan kon doen stond hij voor hem en strekte zijn hand naar hem uit. 'Elizabeth zei dat u zou komen,' riep hij uit.

Anselmus voelde een stevige greep, die geruststellend en krachtig was. Hij keek opzij, langs heldere ogen waar alleen de lucht in werd weerspiegeld.

'Het gekke is alleen...' George begon een beetje te lachen om wat er ging volgen. 'Ik weet eigenlijk niet meer waarom.'


# 6


Riley schroefde het kastje in de keuken open waarachter zich de leidingen bevonden. Nancy stond naast hem te wachten wat er tevoorschijn zou komen.

'Hier is hij niet,' zei hij.

'Maar hij kan toch het huis niet zijn uitgegaan,' jammerde Nancy. 'Dat heb je zelf gezegd.'

Terwijl Riley het kastje dichtschroefde bedacht hij dat hij dat niet had moeten zeggen want nu had zij zich er helemaal in vastgebeten. Hij had op een zoektocht van tien minuten gerekend, maar Nancy stond klaar om het hele huis te ontmantelen. Ze had hem de wasmachine, de droogtrommel en de koelkast al na laten kijken. Ze wist van geen wijken. Die verwachtingsvolle blosjes op haar wangen gloeiden als de mistlampen op Lawton's Wharf.

'Ik ga de slaapkamer nakijken.' Haar stem klonk geknepen van de spanning.

'Het is tijdverspilling,' zei hij, terwijl hij de duisternis bij de Limehouse Cut voor zich zag.

Nancy ging op handen en knieën zitten en drukte haar wang plat tegen het tapijt. Riley stond achter haar naar beneden te kijken. Haar scrupuleuze concentratie kwam belachelijk op hem over.

'Arnold, waar ben je?' fluisterde Nancy.

Alsof hij uit een beekje ging drinken, knielde Riley naast haar neer. 'Niet daar,' zei hij. Dit waren bittere wateren. Hij proefde het ene, zij iets heel anders. Hij voelde hoe zijn maag zich omdraaide, zoals in de droom.

Deze poppenkast herhaalde zich in elke kamer tot ze weer in de keuken bij de lege kooi stonden. Plotseling liet Nancy zich in een stoel vallen, zette haar elleboog op tafel en streek met een hand door haar haar. 'Hij is zo klein en zo zwak.'

Door dat zinnetje was Riley even terug in de tijd waarin hij nog in een korte broek rondliep. Hij was klein geweest als jongen. Toen hij weer tot zichzelf kwam zag hij dat Nancy's schouders schokten. Ze lacht, dacht hij opgelucht, en er welde een nerveus gegiechel in hem op. Langzaam keek ze op, als een ding dat zich op een palrad bevindt, en toonde hem haar tranen.

'Hoe kon je?' fluisterde ze vol ongeloof.

Riley verbleekte bij de gedachte dat ze het al die tijd geweten had; dat ze hem het huis had laten doorzoeken om hem de kans te geven op te biechten wat hij had gedaan. Hij raakte in paniek en begon weer te gniffelen.

'Ja hoor, lach maar,' huilde ze, trots en opstandig. 'Sluit je maar aan bij al die mensen die denken dat Nancy Riley zo belachelijk is.' Ze verborg haar gezicht achter haar handen.

Riley wachtte tot ze zou stoppen, maar dat deed ze niet. Ze jammerde zachtjes achter haar vingers, schudde haar hoofd en al die tijd keek hij naar haar alsof zijn geest op non-actief stond terwijl zijn lichaam, dat zich tegen hem keerde, nog steeds wilde lachen. Hoe langer hij naar Nancy's verdriet luisterde en naar haar bedekte gezicht keek, des te langer leek hij los te komen van zichzelf. Hij distantieerde zich van deze vreselijke aanblik – nog nooit had hij haar zo zien huilen – maar zijn longen stonden op springen. Toen hij het niet meer hield begon hij te lachen.

Nancy liet haar vingers zakken. Uitdrukkingsloos keek ze naar hem – zoals hij naar haar had gekeken. Met een roze zakdoekje depte ze haar wangen een voor een, alsof ze zich op ging maken.

Riley kon niet meer stoppen met lachen. Sidderend en onbeheerst werd zijn stem steeds luider. Hij probeerde ermee op te houden door te gaan hoesten en te fluiten, maar het lukte niet. Het was alsof alles hem ontnomen was en Nancy nu kon zien wie hij werkelijk was. Ze stormde niet naar buiten; ze ging gewoon door met huilen en deppen, naar hem kijkend alsof ze naar een droevige film keek, een tragedie. Het werd een soort spelletje: wie zou als eerste stoppen: zij of hij? De gedachte maakte dat hij zich kon herstellen want hij wilde dit niet winnen: hij kon het niet meer verdragen om naar haar te kijken. De hysterie was voorbij. En toch…

Riley wist niet wat er gebeurde. Hij raakte zijn wangen aan… ze waren nat, als een steen op het strand. Nancy stond op alsof er iemand op de deur had gebonkt. Ze kwam naar hem toe, nieuwsgierig en angstig, en Riley deinsde terug. Zijn tranen bleven komen. De spieren van zijn gezicht deden vreselijk pijn, tegelijkertijd was een deel van hem helemaal ongevoelig, doordat hij afstandelijk was geworden en als een ballon op en neer ging tegen het plafond van de keuken. Toen, alsof de uitputting hem doorprikte en hij zich over wilde geven, voelde hij zichzelf naar beneden komen en werd hij weer een radeloze man met een nat, verkrampt gezicht.

'Het is jouw schuld niet,' zei Nancy dwingend en vol afgrijzen. 'Je hebt alleen maar het deurtje opengelaten.'

Snikkend, een geluid makend dat niet van lachen kon worden onderscheiden, rukte Riley de achterdeur open. Koude lucht beet in zijn gezicht. Hij was nog steeds aan het vallen, alleen nu sneller.

'Ik ben hier,' zei Nancy zacht, bij zijn schouder. 'Ik ben altijd hier, Riley.'

Bij deze woorden kwam Riley tot zichzelf. Hij voelde zich verzwakt – vreselijk verzwakt – toen hij besefte dat hij wilde leven zoals andere mannen; dat hij genoeg had van het draaien, breken en vernielen van alles wat op zijn weg kwam. Hij had zich in bochten gewrongen om alles kapot te maken wat kwetsbaar was. Nancy stond naast hem in de tuin, en Riley zag haar zoals hij haar lang geleden bij Lawton's voor het eerst, bij hun troosteloze begin, had gezien. Ze was nog steeds dezelfde goeiige Nancy, nog even mollig en even hongerig.

Het was gaan vriezen en er hing een fijne mist. De tuin was vol knisperende kleine kristallen. Het was donker en rijp glinsterde op Nancy's bakstenen. Met gesloten ogen en door een waas van opkomende hoofdpijn dacht Riley aan sneeuw... velden en velden met sneeuw die 's nachts van binnenuit oplichtte. Nergens een blad of een bloem, alleen maar sneeuw. Dat was zijn vrouw. Hij wist het. En met een woest soort zekerheid wist hij ook dat wat hij had gezien ongerept moest blijven, en met geen enkele achteloze voetstap verstoord mocht worden. Verbijsterd realiseerde Riley zich dat hij... *van haar hield.*

Hij keek op, naar de mistige nachtelijke hemel. Er waren geen sterren, alleen de spookachtige adem die van de Theems afkomstig was.

Ze zaten aan de keukentafel. Nancy had oom Berties vergif tevoorschijn gehaald en er twee identieke tuimelglazen mee gevuld.

'Op Arnold,' zei ze.

Ze toostten en dronken hun glazen in een keer leeg.

Nancy begon te hoesten en Rileys lippen vatten vlam. Hij zei tegen de paarsachtige lichtjes: 'Ik heb genoeg gehad.'

Nancy knikte en zette de fles weer in de kast. Omdat het vergif verboden was, stopte ze de fles altijd goed weg, ook al kwam niemand ooit controleren. Dat was Nancy ten voeten uit. Hij zei: 'Er is binnenkort een kerstmarkt.'

'Waar?'

'Wanstead.' Weer zag Riley de besneeuwde velden, zo ver als het oog reikte – verder dan de Weald, helemaal tot in de South Downs. 'Deze laatste doe ik nog.' Hij kon het; hij kon een eerste stap zetten, zolang Nancy maar niet wist wat er achter hem lag.

'Wat bedoel je?' Nancy stond voor hem, met haar handen op haar heupen, haar gezicht nog steeds vlekkerig van het huilen.

'Ik hou ermee op.'

'Waarmee, met de zaak?'

'Ja.' Hij kon gewoon weglopen en dan blijven lopen. Elke stap zou nieuw zijn. Hij zou nooit om hoeven kijken. Rileys ogen werden glazig terwijl een soort duisternis over hem neerdaalde. Hij begreep zijn eigen gedachten niet. Dit was het domein van de majoor.

'Je hebt te veel van oom Berties vergif gedronken,' zei Nancy. Ze glimlachte en in Rileys ogen werd ze mooi. 'Mensen als jij geven nooit op.'

# 7

Anselmus sliep onrustig, schrok steeds wakker en werd dan gekweld door de herinnering aan de kalmte van George en aan zijn eigen idiotie. Dat de oude man hun eerdere gesprek woordelijk herhaald had was een vorm van genade geweest, maar het had ook de werking van zijn geheugen laten zien: hij wist dat Anselmus naar Mitcham was geweest en had begrepen dat Emily hem niet terug wilde nemen.

Toen het ochtend werd handelde Anselmus zonder aarzelen: wat

Doctor Johnsons mening over Londen ook was geweest, Anselmus had er genoeg van. Zijn leven speelde zich elders af en dat gold nu ook voor dat van George. Hij belde naar Larkwood om te zeggen dat hij naar huis kwam en vroeg Wilf, de gastenbroeder, een kamer klaar te maken voor een vermoeide pelgrim. In het ziekenhuis was George meteen opgetogen over het voorstel en kwam spontaan met de mededeling dat hij nog nooit in een klooster was geweest en dat *The Sound of Music* de lievelingsfilm van zijn vrouw was. In de trein barstte hij herhaaldelijk uit in 'Doe, a deer' terwijl Anselmus het vignet op zijn blazer bestudeerde: *Legis Plenitudo Caritas*. Het was een waarschuwing en een belofte: de wet werd wel vervuld, maar alleen door liefde. Wat zou Elizabeth daarvan gevonden hebben?

Vroeg in de middag was George geïnstalleerd in een kamer met uitzicht over de vallei van de Lark. Het riviertje sneed door geploegde akkers en leek de winterzon naar beneden te trekken. In de verte waren de hellingen van de eiken en kastanjes. Anselmus leunde naast George op de vensterbank en verlangde ernaar zich in de blauwe schaduwen te begeven en eikels en wilde kastanjes weg te schoppen.

'Ik kende een vreemde man die Nino heette,' zei George terwijl hij met zijn blik de boomtoppen afzocht. 'Hij vertelde me dat op de bodem van elke doos hoop ligt. Wat er ook voor verschrikkelijks uit de doos komt, zei hij, we moeten geduld hebben.'

De oude man pakte de revers van zijn blazer vast en praatte tegen de vallei over deze Nino, een gids die verhalen vertelde die George zelden meteen begreep. Het was een fragmentarische herinnering aan uitspraken die bij Marble Arch, King's Cross, op een bank of bij een vuilnisbak waren gedaan. De gedeeltes uit de verhalen die ze in hun geheel beter begrijpelijk hadden gemaakt, had hij niet vast kunnen houden. Maar terwijl hij sprak moest Anselmus denken aan Clem, de reeds lang overleden broeder die hem als novice begeleid had, en hem door middel van de geheimzinnige verhalen van de woestijnvaders onderwezen had. Langzaam, alsof hij eerst warm moest worden, begon Anselmus zich steeds nader tot George te voelen, zoals hij ook met Clem had ervaren. Tegelijkertijd bleef er ook een grote afstand bestaan. Want met elk woord dat George uitsprak werd duidelijker dat hij Nino's verhalen begreep, maar niet kon uitleggen. George had het punt van verstilling en afstandelijkheid bereikt dat Anselmus ooit door deelname aan de regelmaat van het kloosterleven hoopte te bereiken. Naast hem zat een bedelmonnik die al was thuisgekomen: aan de hand van twee vreemde meesters had hij de vreemde, hogere sferen bereikt.

'Hier is een klein presentje met vele pagina's,' zei Anselmus toen hij wegging. Het was een notitieboekje waar het adres en telefoonnummer van Larkwood in stonden.

Hij snelde door de gang, vast van plan de prior vlak voor de completen te spreken te krijgen – het moment waarop de gezagsdrager moe was en toegeeflijk – om hem te smeken George toe te staan de rest van zijn leven op Larkwood door te brengen. Maar eerst moest hij zich nog over iets anders buigen.

Anselmus begaf zich naar een verwarmde zijruimte bij de kloostergang waar zich een enorme haard, enkele leunstoelen en een telefoon bevonden. In de Middeleeuwen was dat de ruimte geweest waar ruige monniken die van buiten kwamen zich konden warmen; nu was het een van de vele schuilplaatsen die het klooster rijk was, een ruimte waar je je kon bezinnen en warm kon worden. Er was niemand. Anselmus ging in een hoekje bij de haard zitten bellen, het was een telefoontje waarmee hij iets anders wilde voorbereiden.

Het hoofd van de Dochters van Liefdadigheid wist zich te herinneren dat hij eerder informatie had opgevraagd over zuster Dorothy en een verhaal had verteld over een verborgen sleutel. Anselmus wilde inzage in alle documenten die iets met Elizabeths achtergrond te maken hadden. Hij ging ervan uit dat deze zich in het archief van de orde zouden bevinden, in Carlisle. Omdat hij bang was dat zijn verzoek zou worden geweigerd als hij de school rechtstreeks zou benaderen, vroeg hij of het hoofd van de orde hem zou willen steunen bij zijn verzoek.

'Waarom wilt u dit eigenlijk weten?' zei ze. 'Ik zie het verband niet tussen uw verzoek en datgene wat u wilt bereiken.'

'Omdat ik denk dat het niet lang zal duren voor haar zoon zich af gaat vragen waarom zijn moeder in dat specifieke boek een gat heeft gesneden, en die vraag zal hem naar zuster Dorothy leiden,' antwoordde Anselmus. 'En nu deze hele geschiedenis ten einde loopt, vrees ik dat alles zal worden ontrafeld. Ik wil terug naar het moment waarop de eerste steek gevallen is – als dat tenminste gebeurd is – zodat ik hem misschien zal kunnen helpen.'

Het hoofd vroeg Anselmus een uur te wachten, dan de school te bellen en naar zuster Pauline te vragen.

Toen Anselmus na een uur het nummer in Carlisle draaide werd de telefoon onmiddellijk opgenomen. En ze gingen ook meteen aan het werk. Het dossier bestond maar uit één pagina, zei zuster Pauline. 'Ik maak liever geen kopie, pater, maar ik kan wel voorlezen wat er staat. Is dat goed?'

'Ja.'

Omstandig begon ze het formaat te beschrijven en de spaarzame gegevens die op het papier waren vastgelegd. Anselmus luisterde met gesloten ogen, zich een beeld van het document vormend. Toen ze klaar was besloot hij de details te herhalen die voor hem relevant waren.

'Dus als ik het goed begrepen heb werd Elizabeth Steadman in Londen geboren, en niet in Manchester?'

'Inderdaad.'

'En van haar ouders zijn geen gegevens bekend?'

'Nee, niets.'

'Als adres staat alleen "Camberwell" vermeld?'

'Ja.'

Anselmus vroeg waarom zoiets belangrijks zo vaag was gehouden.

'Omdat we precies weten wat het betekent,' zei zuster Pauline. 'De naam Camberwell verwijst naar ons opvanghuis. Het betekent dat ze daar verbleef voor ze op de school geplaatst werd.'

'Opvanghuis?' vroeg Anselmus, en hij zag het klooster voor zich waar hij zuster Dorothy had ontmoet.

Zuster Pauline legde uit dat Camberwell hun grootste Londense project was geweest, en dat daar onderdak en hulp werd geboden aan iedereen, mits ze van het vrouwelijke geslacht waren. Het pand was jaren geleden omgebouwd tot betaalbare woningen, maar de begane grond werd nog steeds door de congregatie gebruikt. Anselmus was er een keer geweest.

Hij kon zich Elizabeths reis naar het noorden wel voorstellen, ver van de grote stad, maar toch miste hij iets in het verhaal. 'Als ze via het opvanghuis naar Carlisle is gekomen zonder ouderlijke bemoeienis, dan moet er toch een gerechtelijke beschikking zijn geweest, een juridisch document, waarin haar en uw status gedefinieerd werd. Weet u zeker dat er verder niets in het dossier zit?'

'Absoluut.'

En dat, concludeerde hij, kon alleen maar betekenen dat het was vernietigd, of dat het er nooit geweest was.

Anselmus bedankte zuster Pauline en legde de hoorn op de haak. Zijn gedachten vielen op hun plaats: als er geen beschikking is gemaakt, was Elizabeths aanwezigheid op die school alleen mogelijk met toestemming van haar ouders – van meneer en mevrouw Steadman. Dus waarom is er geen adres vastgelegd? En wat had Elizabeth met dat opvanghuis te maken? Er was maar één persoon die dit wist: zuster Dorothy. En zuster Dorothy, besloot Anselmus ter plekke, zou nog een keer vriendelijk bezocht worden, alleen deze keer zou het gesprek verder gaan dan een beschrijving van mensen op een foto.

Met een klap zwaaide de deur open. Anselmus' stekels gingen recht overeind staan, iets wat in het kloosterleven heel vaak voorkomt, want er zijn zoveel gevoeligheden dat botsingen niet uit kunnen blijven, vooral waar het kleine dingen betreft zoals hoe je een deur opendoet. In de deuropening tekende zich de massieve gestalte van broeder Cyril af.

'Eindelijk,' zei de keldermeester. 'Ik heb je overal gezocht.'

'Het spijt me.' Dat was een ander aspect van het leven als monnik. Sommige mensen moest je je excuses aanbieden als je niets fout had gedaan. Anselmus vermoedde al waar Cyril hem over wilde spreken, en zei: 'Ik heb al het geld dat over was – met bonnetjes – in je vakje gelegd.'

'Weet ik,' snauwde hij. 'Daar kom ik niet voor.'

Anselmus bereidde zich voor op een donderpreek over de theologie van het boekhouden. 'Ik luister,' zei hij vermoeid.

'Ik heb uitgezocht waar die Riley van jou mee bezig is.' Cyril maakte een fier gebaar met zijn enige arm.

'Nu al?' vroeg Anselmus verbaasd.

'Ja.'

'Dan zou ik inspecteur Cartwright maar op de hoogte stellen.'

'Heb ik al gedaan. Ze komt morgenmiddag hier.'

Anselmus kwam overeind. Hij was enigszins van zijn stuk gebracht en wist even niet wat er moest gebeuren. Hij zou het George moeten vertellen; en instinctief voelde hij dat dit het moment was om Nicholas meer te gaan betrekken in datgene waar zijn moeder mee bezig was geweest.

'Zal ik het je nu uitleggen?' vroeg broeder Cyril ongeduldig.

'Nee, ik wacht wel, Dank je.'

'Nou zeg!'

Bijna op een draf daalde Anselmus het pad af, naar het smalle bruggetje over de Lark. De lucht was helder en glinsterde als metaal – zoals het ongetwijfeld ook bij Marble Arch en King's Cross was. Anselmus voelde dat hij zich spoedig weer in die drukke straten zou bevinden, maar nu wilde hij alleen zijn, hij wilde bidden in het bos, te midden van eikels en wilde kastanjes.


# 8


'Nancy, ben jij het?'

Het was Babycham. Ze was niet veranderd. Nou ja, toch wel, door dat haarstukje en die bontjas. En haar wimpers waren vals. En tien jaar hadden toch wel sporen achtergelaten. Die roze wangetjes waren een beetje ingevallen en door de poeder leek het alsof ze blauwe plekken had, maar misschien kwam dat door de kou.

'Het is eeuwen geleden…' Er ging een magische rimpeling door het bont, de wind maakte er voren in die aan graancirkels deden denken. Dit was geen namaak. Dat kon je zien.

Nancy was net uit de bus gestapt. Met enigszins opgeschroefd optimisme was ze deze keer in oostelijke richting gegaan, naar West Ham, in de hoop een glimp van meneer Johnson op te vangen. In de bus had ze bij het knopje gezeten en naar de stroom jassen en kinderwagens gekeken, haar ogen gespitst op iedereen met een ook maar enigszins onzekere tred; ze was gaan kijken bij een bank in de buurt van een kiosk en tussen een hoop vuilnis bij de witgoedwinkel Currys. Hij was blind. Hij kon niet ver zijn gekomen. Ze was uitgestapt om Polo's te kopen toen die stem haar had opgeschrikt.

'Enige hoed,' zei Babycham nerveus.

Riley had hem bij een ontruiming in een la gevonden. Hij was geel met zwarte stippen.

'Hoe gaat het?' vroeg Nancy. De laatste keer dat ze elkaar gezien hadden, had ze tegen haar gezegd dat ze vol gebakken lucht zat.

'Goed, al met al,' zei Babycham. Ze draaide zich om naar de etalage van een tijdschriftenwinkel, naar de verf, de pennen en het speelgoed met stickers erop. Glossy tijdschriften lagen uitgestald: gelukkige gezichten die hun tanden lieten zien. *Woman's World* had een paar antwoorden klaar. 'Neem het heft in handen: zeg hem wat je wilt in bed'; en, in nog grotere letters: 'Hoe voorkom je het inzakken van een Yorkshire-pudding?'

'Ik meende het niet, wat ik tegen je zei,' bekende Nancy.

'Tuurlijk niet.'

Nancy wachtte, maar Babycham ging er niet verder op in. Dat was te verwachten. Ze nam nooit genoegen met afdankertjes of halve maatregelen. Alleen het beste was goed genoeg. Ze wist wat ze wilde. Had Nancy gezegd dat ze de benen moest nemen. Ze waren bij elkaar gekomen om het te bespreken.

Babycham keek nogmaals ingespannen in de etalage. In het schelle licht van de winkel leken haar wangen nog roder. Panty's, 40-denier. Je hoefde alleen maar het telefoonnummer er af te scheuren en te bellen. Er was er maar eentje meegenomen.

Nancy zei: 'Vertel eens, wat is er allemaal gebeurd?'

Babycham haalde een zakdoekje tevoorschijn. Het had randen van kant en een blauwe 'B' in een van de hoeken. 'Nou… uiteindelijk is het Harold geworden… je weet wel, de baas.'

'Meneer Lawton?' Nancy's verbazing maakte het idee belachelijk.

'Ja.' Ze wreef voorzichtig in haar ooghoek.

'Dan zul je er wel warmpjes bij zitten, Babs.' Meneer Lawton moest aardig verdiend hebben, gezien de hele ontwikkeling van het havengebied.

'Nou, hij heeft gewacht met verkopen, om goed te kunnen onderhandelen, of zoiets. Dat was althans zijn plan. En jij?'

'Antiek.' Nancy voelde een steek zelfhaat om deze leugen, en omdat ze zo weinig trots was op wat ze deed, op wie ze was.

'O, leuk.'

'Nou ja, tweedehandsspullen. Ik heb een winkeltje.' Voor Babycham kon vragen waar ze haar winkeltje had, vroeg Nancy: 'Je hebt zeker een stoet kinderen?'

'Drie. En jij?'

'Ik heb er geen.'

'Dat spijt me.' Ze depte haar andere oog. 'Het is ijzig koud.'

Riley had gezegd: 'Geen kinderen. Geen sprake van. Gewoon wij tweeën, meer niet.' Voor ze zich in het zand hadden gevlijd, had hij het gezegd, alsof het een zakelijke overeenkomst was. Samen zouden ze zich aan deze hel ontworstelen. Romantisch en vol zelfvertrouwen had hij een duik genomen à la John Wayne in *Iwo Jima*. Nancy had ermee ingestemd, want ze wist nog niet dat Riley nooit veranderde, dat hij was zoals hij was, als een aankoop waarbij alle schroeven op hun plaats zaten. Er ontbrak niets, maar er was ook niets meer aan toe te voegen, er waren geen dure hulpstukken te krijgen. Zij, aan de andere kant, was incompleet, vertoonde leemtes, zo veel leemtes. Ze had altijd moeder willen worden, en was niet verder gekomen dan Arnold. Schaamte en een soort haat – wederom tegen zichzelf gericht – roerden zich in haar maag, net zoals die keer toen ze zo'n honger had nadat ze een dag alleen op grapefruit had geleefd. Het hoorde bij een dieet dat haar figuur binnen twee weken had moeten transformeren. Het had niet gewerkt.

Babycham zei: 'Harold heeft niet verkocht op het moment waarop hij het wilde.'

'Waarom niet?'

'Hij moest wel, toen hij die boete had gekregen.'

'Waarvoor?'

'Overtreding van gezondheids- en veiligheidsvoorschriften.' Het zakdoekje verdween in een mouw. Haar ogen waren weer goed en haar wangen minder rood. 'Heb je het niet gehoord dan? Er is een jongen verdronken vlak bij het E-gedeelte.'

'Nee.' Er ging een rilling door Nancy heen, alsof iets in haar naar beneden viel – zoals zo'n metalen rolluik dat een auto kon tegenhouden, om het maar niet te hebben over een paar dieven die een roofoverval wilden plegen. Haar stem haperde.

Jaren geleden was er een vrouw bij haar in de winkel geweest die voor een spiegel had gestaan en naar haar ondertanden en een plekje op haar kin had staan turen. Ze was spraakzaam geweest en had gevraagd hoe de zaken gingen. Toen had ze Nancy een schok bezorgd door haar bij haar naam aan te spreken: 'Nancy, ik ben geen klant. Ik ben van de politie.'

Met een misselijk gevoel antwoordde ze: 'Wat heb ik gedaan?'

'Niets. Kunnen we even praten samen, wij tweeën, in vertrouwen?'

'Ja, waarom niet.'

Ze had geprobeerd Nancy voor zich te winnen door over de arme moeder te praten en die man, die Bradshaw, die de rechtszaal was uitgelopen. Cartwright, zo heette ze. Jennifer. Ze had suggestieve dingen gezegd. Het was weer helemaal zoals ze toen in het kantoor van Wyecliffe in de tang was genomen.

'Waar was hij afgelopen zaterdag?'

'Hij had een kofferbakmarkt in Barking.'

'Het regende.'

'Hij is toch gegaan.'

'Hoe laat was hij terug?'

'Ik sliep.' Dat was niet waar, maar het wakker liggen was haar geheim.

'Hoe laat ging jij naar bed?'

'Uur of elf.'

'Die markt zal om een uur of zes, zeven afgelopen zijn geweest?'

'Ja, maar hij had pech met zijn bus.'

'Waar?'

'Weet ik het?' Die politiemensen met hun achterlijke vragen altijd.

Babycham zei: 'Een jongen is door de plankieren gezakt. Harold had een bord neergezet, een hek, afzetkegels, maar alles was weggehaald. In de rivier gegooid.'

'Echt waar?'

'Ja. Vrijdag om zeven uur had hij alles nog nagekeken, zaterdagavond was alles weg.'

Nancy zweeg. Babycham kwam een stap dichterbij. Bont kriebelde tegen Nancy's pols.

'En dat was de avond waarop die jongen verdronk, die zaterdag. Ze zeiden dat het een indringer was.'

'En meneer Lawton kreeg een boete?'

'Vanwege die gaten in de omheining en de afzetkegels die weg waren.' Alsof ze een tic had, herhaalde ze: 'Ze zeiden dat het een indringer was.'

'Dat zal dan wel.'

'Nou, volgens mij niet, en Harold denkt ook van niet.'

Een grote ronkende vrachtwagen had zich langzaam bij het verkeer gevoegd. Hij kroop voorbij, een grote aanhangwagen met een enorme keet erop achter zich aan zeulend. De keet leek meer op een sprookjesachtig, rood met wit geschilderd poppenhuis. Er zaten twee ramen in en in het midden was een deur. Er is iemand aan het verhuizen, grapte Nancy bij zichzelf, terwijl ze haar ogen voelde prikken. Het idee deed haar overal tegelijkertijd pijn, alsof ze met een knarsend geluid op een of ander nest was gestapt; om haar heen zwermden boze, vastberaden wespen.

Jennifer had gezegd: 'Waar heeft hij zijn bus laten maken?'

'Ter plekke.'

'Door wie?'

'Hij heeft het zelf gedaan… Hij heeft altijd alles bij zich, achter in de bus.'

'Waarom?'

'Omdat hij de laatste tijd vaak pech heeft gehad.'

'Hoe lang al?'

'Een halfjaar.'

'En die reparaties doet hij altijd zelf?'

'Ja.'

'Aan de kant van de weg?'

'Ja.'

'Ben je er wel eens bij geweest?'

'Eén keer.' Ze had het met geestdrift gezegd, alsof ze een grote troef uitspeelde.

'Wanneer was dat?'

'Thuis, ongeveer drie maanden geleden.'

Jennifer had in een kleerkast gekeken en nu controleerde ze de scharnieren.

'Vertelt hij het altijd als hij panne heeft met zijn bus?'

'Nou, als hij het me niet vertelt, kom ik er niet achter, toch?' Die politiemensen ook. Geen wonder dat ze nooit iemand wisten te vangen. 'We zijn man en vrouw, weet u. Daarom praten we met elkaar.'

'Natuurlijk, Nancy… Maar er worden dingen gezegd… en jouw man zal zichzelf niet helpen, dat weet je. Daarom ben ik gekomen.'

'Wat voor dingen worden er gezegd?'

Babycham zei: 'Wij denken dat er opzet in het spel is geweest.'

Het poppenhuis was verdwenen en Nancy had het niet eens gezien. Ze pakte haar eigen ellebogen vast en omarmde zichzelf. 'Opzet? Bedoel je dat die jongen er in is gesprongen?'

'Nee. Ik bedoel dat iemand hem geduwd heeft. Of hem heeft laten vallen. Hem daarheen heeft gelokt, terwijl het er niet veilig was.'

'Maar waarom zou iemand dat doen?'

'Dat vraag ik me ook af.'

'Wie zou zoiets doen?'

'Dat weet je nooit, toch?' Het was een werkelijke vraag.

Nancy deed een stap naar achteren, weg van de kriebelende haartjes. 'Dan had meneer Lawton die omheining moeten laten maken.'

Babycham diepte haar zakdoekje weer uit haar mouw en depte haar mondhoeken. Een opwelling van kameraadschappelijkheid maakte haar stem plotseling hees – zoals toen ze Carmel Pilchard hadden gezegd dat ze moest ophoepelen, dat ze er niet bijhoorde – 'Je bent ook niets veranderd.'

'Jij ook niet.' Gedurende één verschrikkelijk moment hadden ze allebei weer blote benen en kniekousen, en blauwe plekken op hun knieën. Pilchards moeder had één oog, en haar vader zat achter de tralies. 'Wat wil je ook, met zo'n stomme naam,' had Babycham gezegd. Nancy had dat een beetje hard gevonden.

'Ik moest maar weer eens gaan,' zei Babycham, met een blik op haar horloge, dat klein en van goud was, met bedeltjes aan het bandje: een paard, een varkentje en een muntje. 'Ik zou wel willen blijven, maar ik moet een vliegtuig halen. Wintervakantie.'

'Leuk.'

'Wie had ooit kunnen denken dat er nog eens een luchthaven zou verrijzen tussen de King George en de Royal Albert. In onze tijd was het er een dooie boel.'

Met een vreselijk soort verlangen wilde Nancy terug naar die dagen die begonnen met dichte ochtendmist... wanneer ze als eersten in het havengebied aankwamen en zij de ijzeren trap op liep, naar het kantoor met uitzicht over de rivier. Op sommige dagen kon je de rivier pas tegen lunchtijd zien. Terwijl de zon door de zware regenwolken priemde, verschenen hier en daar golven, als zilveren kettingen. Ze wilde de klok nog iets verder terugdraaien, naar die keer op de binnenplaats, bij de wc's, toen ze van gedachten veranderden over Carmel. Ze hadden medelijden met haar mams. Zo erg was het niet om te worden buitengesloten, toen, maar het voelde wel zo. Ze zei: 'En wie had ooit kunnen denken dat jij nog eens meneer Lawtons potje zou koken.'

Babycham drukte op een knopje van een sleuteltje en een leuk autootje knipoogde terug. Het leek wel magie.

Nancy zei: 'Nou, ik zie je wel weer.'

'Nee. Ik denk het niet.' Ze deed nooit aan plichtplegingen, Babycham. En ze zei altijd wat ze vond.

'Doeg.'

'Ja, doeg.'

Toen ze op het busstation aankwam, nam Nancy weer een andere
lijn en ging dicht bij het raam zitten. Het was zinloos maar ze bleef
naar meneer Johnson uitkijken, terwijl ze steeds weer aan Arnold
moest denken. De ruit raakte beslagen. Ze wreef erover met de mouw
van haar jas… en uit het niets rees plotseling het beeld van haar man
op, zoals ze hem om twee uur 's nachts bij de hoek van hun straat
had gezien. Aan zijn manier van lopen zag Nancy dat hij het was, en
aan de manier waarop zijn armen als losse touwen heen en weer
zwiepten.

# 9

Rijdend door Suffolk, met zijn roze tinten en rieten daken, peinsde Nick nog na over de rijzige gestalte die bij het raam van de vlinderkamer had gestaan. Charles had staan kijken toen Nick in de kever wegreed om aan zijn volgende eenzame uitstapje te beginnen.

Ironisch genoeg was er sinds zijn terugkeer uit Australië een grote afstand tussen hen ontstaan. Nick had allerlei kleine expedities gemaakt: van Larkwood naar meneer Wyecliffe, dokter Okoye en mevrouw Dixon, en nu weer naar Larkwood, waarmee de cirkel rond
was. Hij had zijn vader niets verteld, vanaf het moment waarop hij
tot de slotsom was gekomen dat die lieve oude mafkees geen flauw
idee had waar zijn vrouw mee bezig was geweest. Toen hij door de
kloosterpoort reed besloot Nick een rode mul en een witte bour-
gogne te kopen. Hij zou het maal klaarmaken dat zijn vader had zullen maken op de dag waarop Elizabeth overleed. En als ze dan waren opgewarmd en een beetje aangeschoten, dan zou hij hem vertellen

wat er allemaal gebeurd was toen ze zich op verschillende continenten hadden bevonden.

Nick kon zijn ogen niet van zijn moeders medeplichtige afhouden: een plechtstatige man in een jasje dat deel had uitgemaakt van een schooluniform en veel te klein voor hem was. Uit de mouwen staken de witte manchetten van een ruimzittend overhemd. Een blauw met geel gestreepte das riep associaties op met het lidmaatschap van een exclusieve cricketclub. Zijn ogen waren donker en lagen als ringen in bleke schoteltjes.

Behalve Nick en meneer Bradshaw zaten ook inspecteur Cartwright en nog drie monniken om de tafel: de prior van Larkwood, pater Anselmus en broeder Cyril, een man die met zijn dichtgenaaide mouw op admiraal Nelson zou hebben geleken als hij niet zo'n uitgesproken vierkant postuur had gehad. Behalve een arm leek hij ook een nek te missen. Ze waren in een koele ruimte met een witte stenen vloer samengekomen. Door de boogramen vielen zonnestralen als gele banieren op de plavuizen.

'Het is heel eenvoudig,' zei broeder Cyril, op een toon alsof hij een klacht uitte. 'Heel simpel gezegd gaat het erom dat er informatie wordt verkocht onder de dekmantel van legitieme onderneming. Mijn argwaan werd gewekt toen ik naar de nummers van de kwitanties en de beschrijvingen keek die betrekking hadden op een en dezelfde datum. Soms verkoopt meneer Riley een object en koopt hij het op dezelfde dag weer terug. Ik zal een voorbeeld geven. Neem deze asbak. Stel je voor dat die op meneer Rileys kraam ligt. Er zit een prijsje op: £15. *Maar hij verkoopt hem voor £30.* Dan koopt hij hem weer terug voor £15. Het is een idiote manier om het feit te verantwoorden dat hij vijftien pond heeft verdiend terwijl de asbak zijn kraam nooit heeft verlaten.'

'Maar dat is niet wat ons verteld is,' zei inspecteur Cartwright. 'Wat wij hebben begrepen is dat er mensen bij zijn kraam komen, geld aan hem geven en weer vertrekken.'

'Natuurlijk doen ze dat, want dat is precies wat er gebeurt: ze kopen informatie over het een of ander.' Broeder Cyril keek naar zijn gehoor. 'Al die heisa met de kwitanties komt pas later. Dat gebeurt alleen op papier. Die asbak komt niet van zijn plaats. Maar de kwitanties laten zien dat er een ander soort transactie heeft plaatsgevonden. Ze bewijzen dat Riley vijftien pond in zijn zak heeft gestoken.'

'Maar waarom denk je dat hij informatie verkoopt?' vroeg Anselmus aarzelend.

'Omdat,' snauwde broeder Cyril, 'het anders zo zou zijn dat hij geld krijgt voor niets.'

Nick was perplex. Geen van de andere monniken leek ook maar in het minst in verlegenheid te worden gebracht door het slechte humeur van hun medebroeder.

'Maar waarom al die moeite?' voegde de prior toe. Zijn wenkbrauwen leken op twee afgekloven tandenborstels en zijn bril, waarvan één poot met een paperclip op zijn plaats werd gehouden, stond scheef. Hij had Nick met verrassend veel warmte ontvangen.

'Er is maar één uitleg mogelijk,' zei broeder Cyril terwijl hij een dikke wijsvinger opstak. 'Als hij gesnapt wordt, kan hij elke transactie herleiden, zoals ik heb gedaan. Elke penny die hij heeft ontvangen, kan hij verantwoorden. Er is geen contant geld mee gemoeid. Dus kan hij laten zien dat hij hoe dan ook belasting heeft betaald over al zijn inkomsten. In feite overtreedt hij allerlei boekhoudkundige regels omdat hier sprake is van twee afzonderlijke ondernemingen en als hij zijn zaken goed had opgezet zou hij helemaal geen belasting hoeven betalen. En dat brengt me tot de kern van deze totaal geschifte zaak.' Hij legde zijn arm op tafel en spreidde zijn vingers. 'Aan de ene kant denkt hij waarschijnlijk dat het legaal is wat hij doet, want hij zou zijn informatie ook in de kroeg, bij een biertje, kunnen verkopen. In plaats daarvan vult hij allerlei formulieren in om aan te tonen waar hij mee bezig is. Aan de andere kant' – hij haalde de schouder op aan de kant waar hij zijn arm miste – 'is het duidelijk dat hij íéts verbergt. Iets illegaals, vermoedelijk.'

'Maar voor wie verbergt hij dat?' vroeg inspecteur Cartwright.

'Voor Nancy,' antwoordde een hese stem.

Iedereen keek naar meneer Bradshaw. Tijdens broeder Cyrils uiteenzetting had hij zijn slaap gemasseerd, terwijl hij steeds geestdriftiger knikte. Nick kon zich niet aan de indruk onttrekken dat er een heer tegenover hem zat die voorzitter was van een selectiecommissie voor het nationale elftal.

'Elizabeth dacht dat hij het voor Nancy verborgen hield,' zei hij, terwijl zijn handen de revers van zijn blazer opzochten. 'En voor zichzelf.'

Nick hoorde nog net hoe pater Anselmus half fluisterde: 'Voor zichzelf?'

'George,' zei inspecteur Cartwright, 'draait dit hele systeem om informatie?'

'Ja… terwijl ik zat te luisteren herinnerde ik me plotseling iets wat Elizabeth me verteld heeft.' Hij trok aan een van zijn te korte mouwen, in een poging hem langer te maken. Zijn mond hing scheef, en er kwamen paarsige schaduwen om zijn ogen. 'Ze zei dat Riley was teruggegaan naar waar hij ooit begonnen was en dat hij… introducties verkocht.'

De lange banieren van licht vervaagden toen er een wolk voor de zon schoof. Het stenen gewelf leek te krimpen. Niemand sprak een woord. Bijna iedereen, behalve broeder Cyril, leunde met over elkaar geslagen armen op de tafel.

'En dat,' zei inspecteur Cartwright uiteindelijk, 'worden immorele verdiensten genoemd. Hoe kronkelig het systeem ook, en wat zijn drijfveren ook zijn: het is tegen de wet.' Ze bedankte broeder Cyril en meneer Bradshaw en zei: 'Ik zal meneer Riley morgen arresteren. Hij zal zich door Wyecliffe & Co willen laten vertegenwoordigen. Als alles volgens plan verloopt begint het verhoor om twee uur'- ze keek naar George – 'ik zal moeten onthullen hoe ik aan zijn papieren ben gekomen, dus Riley komt te weten dat u hem ten val hebt gebracht. We hebben een observatieruimte bij de verhoorkamer waar het verhoor ongezien gevolgd kan worden. Mocht u erbij willen zijn… en dat geldt voor iedereen die hier aanwezig is.'

Pater Anselmus kuchte nadrukkelijk. 'Cyril, je zei dat hij helemaal geen belasting had hoeven betalen als hij het slimmer bekeken had… Maar om wat voor omzet gaat het eigenlijk, aan wat voor bedragen moeten we denken?'

'Peanuts.'

'Ik vraag het in verband met de mogelijke strafmaat, mocht het tot een rechtszaak komen,' zei pater Anselmus, zich tot de inspecteur richtend. Met enige terughoudendheid vervolgde hij: 'De rechter zal dit misschien niet zo'n ernstige overtreding vinden.'

'Daar heb ik ook aan gedacht,' antwoordde ze. 'Maar ik neem het wel degelijk serieus. En weet je waarom? Omdat het hem geen moment om het geld gaat, *maar om wat hij aan het doen is.*'

Eenmaal buiten gekomen zei Nick iedereen haastig gedag en liep het pad op dat naar de parkeerplaats leidde. Pater Anselmus kwam achter hem aan gerend.

'Nick,' hijgde de monnik, 'je hebt helemaal niets gezegd tijdens de bespreking, gaat het wel goed met je?'

'Er valt niets te zeggen,' antwoordde Nick. Hij had geen zin om te blijven, hij wilde niet lunchen in het gastenverblijf. Ook wilde hij niet met meneer Bradshaw praten. Hij werd in beslag genomen door zijn eenzame, zorgelijke vader, een schuivende gestalte achter een hoog raam.

'Kom je naar het verhoor?' vroeg pater Anselmus.

'Nee.' De hele smerige toestand zou hem weer met meneer Wyecliffe's stinkende hol confronteren. Hij keek naar de milde, ongeruste man die tegenover hem stond. 'Bij mijn eerste bezoek aan Larkwood zei u tegen mij: "Laat het verleden rusten. Laat de onderste steen maar liggen waar die ligt." U had gelijk. Ik had de zaak moeten laten rusten. En nu wil ik alleen maar naar huis.'

Laat in de middag zette Nick de motor af in een achterafstraatje in St. John's Wood terwijl hij aan zijn moeder dacht. Hoewel hij niet kleiner wilde maken wat ze bereikt had, kon hij er niets aan doen dat hij zich afvroeg waar al die inspanningen – een sleutel in een boek, een brief aan een monnik, een pakje voor de politie en al dat samenzweren met meneer Bradshaw – voor nodig waren geweest. Een fixatie op een kleine sjoemelaar die aan kleine misdaad deed. In een bevrijdende opwelling van zelfverwezenlijking liet Nick de hele zaak los, alsof het om een koffer ging die niet van hem was. Dit was zijn moeders leven, niet het zijne. Hij was vrij. En was dat altijd al geweest.

Toen hij zijn hand uitstak om het contactsleuteltje te pakken, viel zijn oog op een klein oranje driehoekje. Het was een stukje papier dat in de asbak geklemd zat. Hij trok het eruit en zag dat het een folder was waarop een antiekmarkt werd aangekondigd. De diverse deelnemers stonden vermeld met hun telefoonnummer erbij. Bijna onderaan, met viltstift omcirkeld, stond een naam die hij kende: Graham Riley.

Nick duwde het hek van de achtertuin open en dacht aan mevrouw Dixon die één ding gemeen had met zijn moeder: ze wisten allebei hoe het was om iemand te verliezen.

10

Nancy begreep er niets meer van. Riley had ineens een verende tred die ze nog nooit bij hem gezien had. Tijdens het ontbijt had hij Prosser gebeld en hem zijn zaak aangeboden – zomaar, ter plekke – als ze het over de prijs eens zouden kunnen worden. Dat had tot enig vloeken geleid, maar toen hadden de mannen een afspraak gemaakt.

'Het gaat gebeuren, Nancy,' zei haar man toen hij wegging. 'We gaan naar Brighton.'

'Een weekend?'

'Voorgoed.'

Hij was lachend naar Wanstead Park gereden. Dat was ook nog nooit gebeurd. Ook de verbijsterende ervaring van de vorige nacht was nieuw voor hem geweest. Ze hadden naast elkaar in bed gelegen en het over oom Berties leverproblemen gehad. Nancy's arm was afgedwaald naar de lege strook tussen hen in. Terwijl ze het nog steeds over vergif hadden, had Rileys hand lichtjes haar vingers beroerd en vervolgens haar pols gepakt; hij had niet meer losgelaten, zoals in een film wanneer iemand over de rand van een boot of een rots valt; er was echter geen paniek, geen geschreeuw, met zijn hese stem praatte hij gewoon door over procentueel bewijs en schade aan organen. Toen hij insliep liet hij pas los, zijn slaap was droomloos. Intuïtief maakte Nancy zich zorgen. Ze had haar man altijd gezien als een ton met ijzeren banden eromheen en zich afgevraagd wat er zou gebeuren als de banden loslieten. In zekere zin was dat nu gebeurd... maar er was geen explosie geweest. Ergens klopte er iets niet.

Niettemin raakte Nancy buitensporig opgewonden bij het idee van een huis in Brighton. Er waren echter twee probleempjes: een kleintje, dat Arnold nog steeds niet was opgedoken, wat ook voor meneer Bradshaw gold. Het grotere probleem deed haar naar de plastic tas grijpen in de winkel die spoedig van Prosser zou zijn. Voor deze ene keer had ze een reden om door de boekjes te bladeren: ze moest het adres van Emily zien te vinden. Nancy zou haar alle boekjes geven die haar man had volgeschreven. Wat moest ze er anders mee doen?

Op een krukje gezeten, en met op de achtergrond het geluid van auto's die over de bult in de weg vlogen, zat Nancy te bladeren. Toen haar oog bij een naam bleef steken, stokte de adem in haar keel en begon ze bovenaan de bladzijde te lezen:

> *... wilde me niet geloven. Ze zei dat grootvader een oorlogsveteraan was. Hij had de Atlantische konvooien overleefd. De aandeelhouders hadden hem een koperen lamp gegeven toen hij met pensioen ging. Jij draagt zijn voornaam. Jij bent David George Bradshaw. Wat moest ik zeggen? Het was allemaal waar maar het had niets te maken met wat ik ontdekt had. Dus vertelde ik het mijn vader. Hij zat maar aan zijn pijp te lurken. Na een poosje zag ik dat zijn nek rood was geworden. Dat gebeurde altijd als hij boos was of bang. Het duurde ruim tien minuten voor ik wist welke van de twee het was. Ten slotte zei hij: 'Weet je eigenlijk wel wat je zegt? Wat dat betekent?'*

George Bradshaw. De man van de rechtszaak. Het werd angstwekkend stil in Nancy. Er was iets met haar uitgehaald... er was iets gebeurd, ze had er met haar neus bovenop gezeten en wist niet wat het was. Maar dat was niet wat haar de adem had benomen. Nee, het was meneer Johnson. Hij was *echt* geweest. Al die sessies bij de kachel waren geen nep geweest – dat wist ze zeker, ze voelde het. Ze was bevriend geraakt met een oude heer die zijn zoon was verloren en een groot deel van zijn hoofd. De man met de lasbril die uit een kartonnen doos was gekropen was dakloos, dat was echt: dat zag ze aan de kleur van zijn huid, dat diepe grauw met die zwarte punten die aan asfalt deden denken. Maar hij was ook die ander, die *Bradshaw*. Haar hoofd begon te kloppen en ze keek haastig de andere boekjes door maar vond niets, tot ze de binnenkant van de kaft van het eerste boekje bekeek. Daar stond het, een adres in Mitcham.

Toen de voordeur openging hield Nancy de plastic tas omhoog alsof ze een bestelling van Tesco afleverde. 'Uw man heeft dit in mijn winkel achterlaten.'

De vrouw reageerde niet. Het leek alsof ze verdoofd was.

'Bent u mevrouw Bradshaw?'

De vrouw knikte, naar de tas starend.

'Ik ken George,' zei Nancy, een en al vriendelijkheid uitstralend, hoewel ze tegelijkertijd wilde schreeuwen en huilen. 'Ik heb een beetje voor hem gezorgd.'

'Kom binnen,' zei Emily Bradshaw. 'Dan zet ik thee.'

Wat een mooi huis, dacht Nancy. Er hing een vage verflucht. Overal hing nieuw behang – duur spul ook nog… een zacht strogeel waar een kaarsrecht zilveren streepje doorheen liep. Het was ook nog helemaal niet versleten. De schilderijtjes waren dicht bij elkaar opgehangen, niet eentje hing scheef: een kathedraal die uit een groepje bomen oprees, een veld met koeien bij een rivier, een biddende figuur bij een windmolen, eenden die wegvliegen. Er stond een sofa met bijbehorende leunstoelen. Toen Nancy ging zitten merkte ze dat de overtrekken strak zaten en de kussens stevig waren. Ja, het was allemaal heel mooi en nieuw. Maar toch miste ze iets. Er gaapte een enorm gat dat geen catalogus kon dempen, schilderen of bedekken.

'Suiker en melk?'

'Een wolkje en twee klontjes,' zei Nancy.

Het was heel stil, als in de wachtkamer van een tandarts.

'Hoe gaat het met hem?' vroeg mevrouw Bradshaw werktuiglijk.

'Niet slecht.'

'O.' Met haar hoofd naar beneden tuurde ze in haar beker.

'Nou ja,' zei Nancy, 'hij is blind, draagt zo'n enorme lasbril en kan zich weinig herinneren omdat iemand hem zo ongeveer de hersens heeft ingeslagen.'

Nancy had niet zo grof willen zijn. Ze had van tevoren een paar mooie volzinnen bedacht maar nu ze hier zat, tegenover zijn vrouw, liet ze de wellevendheid varen. Dat leek haar aardiger.

Mevrouw Bradshaw dronk niet van haar thee en keek niet op. Verstard zat ze op het puntje van haar stoel, haar knieën strak tegen elkaar gedrukt. Nancy vond de geruite pantoffels leuk. In een ervan zat een gat, bij de grote teen.

'Maar zijn geheugen werkt nog wel,' zei Nancy. De plastic tas met de notitieboekjes lag op haar schoot. 'Hij praat over zijn tijd in Yorkshire, over het Bonnington, over u en uw zoon. Dat staat hem allemaal nog helder voor de geest. Hij herinnert zich uw witte schort... zelfs de kanten randjes ziet hij nog voor zich. Het zijn de recente gebeurtenissen die hij niet vast kan houden. Hij zei eens dat hij het liever andersom had gehad. Maar dat meende hij geen seconde. Het is een clown, die man van u.'

Nancy had ooit wijnproevers op de televisie gezien die er net zo uitzagen als mevrouw Bradshaw: ze fronsten in opperste concentratie, hun mond nauwelijks bewegend. Ze kon elk moment iets uit gaan spugen.

'Wat is er gebeurd?' vroeg Nancy. Dat had ze niet moeten vragen, het was een inbreuk. Maar de man van deze vrouw had misbruik van haar gemaakt – zijn beschadigde brein ten spijt – en ze wist niet waarom. Ze was in de war. Ze was naar Mitcham gekomen in de verwachting dat ze gek zou worden, omdat het George Bradshaws huis was, de man die Riley een loer had gedraaid. Maar ze trof een gewoon huis aan, een huis met een gat erin, en een gewone vrouw, met een leegte in zich.

Mevrouw Bradshaw zei: 'Onze zoon is vermoord door een slechte man.' Ze hield de beker vast alsof het een touw was dat aan een lier vastzat, alsof ze wilde vluchten, weg wilde zijn van Nancy en haar eenvoudige vraag. 'Maar ik gaf George de schuld.'

Alsof iemand haar een mep met een deegroller gaf zag Nancy ineens het verband tussen de dingen. De zoon waar meneer Johnson over had gesproken was er inderdaad niet meer: hij stierf bij Lawton's Wharf, en inspecteur Cartwright had dingen geïnsinueerd en Babychams man was beboet wegens overtreding van de veiligheidsvoorschriften en Rileys bus had het begeven. Nancy wilde ook vluchten. Ze stond op, zette haar beker op de glimmende tafel, maar iets in haar ziel koesterde de herinnering aan meneer Johnson zoals hij dampend bij de gashaard had gezeten, zijn handen omhooghoudend in een gebaar van overgave. 'Hier zijn de notitieboekjes van uw man,' zei ze genereus. 'Hij heeft alles opgeschreven, vanaf zijn geboorte. Ik hoop dat u me niet kwalijk neemt dat ik dit zeg, maar als u er eentje openslaat, zoals ik heb gedaan, dan ziet u hem zoals hij was: een dappere jongen die Harrogate verliet en het tot Mitcham heeft gebracht.'

Nancy liep snel langs de Aspen Bank, achtervolgd door lawaai. Het was het brullen van haar eigen geest, en een lage stem waardoor haar eigen inwendige geschreeuw gesmoord werd. 'Sommige mannen zijn als een munt,' gaapte meneer Wyecliffe vertrouwelijk in de Old Bailey. 'Ze tonen je hun ene kant, maar geef ze een tikje en als je geluk hebt zie je de keerzijde. Het is kruis of munt.' Nancy was helemaal verkild want hij kon Bradshaw bedoeld hebben, maar het had net zo goed haar eigen man kunnen zijn. Een halfuur later had ze het gebouw verlaten.

Toen ze de Aspen Bank voorbij was, zette ze het op een lopen omdat een zacht geluid steeds harder begon te klinken in haar hoofd: dit keer was het getik op het raam.

Nadat ze de rechtbank had verlaten, had ze zich thuis verschanst en toen de bel ging deed ze niet open. Toen was het tikken begonnen, het geluid verplaatste zich langs de hele buitenkant van het huis. Het ging maar door, alsof iemand om hulp kwam vragen, en toen had ze de voordeur opengedaan en stond er een keurig geklede man van het Leger des Heils.

'Ik heb geen geld,' zei ze door de kier van de deur.

'Heb je wel een bord?' hij hield een taartje van Greggs omhoog. 'Ik ben majoor Reynolds.'

Hij kende Riley nog van vroeger. Ze praatten over Lawton's en de banen die overal verloren waren gegaan. Hij had steeds naar haar gekeken en haar alle kans gegeven om te huilen. Maar ze had zich weten te beheersen, door te letten op dingen die er niet toe deden, zoals het feit dat hij er wel netjes uitzag in zijn uniform maar dat het wel een oud pak was, en dat er in het leer van zijn gepoetste schoenen barsten zaten, en dat de veters nieuw waren. Bij de deur schudde hij haar de hand en liet niet meer los. 'Nancy, misschien zal jouw loyaliteit hem redden. Maar hoe moet het verder met jou?' Hij wachtte, zijn wenkbrauwen zorgelijk fronsend. 'Als je ooit hulp nodig hebt, bel dan dit nummer.' Verontwaardigd had ze het papiertje in de vuilnisbak gegooid.

'Loyaliteit'. Ze had het in het woordenboek opgezocht, zich bewust van het feit dat met elk woord dat er gezegd was de rechtszaak zich weer ontvouwde. Terwijl al die vreselijke dingen hardop werden gezegd, had ze het hoekje van de pagina omgevouwen en de definitie met een rode viltstift omcirkeld.

Terug in Poplar trof Nancy een politieagent aan bij het hek. De zomen in zijn broekspijpen waren veel te groot maar hij was heel beleefd. Door de mobilofoon op zijn schouder klonk gepraat.

'Ik had gehoopt dat we naar Brighton zouden gaan,' zei Nancy afstandelijk toen hij was uitgepraat.

'Het spijt me, mevrouw.' Hij gaf haar een briefje met een adres erop. 'Inspecteur Cartwright wil u graag zo spoedig mogelijk spreken.'

Toen hij weg was, verfrommelde ze het papiertje terwijl ze aan loyaliteit dacht en aan die aardige man die lang geleden op het raam had getikt.

Anselmus zat naast George tegenover een raam van getint glas. Door
een blauwachtig waas zagen ze een tafel met vier stoelen eromheen,
en een bandrecorder. Een deur sloeg dicht. Inspecteur Cartwright
kwam binnen, gevolgd door een andere politiefunctionaris en meneer
Wyecliffe, die in de ogen van Anselmus ouder was geworden maar
nog steeds zijn bruine pak droeg. Plotseling verscheen Riley en drukte zijn neus tegen het glas. Toen keek hij naar zijn tanden en grijnsde boos en ongeduldig en, dacht Anselmus, met een zekere euforie.

Volgens voorschrift begon inspecteur Cartwright hem zijn rechten
voor te lezen terwijl Riley met vlakke handen het raam betastte, zijn
gezicht vochtig en grauw. Zonder met zijn ogen te knipperen liep
hij achteruit naar de tafel.

'Nu we de voorbereidingen achter de rug hebben,' zei meneer
Wyecliffe, terwijl hij met zijn gezicht trok, 'is er de technische kwestie van het moedwillig binnentreden en ontvreemden van eigen-
dommen van mijn cliënt, ernstige zaken die…'

'Dimmen, alsjeblieft,' zei Riley. Hij hing in zijn stoel en glimlachte. 'Schiet op, Cartwright. Ik wil naar Brighton.'

Stap voor stap onthulde de inspecteur het systeem dat uit de financiële stukken naar voren was gekomen. Ze nodigde Riley uit haar
bevindingen te bevestigen, maar deze wendde zich af en tuurde in de
richting van het glas waar Anselmus en George achter zaten. Hij tikte onregelmatig met zijn vingers op de tafel en zei: 'Schiet nou maar
op.'

Voorzichtig bracht inspecteur Cartwright naar voren: 'Ik geef in
overweging dat u geld ontvangt dat afkomstig is uit de prostitutie.'

Riley zakte in elkaar, bozig en verveeld. 'Klopt.'

Meneer Wyecliffe, die tot dat moment verdiept was geweest in de
lege pagina's van een geel blocnote, legde zijn afgekloven balpen neer
en zei op verzoenende toon: 'Kunnen we even een moment pauze-
ren…'

'Hou je mond, Wyecliffe,' fluisterde Riley.

Inspecteur Cartwright zei: 'U hebt een lijst met telefoonnummers?'

'Klopt.'

'U verschaft contactgegevens in ruil voor geld?'

'Yes.'

'Hoe lang doet u dit al?'

'Al eeuwen.' Een frons nam de plaats in van de wrok en de spot. Hij leek te worden gekweld door verwarring, en schreeuwde naar het plafond: 'Ik zou nu op de weg naar Brighton moeten zitten.'

'U hebt lang genoeg vakantie gehad.'

'O ja?' De ommezwaai van euforie naar wanhoop was totaal. Nu zag hij er dreigend uit.

'Graham Riley, u wordt ten laste gelegd dat u geheel of ten dele leeft van inkomsten die ontleend zijn aan prostitutie. Dit is in strijd met artikel...'

'Het is allemaal legaal.'

Inspecteur Cartwright wendde zich tot Wyecliffe: 'Kunt u mij uit de droom helpen?'

'Absoluut niet. Hoe durft u.'

Riley stond op en keek neer op zijn ondervraagster. 'Ik haal die nummers uit tijdschriften en telefooncellen. Ze zijn al in het publieke domein. Ik verkoop ze aan mensen die denken dat ik speciale contacten heb.'

'Daarmee bent u nog steeds in overtreding.'

'O ja?' Riley leek nog hoger boven haar uit te torenen. Hij had de houding van iemand die heer en meester is over smerige zaken. Dit was zijn domein. Hij liet zich door niemand de les lezen. 'Ik verkoop nummers die iedereen kan vinden die weet waar hij zoeken moet.' Hij legde zijn benige handen op zijn heupen en nam een stoere houding aan. 'Degenen aan de andere kant van de lijn kennen mij niet. Ik ken hen ook niet. Ze weten niet dat ik er geld voor heb gekregen. Ze weten niets, noppes, nada.' Hij spuugde de woorden uit, alsof het om een gebrek ging, om iets wat bestraft zou moeten worden. 'Zij doen gewoon wat ze doen en ik krijg betaald... voor *niets*.' Loerend met een blik waar verontwaardiging en walging uit sprak, veegde hij de papieren van meneer Wyecliffe van de tafel.

'Ga zitten,' zei inspecteur Cartwright op bevelende toon.

'Nee. Ik moet naar Brighton. Sla het wetboek er maar op na.'

'Dat zal ik zeker doen.'

'Maar zorg dat het een hoge...'

Hij beet op zijn lip, en maakte zijn schimpscheut niet af. Plotseling moest Anselmus denken aan dat eerste gesprek waarbij Elizabeth haar onverstoorbaarheid was kwijtgeraakt. Tot zijn ontsteltenis viel alles op zijn plaats: Rileys systeem was voortgevloeid uit iets wat Elizabeth gezegd had, en dat was dat als hij zonder dat die meisjes ervan wisten betalingen had ontvangen die samenhingen met hun activiteiten, er een verdediging mogelijk was op technische gronden...

Anselmus hoorde een zacht geluid achter zich. De deur ging open en er kwam een vrouw binnen met een eigenaardig geel hoedje met zwarte stippen. Met rode, trillende handen vouwde ze steeds een papiertje open, om het vervolgens weer te verfrommelen. Ze keek timide om zich heen, en uiteindelijk richtte haar aandacht zich op George. Daarna keek ze met open mond door het blauw getinte glas.

'Als ik u nog op de een of andere manier van dienst kan zijn,' zei Riley. 'Neemt u dan gerust contact met mij op.'

Hij maakte aanstalten om weg te gaan, maar stopte bij het glas. Verward en in dubio schoten zijn ogen naar de deur, alsof de roep van meeuwen hem helemaal vanaf de kust bereikte en hem wezen op een heel ander leven – een leven met ligstoelen en ijsjes. Maar Riley draaide zich om om zijn spiegelbeeld te bekijken.

Het was een vreselijke scène omdat Anselmus wist dat Riley hun aanwezigheid aanvoelde – in elk geval die van George – en door zijn spiegelbeeld heen keek naar wat hij vermoedde dat zich aan de andere kant bevond: maar in werkelijkheid keek hij recht in het gezicht van het huiveringwekkende vrouwtje met het gele gestippelde hoedje op haar hoofd.

'Toen u kwam, inspecteur,' zei Riley zwakjes, zijn blik nog steeds op het glas gericht, 'dacht ik dat het over John Bradshaw ging.' Zijn gezicht was als een dik, roestig masker.

'Ik beëindig het verhoor,' zei inspecteur Cartwright. In hoog tempo sprak ze de datum en de tijd in, en de namen van de aanwezigen en gaf vervolgens een klap op de bandrecorder, die stopte met draaien. Ziedend liep ze op Riley af en zei: 'U heeft bloed aan uw handen.'

Ze staarden allebei naar de arme vrouw die nog steeds haar papiertje stond te verfrommelen.

Riley antwoordde, duidelijk sprekend: 'Ja, dat weet ik.'

Inspecteur Cartwright knipperde een paar keer met haar ogen – ze kon haar oren nauwelijks geloven – waarop George, die het wel geloofde, naar het raam liep en zijn twee handen tegen het glas legde. De vrouw ging naast hem staan en samen keken ze naar wat zich nu af ging spelen.

Inspecteur Cartwright zette de bandrecorder aan, somde ratelend de nodige gegevens op, en zei vervolgens: 'Ik zou wat zojuist gezegd is bevestigd willen hebben. U heeft bloed aan uw handen?'

Riley liep rondjes in de kamer, waarbij hij zijn armen als kettingen liet zwaaien. 'Ja, maar niet zoveel.'

'Is de hoeveelheid van belang?'

'Nee. Het was sowieso onschuldig.'

Meneer Wyecliffe klopte met zijn handen op de tafel, alsof hij een familieruzie probeerde te sussen. 'Zet de band stil alstublieft. Ik wil even met mijn cliënt overleggen.'

'Vergeet het maar,' zei Riley, terwijl hij zich in een stoel liet vallen. 'Daar is het nu te laat voor.'

Anselmus had dit wel eerder meegemaakt: het was iets psychologisch dat te maken had met de behoefte te worden gesnapt. Het geweten was iets cruciaals: een heel klein beetje ervan kon al een explosie van eerlijkheid teweegbrengen waarmee een heel leven van bedrog teniet werd gedaan. De verandering in Riley was dramatisch – een moment eerder liep hij nog te pochen en nu was hij gereduceerd tot een hoopje ellende.

Inspecteur Cartwright zei: 'Hoe hebt u hem vermoord?'

'Ik wist dat hij niet kon zwemmen.'

'Ga door.'

Riley leunde op zijn knieën en hield zijn hoofd naar beneden, waardoor de wervels in zijn nek zichtbaar waren. 'Ik heb hem midden in de nacht met een appel in een plastic zak gestopt.'

'Dit is niet een moment voor grappen.'

Riley schudde zijn hoofd. 'En toen heb ik hem in de Limehouse Cut gegooid.'

'Wie?'

'Arnold.'

'Arnold?'

'Nancy's hamster.'

Cartwright zette de bandrecorder uit zonder de gebruikelijke formaliteiten in acht te nemen. 'Je bent een klootzak,' zei ze.

Riley keek op en zei: 'Inspecteur, dit is de eerste keer vandaag dat u het bij het rechte eind heeft.'

De wriemelende handen van de vrouw kwamen tot stilstand en George zei: 'Het spijt me, Nancy.'

Ze knikte en verliet zachtjes de kamer.

De deur achter Anselmus ging open, inspecteur Cartwright kwam binnen en zei: 'Ik weet zeker, George, dat hij ongelijk heeft maar ik moet dit wel uitzoeken, oké?'

'Natuurlijk.' Hij hoestte als een patiënt die niet in dokters gelooft.

'Kan jij misschien ergens wachten?' vroeg ze aan Anselmus, die moe was en boos en ontdaan. 'Het zou wel eens de hele dag kunnen gaan duren.'

Nadat Debbie Lynwood gebeld was, spraken ze af dat ze elkaar 's avonds bij haar in de Vault, de dagopvang, zouden ontmoeten. Anselmus nam George bij de arm. Het voelde alsof hij iemand begeleidde die in korte tijd veel ouder was geworden, en bovendien niet meer kon zien.

## 12

Riley duwde de klapdeur open en liet Wyecliffe in alle staten achter. Aan het eind van de gang schopte hij de volgende deur open, struinde langs de arrestantenbalie en duwde iedereen opzij die op zijn weg kwam, om maar zo snel mogelijk buiten te zijn. Op straat zag hij Nancy staan.

'Wat doe jij hier?' Zijn kaak begon te malen.

'Iemand van de politie kwam vertellen dat ze je gepakt hadden.'

'Ben je binnen geweest?'

'Ik ben net aangekomen. Wat is er gebeurd?'

Hij kreunde van opluchting. 'Ze zaten weer achter me aan. Voor niets.'

'Wat bedoel je daarmee?'

'Ze hebben het nooit opgegeven sinds het proces. Kom nou maar mee.' Hij pakte Nancy's arm en samen liepen ze weg. Hij liep de hoek om, en even later nog een. Hij wist niet waar hij heen ging. Bruusk draaide hij zich naar haar toe: 'Cartwright heeft in mijn zaken zitten snuffelen, maar ik heb niets fout gedaan.'

'Waar heeft ze je van beschuldigd?'

'Zelfde als vorige keer.' Riley wilde geen woorden gebruiken die haar zouden kwetsen.

'O god.' Nancy ging op een laag muurtje zitten. De reling was er tijdens de oorlog afgehaald waardoor er alleen nog maar zwarte stompjes van ijzer in het steen zaten.

'Het is niets, Nancy, niets.' Riley trok aan zijn jasje en zijn overhemd. Zweet prikte in zijn maagstreek. Binnenin zijn klamme vel werd hij verscheurd door angst en woede. Ze hadden Nancy helemaal voor niets door de molen gehaald. Dat alles had hij achter zich gelaten. Hij had ervoor gezorgd dat hij ongrijpbaar was. 'Luister, we gaan naar Brighton, oké?'

Nancy zette haar hoedje af, waardoor haar kapsel in de war raakte. Ze zag er breekbaar uit. 'Het is te laat. Veel te laat.'

Riley staarde haar aan zoals hij ooit in het water van de Four Lodges had gestaard. Als je heel stil bleef zag je de baarsjes door het groen-zwarte water schieten. Ze leken op afgescheurde strookjes alumini-umfolie. Op Nancy's gezicht leek iets in beweging te komen. 'Ik wil-de echt graag naar Brighton' – ze keek naar beneden, naar de stenen, het onkruid tussen de stenen en de sigarettenpeuken – 'ik had echt zo graag het geluid van de zee weer willen horen. Een strandwandel-ing maken, misschien met een zuurstok erbij. Dat was toch niet zo veel gevraagd?'

'Nee,' zei Riley dwingend, haar handen pakkend, 'en dat is nog steeds zo. We kunnen nog steeds gaan.'

'Ja?'

'We verkopen de boel, we verhuizen. We laten dit allemaal ach-ter ons.'

Meestal staarde Nancy niet. Ze was altijd ingetogen geweest, te-rughoudend, een beetje vreesachtig. Bij Lawton's had haar verlegen-heid gemaakt dat ze haar blik op haar werk gericht hield, zelfs toen hij op haar tafel had geklopt. Nu keek ze Riley recht aan met grote, vermoeide ogen. Ze leken gevuld met helder water, zoals de plastic zakjes uit de winkel met visbenodigdheden. Er flitste iets doorheen, alsof het eruit wilde.

'Nancy, ga alvast naar huis. Ik ga naar Prosser.'

Jammerend rende Riley weg. Hij wist dat Elizabeth door had gehad waar hij mee bezig was toen ze in Mile End Park was verschenen. Ze had een set lepels in de lucht gestoken en hetzelfde verhaal ge-houden als Cartwright.

'Maar je hebt het me zelf geleerd.' Hij dreef de spot met haar.

Ze had gefronst – een beetje zoals Nancy zo-even had gedaan – terwijl hij haar herinnerde aan een bespreking die ze ooit in haar ambtsvertrekken hadden gehad. 'Hou die lepels maar,' had hij ge-zegd, en toen was ze in elkaar gekrompen alsof hij in haar hart had geknepen.

Hij ging nog harder rennen. Al dat manoeuvreren, die honger om iets terug te krijgen, het hoorde allemaal bij een stroom van bedrog – een soort bedrog dat hij ook Nancy had aangedaan. Hij wilde dat gewoon niet meer. Het lag achter hem – steeds verder achter hem, met elke stap die hij zette. 'Ik ga naar Brighton,' schreeuwde hij, terwijl hij op een paar oude mannetjes stuitte die bij een kiosk stonden. Hij haalde uit met zijn armen: ze stonden in de weg. De hele wereld stond hem in de weg. Hij botste op een vuilnisbak en tolde op zijn benen terwijl hij aan Nancy dacht: ze was niet waar ze altijd was, en dat maakte hem doodsbang.

# 13

Aangezien de rode mul was uitverkocht, stelde de visboer op Smithfield Market zeelt voor, een zoetwatervis die, toen hij later die dag in St. John's Wood bereid was, uitermate walgelijk bleek te smaken. Maar toen hadden ze al anderhalve fles Mâcon Lugny opgedronken en deed het er niet meer toe. Charles zat als een schooljongen te grinniken toen hij een half glas wijn op zijn das had gemorst, en op dat moment vroeg Nick abrupt: 'Heeft mam het ooit met jou over de Koekjesman gehad?'

Het was bedoeld als inleiding tot hetgeen hij wilde onthullen. Hij zocht een klein stukje gemeenschappelijk terrein als basis voor het gesprek dat hij wilde voeren.

Charles hield niet op met lachen en veegde met zijn servet over zijn das. Terwijl hij zijn mes en vork recht legde, antwoordde hij: 'Ik ben je erg dankbaar als je die naam hier nooit meer noemt.'

Hij lachte niet meer, maar tuitte zijn lippen en zag er gestoken uit. Hij schoof zijn bord een paar centimeter van zich af.

'Bestaat hij dan echt... dat fantoom?' vroeg Nick ongelovig.

'Dit gesprek is afgelopen.' Charles had dat bleke en hulpeloze dat iedereen op de bank in de gordijnen moest hebben gejaagd op de momenten waarop uitleg van hem geëist werd. Hij zei: 'Je hoeft dat niet te weten. Je moeder is dood. Het is voorbij.'

Ze vielen allebei stil en staarden met hun handen op hun schoot naar de restanten vis op hun bord. Nick dacht: dit is waarschijnlijk wat ze met het uur der waarheid bedoelen. Hij was ervan overtuigd geweest dat zijn vader niets wist van de crisis waar zijn vrouw doorheen was gegaan. Maar uit de manier waarop hij het gesprek had afgekapt bleek dat hij alles wist, altijd al had geweten en dat hij zijn zoon zelfs de meest summiere uitleg had onthouden. Hij had staan kijken hoe Nick in de gele kever af en aan had gereden; had in deuropeningen en achter ramen gestaan en nauwgezet geconstateerd wanneer een ouderlijk geheim werd geschonden: en nooit had hij ook maar iets gezegd – behalve dat hij de voordelen van een reis naar Australië en Papoea-Nieuw-Guinea onder zijn aandacht gebracht.

Nick werd overweldigd door een mengeling van woede, liefde en angst: woede over het geheimzinnige gedoe van zijn ouders, liefde omdat ze hem zo hadden willen beschermen maar ook werd hij bevangen door een zekere angst voor wat het was geweest dat hen ertoe had gedreven zich zo te gedragen. Zijn moeder had hem weer thuis willen hebben om het hem te vertellen. Zijn vader was het daar niet mee eens geweest: hij was bang. 'De Bundi doen een vlinderdans,' had hij gezegd.

En Charles was nog steeds bang. Maar waarvoor? Voor wie? Waarom?

Nick vouwde zijn servet op en ging naar boven, naar de werkkamer. Hier had ze alles gepland, en hier zou het eindigen – voor hem en zijn vader. De enige die wist wat er in godsnaam aan de hand was, was een of andere halfgare crimineel die met zijn gewroet Elizabeth van haar zelfrespect had beroofd.

Nick haalde de oranje folder uit zijn zak. Hij wist dat hij zich door de wijn idioot had gedragen, maar hij werd er ook opmerkzamer van. De kleuren waren allemaal iets helderder dan anders – en dat gold ook voor zijn inzicht; de dingen bleven in beweging – en dat gold ook voor zijn besluitvaardigheid.

Hij draaide het nummer en luisterde.

Hij was stom geweest. De werkelijke crisis was hem ontgaan, ook al had hij de sleutel gevonden en de doos geopend. Het 'niets echt weten en niet in staat zijn tot medeleven', het Beginsel van Locard (zoals hier toegepast), het verantwoordelijk maar niet schuldig zijn – het was allemaal prachtig maar had slechts te maken met het streven naar een soort verheven geweten. Er had echter vanaf het begin ook nog iets anders in die doos gezeten.

Er klonk een klik en een antwoordapparaat sloeg aan. Nick verbrak de verbinding en probeerde het opnieuw. Hij wachtte, en werd steeds nerveuzer.

Eigenlijk was hij lang geleden al op de cruciale kwestie gestuit, in een morsige pub in de buurt van Cheapside. Hij had het genegeerd, hij wilde niet weten dat Elizabeths mededogen door een cliënt gebruikt was als een bonus die bij haar advocatenhonorarium was inbegrepen. Maar nu wilde hij weten wat er werkelijk gebeurd was toen zijn moeder het deerniswekkende slachtoffer van Riley een kruisverhoor afnam. Voor Anji, die het lef had gehad om als getuige op te treden, was de Koekjesman een gevreesde aanwezigheid geweest, een realiteit die meneer Wyecliffe tien jaar na dato nog steeds fascineerde. En wat had Elizabeth gedaan? Vaardig – en vol *mededogen* – had ze de Koekjesman gereduceerd tot een product van Anji's getormenteerde geest; ze had hem weggeredeneerd, een *droom* van hem gemaakt...

De telefoon werd opgenomen.

Het kwam vast door de wijn, maar Nick deinsde terug toen hij het stemgeluid hoorde, want het klonk zo hard, alsof het uit een andere wereld afkomstig was. Het beeld van zijn vader kwam in hem op, met een halfverorberde zeelt voor zich... Beneden was het veilig... en er was ook nog een halve fles Mâcon Lugny over... maar hij wilde een antwoord op zijn vraag.

'Wie was de Koekjesman?'

Hij moest het vragen want op een of ander schemerig niveau voelde hij dat zijn moeder het altijd al geweten had, zelfs toen zij Anji bij de hand had genomen; hij voelde dat hij op de geheime bron was gestuit waaruit Elizabeths schande was voortgekomen.

Twintig minuten later zat Nick achter het stuur, en reed hij harder dan de maximumsnelheid in oostelijke richting naar Hornchurch Marshes. Hij had een moeizaam gesprek verwacht, niet dat hij zou worden ontboden.

## 14

De prior herinnerde de congregatie regelmatig aan hetgeen de Regel over zwijgzaamheid zegt: dat men soms goede woorden moet inslikken uit respect voor de stilte.

Met deze richtlijn in gedachten leidde Anselmus George naar de Vault zonder veel woorden te gebruiken. Voor ze zich terugtrok bracht Debbie Lynwood hen naar een eenvoudig ingerichte slaapkamer die zich op enige afstand van het drukke dagcentrum bevond. Op een kastje lag een stapel spelletjes en puzzels in verweerde dozen. George staarde meditatief naar de deksels. 'Riley wist dat ik er was,' zei hij. 'Hij praatte tegen mij.'

Anselmus knikte naar de gebogen rug van deze slanke, eerbare man in zijn nette blazer en das. Volgens het boek Genesis was Adams zonde dat hij wilde zijn als God, dat hij invloed wilde hebben op de schepping waaruit hij zo wonderbaarlijk was voortgekomen, dat hij wilde weten waarom het goede goed was en het kwade kwaad, en wellicht een paar kleine veranderingen in de schepping wilde aanbrengen. Er zijn momenten, dacht Anselmus, waarop ik God zou willen zijn: lang genoeg om de val van deze man te kunnen begrijpen en er iets aan te kunnen doen.

George koos een puzzel – een middeleeuwse wereldkaart.

Anselmus verliet George en nam de bus naar Camberwell. Wederom werd hij naar de tuin gebracht, en naar de passage met de kastanjebomen. Zuster Dorothy zat op haar plaats, aan het eind van het pad. Geruite plaids hielden haar warm; ze had de bruine pakol naar beneden getrokken om haar oren te beschermen. Ze wierp een blik op Anselmus toen hij naast haar op een stenen bank ging zitten, en zei: 'Ze was een heel slim maar stout meisje. Had aanvankelijk moeite met de regels. Gedurende haar eerste maanden kreeg ze elke zondagmiddag huisarrest. Ik ging haar altijd opzoeken met presentjes uit de snoepwinkel.'

'Ik neem aan dat u Elizabeth Steadman bedoelt en niet Elizabeth Glendinning,' zei Anselmus.

'Wat een buitengewoon domme fout was dat,' antwoordde ze, terwijl ze haar ogen sloot. De breuk in haar neus ving het lage strijklicht, waardoor er een duister en grotesk accent op kwam te liggen.

'Ik ben er helemaal ingetuind,' zei Anselmus.

Zuster Dorothy had nu toe kunnen geven, maar ze was sluw genoeg om te wachten tot duidelijk werd hoeveel terrein ze verloren had. Anselmus werkte zijn armen in zijn wijde mouwen en pakte zijn ellebogen vast. Het was koud. Vanuit een eik die iets buiten de kloostermuur stond keken drie raven op hem neer.

'Ik stel me zo voor dat het avond was,' zei Anselmus, 'en dat het buiten donker was geworden. Elizabeth was alleen in haar werkkamer in St. John's Wood. Ze opende *De navolging van Christus* – een boek dat ver terugging, misschien wel naar haar laatste ontmoeting met u – en sneed er een gat in dat diep genoeg was om een sleutel in te kunnen leggen. Geruime tijd later kwam ze naar Larkwood met een duplicaat van de sleutel en vroeg me deze te gebruiken als ze zou komen te overlijden. Het laatste wat ze tegen mij zei was: "Je kan niet altijd alles aan je kinderen uitleggen. Indien nodig, zou jij Nicholas dan willen helpen het te begrijpen?" Eerst dacht ik dat ze bedoelde dat ik hem moest helpen bij het verwerken van zijn verdriet. Daarna dacht ik dat ze wilde dat ik hem zou uitleggen dat je geen advocaat kunt zijn zonder een soort onschuldig compromis te sluiten. Maar nu ben ik bang dat ze iets heel anders in gedachten had...'

Zuster Dorothy gaf zich met een diep gekreun gewonnen. 'Meneer Kemble zei al dat u misschien zou komen.'

De raven hipten een paar takken omhoog en vlogen vervolgens in verschillende richtingen uiteen.

'U kent Róddy?' Anselmus had een gewaarwording die je zou kunnen hebben als je een hoek omgaat in een vertrouwde omgeving en je je plotseling in een ander land bevindt.

'O ja, we zijn oude vrienden,' zei zuster Dorothy. 'Ik ontmoette hem toen ik iemand in de gevangenis opzocht. Hij werd gecharmeerd door mijn sluier. In die tijd was dat nog een soort tent die om je hoofd stond. Hij wilde precies weten hoe het ding was bevestigd, en of het wel comfortabel was. Ik kreeg de indruk dat hij er jaloers op was.'

'Hij heeft u nooit genoemd.'

'Gelukkig niet.'

'Hoe bedoelt u?'

'Dat was de afspraak.'

Anselmus probeerde zijn intuïtie die met grote snelheid op zijn vragen vooruitliep, in toom te houden. 'Zuster, hebt u Elizabeth aan meneer Kemble voorgesteld?'

'Nee, dat is niet helemaal zoals het gegaan is.' Zuster Dorothy leek trots te zijn op haar eigen machinaties. 'Ik heb Roddy alles over Elizabeth verteld toen ze rechten ging studeren. Hij zette een paar toevallige ontmoetingen op touw en uiteindelijk moedigde hij haar aan om bij hem te komen werken. Elizabeth heeft nooit geweten dat het zo gegaan is.'

Anselmus' vermoedens leken zijn bloed sneller te doen stromen. Hij zei: 'U hebt Elizabeth helemaal niet in Carlisle ontmoet, is het niet? Het is hier, in Camberwell, gebeurd... want het opvangcentrum was hier, en daar werkte u... voordat de architecten aan het werk gingen en al die gangen er kwamen...'

Zuster Dorothy staarde naar een punt hoog boven de kloostermuur, alsof ze er bergkammen en besneeuwde toppen ontwaarde. 'Rij me naar binnen, alsjeblieft, en vertel me over die sleutel.'

Zoals in november vaak het geval is, was de duisternis als een dief in de nacht gekomen.


# 15


Toen Riley op de Hornchurch Marshes aankwam begon het te schemeren. Voorzichtig daalde hij het pad af naar de Four Lodges. De koeltoren die er had gestaan was jaren geleden al afgebroken, en nu resteerden alleen rechthoekige vijvers. De gemeente had er wat vissen in laten zwemmen en verder alles zo gelaten.

Daar waar de toren had gestaan kamde Riley het gras uit. Jam-

merend en vloekend schopte hij een paar stenen los en een zwart-
geblakerd stuk hout waar een rijtje roestige spijkers uitstaken die aan
knopen deden denken. Toen ging hij op de restanten van een muurtje zitten, sloeg zijn armen om zijn romp en hield het pad nauwlettend in de gaten. Hij was licht euforisch en voelde zich misselijk,
alsof de dingen met hem op de loop gingen, zoals toen met John
Bradshaw ook was gebeurd. Bij zijn voeten lagen de wapens en een
zaklantaarn.

Dit was pas de derde keer dat Riley hier was. De vorige keer was
na de rechtszaak, en de keer daarvoor toen hij nog een jongen was.

Op een dag, heel vroeg in de morgen, had de man die Riley geen
papa wilde noemen het laatste katje in een zak gestopt. Voor de andere acht was een goed huis gevonden. 'Trek je jas aan, Graham,' zei
hij. Er hing een lucht van aftershave – iets opdringerigs en vurigs.

Zwijgend liepen ze door de verlaten straten van Dagenham naar
het bleke licht boven de Hornchurch Marshes. Even later opende
zich als een vochtige deken de vlakte rond de Theems en daar, in het
midden, waren vier rechthoekige vijvers, omgeven door en door-
sneden met glibberige bakstenen randen.

Ze liepen naar de rand en Walters arm begon te zwaaien. Zijn borst
zette uit en zijn mond verstrakte. Misselijk bij de gedachte aan het
ongewenste leven, greep Riley de mouw van de grote man, maar die
gaf hem een achterwaartse dreun die hem door de lucht deed vliegen. Met een bebloede lip zat hij op handen en knieën toen hij het
hoorde plonzen. De zak wentelde zich in het water en zonk. Als aan
de grond genageld bleef Riley ernaar kijken. Hij had een schreeuw
verwacht, niet uit de zak, maar uit de hemel, uit alle richtingen. Maar
het bleef doodstil… er was geen enkel geluid. Nadat de cirkels in het
water tot rust waren gekomen, werd alleen nog maar de kleur van
de steeds lichter wordende lucht weerspiegeld.

Die avond gingen ze terug naar de Four Lodges. Muggen hingen
als hoeden rond de hoofden van de vissers. Ze zaten op kistjes en
krukjes, en hadden maden op hun onderlip. Zo deed je dat: je warmde ze in de mond. Zodra het beestje met het koude water in aanra-

king kwam, begon het aan het haakje te kronkelen en daar werden de baarzen en karpers door aangetrokken. Walter bewaarde zijn voorraadje in een tabaksblikje van Tom Long.

'Toe dan, Graham,' zei hij afstandelijk

Omdat Riley Walter gunstig wilde stemmen, deed hij wat hem gevraagd werd. Walter keek toe terwijl de muggen om zijn hoofd dansten. Riley zag de getormenteerde ogen, hoog boven hem: de grote man wilde eigenlijk niet zo zijn, maar hij kon het niet helpen. Niettemin kwam er op dat moment een einde aan Rileys begrip. Op een of andere manier klopte dit niet... dit ding dat hij tussen zijn lippen voelde kronkelen. Het smaakte naar ontbinding.

Riley vroeg zich niet af waarom de man die hij geen papa wilde noemen deed wat hij deed – hij wist het antwoord al: Walter had zelf al een kind; Riley liep in de weg. De grote man was zijn baan kwijtgeraakt en zijn zelfrespect. Hij wilde een ander leven dan het leven dat hij had. Zijn gigantische longen barstten uit elkaar van ongenoegen. De bretels die hij droeg waren nauwelijks sterk genoeg om alles in toom te houden. Toen Riley die nacht wakker lag, nadat ze twee keer die dag naar de Four Lodges waren geweest, kwamen zulke gedachten niet eens in hem op; nee, waar Riley meer ontdaan van was, was de zinloze parade van de dood: op één en dezelfde dag had hij een vis uit het water zien halen en een kat erin zien verdwijnen.

Toen Riley er weer kwam, na de rechtszaak, dacht hij aan de majoor die altijd vertrouwen had gehouden in het jongetje dat in het opvangcentrum voor hem verschenen was, die iemand anders had gezien in degene die voor hem stond, iemand die Riley zelf uit het oog was verloren. Toen hij uit de spreekkamer was weggelopen, had Riley een soort gekweldheid op het gezicht van de oude soldaat zien verschijnen. De majoor vroeg zich af hoe hij zo'n beest had kunnen worden. Het was een goede vraag, maar wie had ooit kunnen denken dat de teerling al geworpen was toen Riley nog een kind was en geen wijs kon worden uit een steeds lichter wordende hemel?

Op de glorieuze dag van zijn vrijspraak hadden muggen zich om

Rileys hoofd verzameld, en had hij als man staan huilen op het gras waar hij als jongen gehuild had.

Met het vallen van de avond daalde de temperatuur en Riley rilde. Voor hem lagen de Four Lodges en daar, aan de overkant, kwam een forse jongeman langs het pad naar beneden... een jongeman die Walter op het spoor was gekomen.


# 16


Nancy stond in de tuin bij de stapel bakstenen die ze voor het kruidenbed verzameld had.

'Je had het ver kunnen brengen.'

Dat had meneer Lawton gezegd omdat Nancy begreep hoe de dingen met elkaar samenhingen. Het was een belediging, dacht ze, want hij suggereerde dat ze haar leven had vergooid, terwijl ze alleen maar voor hem had gewerkt en met Graham Riley was getrouwd.

'We zijn bij elkaar gekomen.'

Babycham was vurig en beschermend geweest, een echte vriendin – haar oudste vriendin. Ze waren bij elkaar gekomen, haar collega's van de administratie, en iedereen stond klaar om haar te steunen. 'Neem toch de benen, meid,' had ze gezegd.

'Ooit had ik een zoon.'

Meneer Johnson had stoom afgegeven als een theezakje op een afdruiprek en Nancy had hem met haar hand voor haar mond aangehoord. Ze was wanhopig benieuwd geweest naar wat er gebeurd was, maar haar vriend met de lasbril was niet in staat geweest het onder woorden te brengen.

'Onze zoon is vermoord door een slechte man.'

Dat had Emily Bradshaw tegen Nancy gezegd, zonder te weten wie Nancy was; net zoals Nancy met George Bradshaw had gesproken zonder te weten wie hij was. Naar geen van beiden had ze geluisterd. Ze was langs de Aspen Bank gerend, achtervolgd door het getik op het raam.

'Misschien zal jouw loyaliteit hem redden. Maar hoe moet het verder met jou?'

Die vriendelijke man had het niet opgegeven. Hij was om het huis gelopen want hij wist dat ze thuis was. Hij had een taartje van Greggs meegenomen en zijn telefoonnummer achtergelaten.

Ze waren allemaal gekomen – zelfs meneer Wyecliffe, met zijn spitsvondige praatjes over mannen en muntjes – maar Nancy had geen enkel verband gezien. Nee, het was erger, veel erger dan dat: ze hád het verband gezien, en zich vervolgens afgewend onder het mom van vertrouwen.

'Mijn leven rust op een opeenstapeling van leugens,' zei Nancy. Ze voelde geen enkele emotie, maar zat toch te huilen. Haar ziel was als een slapende arm, zoals wanneer je 's nachts wakker wordt en er zo'n zwaar ding naast je ligt. Het enige wat je kunt doen is wachten tot je het voelt tintelen, dan kun je hem weer tot leven brengen.

Nancy knielde neer en begon de bakstenen te tellen om te zien hoeveel ze er nog nodig had.

# 17

Onder aan de helling bleef Nick staan. Het was bijna donker en extreem koud. In de verte stroomde de Theems als een zwarte ader. Boven het water en nog verder weg gloeiden de lichtjes van zuid-Londen. Meer naar het westen zag hij de gigantische, stille contouren van de autofabriek. Vlak voor hem bevonden zich de Four Lodges, vier poelen die met olie gevuld leken te zijn, terwijl aan de andere kant Rileys gestalte zich tegen de nachtelijke lucht aftekende. Hij verroerde zich niet, zijn adem deed denken aan grove mistflarden.

Terwijl hij dicht langs het water liep, voelde Nick een primaire vluchtneiging. Hij onderdrukte die omdat de hurkende gestalte aan de overkant zijn vader angst had aangejaagd en zijn moeder in zijn macht had gehad. Aan het eind van de vijver bleef hij staan, op enige afstand van Riley maar zo dichtbij dat hij hem zou kunnen verstaan.

Een lage stem klonk op uit de mistflarden. 'Heeft je moeder je niet over mij verteld?'

'Nee.'

Riley zat met zijn ellebogen op zijn dijen. Zijn gezicht en lichaam bevonden zich geheel in de schaduw. 'Wie heeft je die foto gegeven?'

Nick hield zijn hoofd scheef in een poging iets te zien van het donkere silhouet tegenover hem, met de bewegende armen. De vragen leken voorbereid, alsof hij een test moest ondergaan.

'Ik weet niet waar u het over heeft.'

'Heb jij hem gepost?'

'Nee.'

Na enkele ogenblikken hoorde Nick iets bij Rileys voeten met een doffe klap op de grond neerkomen. Een lange mistflard ontsnapte het gebogen hoofd. De stem werd kalmer en hij klonk nieuwsgierig.

'Hoe oud ben je?'

'Zevenentwintig.'

'Wat doe je voor de kost?'

'Ik ben dokter.'

'Een dókter…' Hij deed alsof hij er nog nooit een ontmoet had, maar er wel eens iets over gelezen had in een tijdschrift of er op televisie iets over gehoord had.

'Hoe heet je vader?'

'Charles.'

'En wat doet hij?'

'Hij is bankier.'

'Een bankíer…' Ook die was hij wel eens tegengekomen, in een ander gedeelte van hetzelfde tijdschrift, en op de televisie. Riley ging staan en overbrugde doelbewust de vijf meter die hen scheidde. Terwijl hij Nick passeerde, vertraagde hij zijn pas en zei: 'Laat de Koekjesman rusten.'

Nick draaide zich om en zag dat de gebogen figuur snel langs de oever naar het pad liep. 'Waar gaat u heen?' riep hij onnozel.

'Naar Brighton.'

Nick stommelde achter hem aan; hij kon niet zien waar hij liep, was zich alleen bewust van het glinsterende zwarte water aan zijn linkerkant. Hij greep Riley bij de schouder en voelde het puur fysieke verschil tussen hen. Nick was groot en torende hoog boven het kleine vechtersbaasje uit.

'Vertel me waarvoor ik gekomen ben.'

'Nee.' Riley rukte zich los met een zwaai van zijn elleboog.

'Wie was hij?'

'Ga nou maar naar huis... ga terug naar je patiënten.' Riley zette de pas erin, en begon de helling op te lopen, de nachtelijke hemel tegemoet.

Nick gaf het op. Hij wierp een blik op de plek die Riley voor hun ontmoeting had uitgekozen: het kille moeras, de verspreide lichtjes in de verte en, stroomopwaarts, de immense sombere silhouetten. Hij voelde een kramp van woede in zich opkomen die hem deed rebelleren tegen deze belichaming van zijn moeders geweten, en de gedachte dat ze zich verantwoordelijk had gevoeld voor Rileys gestoorde gedrag.

'Voor u kwam was ze gelukkig,' schreeuwde hij. 'U hebt haar leven verwoest.' Zijn stem ketste tegen de autofabriek en meteen was het weer stil, alsof het geluid door de lucht werd opgeslokt.

Riley leek tegen een muur te zijn gelopen. Langzaam draaide hij zich om en liep terug langs de bakstenen rand van de vijver. Toen hij dichtbij was gekomen, bleef hij staan en trappelde met zijn voeten terwijl hij zijn gebogen hoofd scheef hield. Uit zijn mond kwamen mistvlagen, alsof hij zojuist een wedstrijd had gelopen.

'Laat me je iets vertellen wat je nog niet weet.' Hij leek te worstelen, alsof een draadje varkensvlees tussen zijn tanden was blijven zitten. Een bleek schijnsel viel op zijn gezicht en eindelijk kon Nick zijn gelaatstrekken onderscheiden; hij zag een man die niet alleen ziek was, maar intens gestoord. 'Voor ze je vader ontmoette,' zei Riley, alsof elk woord hem moeite kostte, 'voor ze haar kans kreeg, werkte ze op straat. Ik had haar geld kunnen houden... maar ze had het zelf verdiend.' Riley keek op met iets van medelijden in zijn blik, een emotie die heel ver weg was en langzaam sterker werd zoals water dat zich op kalksteen verzamelt. Zachtjes, bijna vriendelijk, zei hij: 'Ze was geen haar beter dan ik.'

Riley deed een stap naar achteren en kreunde.

Plotseling voelde Nick een schel licht op zijn gezicht. Angstig deed hij zijn handen omhoog... en liet ze weer langzaam vallen. Sprakeloos, licht in het hoofd en misselijk loerde Nick naar de onzichtbare aanwezigheid achter de zaklantaarn. Riley moest hem indringend hebben aangestaard want hij deed het licht niet uit en het duurde heel lang voor hij zich verroerde. Toen klonk er een klik en was het weer donker.

Het laatste dat Nick van Riley zag was zijn gebogen hoofd en de slungelige armen die zich op de rand van de helling tegen de lucht aftekenden.


# 18


'Toen het universitaire jaar begon,' zei zuster Dorothy, 'reed ik Elizabeth naar Durham. We wandelden door een laantje met kinderhoofdjes niet ver van de kathedraal, en zij stapte een winkeltje van een liefdadigheidsinstelling binnen en kocht een ingelijste foto. Ik dacht dat het haar om de lijst te doen was, maar daar vergiste ik me in.'

Zoals in veel huizen van geestelijken het geval was, leek de zitkamer uitsluitend te zijn ingericht met spullen afkomstig uit het soort winkels waar Elizabeth haar foto gekocht had. Stoelen die totaal niet bij elkaar pasten stonden gegroepeerd rond een glazen salontafel uit de jaren vijftig. In het midden stond een asbak die ooit door een paus gebruikt was en het midden hield, aldus zuster Dorothy, tussen een relikwie en een ornament. De vloerbedekking was hard en laagpolig, waardoor het de duurzame aanblik had van wat doorgaans in showrooms van autohandelaren op de grond ligt.

'We vonden een bankje op de Palace Green,' zei zuster Dorothy, terwijl ze een verdwaalde zilvergrijze lok onder haar pakol duwde. 'Er was markt en er waren overal drommen mensen maar Elizabeth leek ze niet op te merken. Haar ogen weken niet van de drie mensen die op de foto stonden. Een beetje verdrietig begon ze te fantaseren over wie ze waren en wat hun verhaal zou kunnen zijn. Ik deed met haar mee. Elizabeth bedacht de mallotige uitvinder die van een rookmelder droomde en ik voegde zijn echtgenote toe met haar enige mop over de brandblusser. We lachten er samen om… te midden van al die mensen die echte levens hadden.' Ze nipte aan haar glas melk en liet het vervolgens rusten op haar schoot en de geruite plaid die om haar benen was gewikkeld. '"En hoe zit het met het kleine meisje in het midden?" vroeg ik. Elizabeth streek met haar vinger over het haar van het meisje… alsof ze de strikken door het glas heen aan zou kunnen raken… en zei: "Zij heeft haar hele leven nog voor zich." Zelfs toen had ik nog niet door wat ze van plan was. Pas toen we bij de poort van haar college aankwamen, vertelde ze me wat ze besloten had… en dat we elkaar nooit meer zouden kunnen zien.' Zuster Dorothy zuchtte. 'Ze wilde met een schone lei beginnen. Het verhaal dat we verzonnen hadden zou haar verhaal worden want met die tragedie kon ze wel leven. Ze zou iets geweldigs van het leven van dat meisje maken… dat waren haar woorden: iets geweldigs.'

Na eerst om toestemming te hebben gevraagd draaide Anselmus een nieuwe sigaret. Terwijl hij aan het vloeipapier likte, zei hij: 'En hoe zat het met het meisje wier tragedie te pijnlijk was om te dragen?'

Zuster Dorothy knikte wetend. Ze herkende de onbegrensde reikwijdte van die vraag, die inhield dat pater Anselmus het héle verhaal wilde horen.

'Ik ontmoette haar niet lang nadat ik in Camberwell begonnen was.' Ze zweeg een moment toen Anselmus een lucifer liet ontvlammen. 'In die tijd was het een opvangvoorziening voor meisjes, een open huis waar geen vragen werden gesteld. Maar het was toch nog één stap verwijderd van de straat en ik wilde zo graag de kinderen bereiken die uit zichzelf nooit naar ons toe zouden komen, die misschien niet eens van ons bestaan op de hoogte waren. Ik wilde de wereld veranderen, met... *daden van barmhartigheid*' – ze hief een gebalde vuist op en de laatste drie woorden schalden eruit. 'Daarom probeerden we het op een andere manier. Ik sprong in een taxi – achter het stuur zat meneer Entwistle, een vriend van de gemeenschap – en hij zette me bij Euston Station af op een plek waar ik zicht had op de binnenkomende treinen. Weet je, er waren veel kinderen die vanuit het noorden naar Londen kwamen, naar de gouden bergen, naar een beter leven... en we hoopten hen zo snel mogelijk van de straat te kunnen halen.' Ze liet haar kleine vuist zakken en nam een slokje van haar melk. 'Meneer Entwistle kwam na een halfuur terug en bracht me naar King's Cross, en daarna naar Liverpool Street, en zo gingen we door, alle grote stations werkten we af. Ik hing rond, moed verzamelend om iedereen aan te spreken van wie ik de indruk had dat ze nergens heen konden. Ik moet toegeven dat we indertijd alleen maar op meisjes gericht waren. Niettemin begint het verhaal van Elizabeth met een jongen die ik bij Paddington Station ontmoette.' Ze keek even opzij en vroeg op vertrouwelijke toon: 'Wil je er voor mij ook een draaien?'

'Natuurlijk.' Terwijl Anselmus de sigaret draaide, dronk zuster Dorothy haar melk op. Toen stak ze de sigaret op met een allure die niet voor die van Lauren Bacall onderdeed.

'Ik zag een jongetje dat een broek van een volwassene droeg en fruit van een kar stal,' zei zuster Dorothy grimmig. 'Ik riep hem en hoe vreemd het ook klinkt: hij kwam. We raakten aan de praat en hij vertelde dat hij zojuist uit een uitgebrand bankgebouw was gekomen, een soort kraakpand om de hoek, dat gerund werd door een vent, een wrede vent. Toen meneer Entwistle kwam, nam ik de fruitdief mee naar een hotelier die ik kende die altijd een bed vrijhield, en ging terug naar Paddington, naar een laantje dat langs het spoor liep.' Resoluut maar beheerst blies ze de rook langzaam uit. 'Ik stond onder een straatlantaarn en keek naar de tuinbeelden die op regelmatige afstanden van elkaar langs de weg stonden. Zo zag ik ze toen.

Ze leken op tuinornamenten die geen water meer konden spuiten in een... vreselijk soort omgeving. Een voor een zwierven ze langs de weg, maar er stopte nooit een auto. Ik bleef daar staan, te bang om iets te ondernemen en te kwaad om weg te gaan. Een heel leven later bracht meneer Entwistle me naar huis. Ik ging naar de politie. Ze zeiden dat ze niets konden doen als ik die meisjes door mijn aanwezigheid het werken belette, want dan zou er geen bewijs zijn. Het was een duivelse ironie. Toch nam ik elke avond van acht tot tien mijn plaats in onder de straatlantaarn, en zo heb ik haar ontmoet.'

Zuster Dorothy reikte naar de asbak op de koffietafel en zette hem tussen hen in op de leuning van de stoel van Anselmus. 'Zo heb ik Elizabeth ontmoet,' herhaalde ze. ''s Avonds, een vijftienjarige met witte benen, lang zwart haar en geen sokken... blote voeten in zwarte schoenen. Ze was de enige die een beetje bij me in de buurt kwam staan – ongeveer zo ver als die stoel van mij verwijderd is. Dichtbij genoeg om de klanten af te schrikken en mijn stem nog te kunnen horen. Elke avond stond ik bij die lamp en elke avond hing zij rond binnen gehoorsafstand. Zo kwam ik achter haar naam. Ze leerde me roken. Zie je het voor je, zoals we met z'n tweeën langs de weg stonden, een sigaret delend? We praatten over het weer – over alles eigenlijk, behalve over wat haar op die plek had gebracht en waar ze vandaan kwam. Als meneer Entwistle kwam, deed ik het portier open en dan keek ze me alleen maar aan en schudde haar hoofd. En toen op een avond is ze met me meegegaan.'

In Anselmus' hoofd wemelde het van de beelden van Elizabeth, maar geen van die beelden kwam ook maar in de verste verte overeen met de beschrijving die hij net had gehoord. Hij zag zichzelf als advocaat in opleiding, een doos Jaffa-koekjes delend met de beste strafpleiter op haar gebied. In zekere zin had ze hem uitgekozen, en had zij het voortouw genomen bij hun gesprekken...

'Ze was dichter bij me komen staan dan anders,' zei zuster Dorothy, terwijl ze zich naar Anselmus boog. 'Er stond een kleine rode koffer bij haar voeten, zo'n koffertje dat je meeneemt als je een weekend weggaat. Achter haar zag ik iemand langzaam langs het asfalt lopen, een pezige jongen die zijn handen in zijn zakken hield. Op dat moment stopte de taxi… Elizabeth draaide zich om alsof ze al die tijd geweten had dat dat kruipende wezen daar was. "Ik heb alles afbetaald," zei ze, heel nadrukkelijk. "En nu ben ik je niets meer schuldig." Ik deed het portier open, ze pakte haar koffertje en stapte in. Dat uitgeholde spookje langs het asfalt was Riley. Toen ik de volgende dag terugkwam was er niemand meer op straat en het kraakpand was verlaten.'

Anselmus rolde nieuwe sigaretten voor hen beiden en was onhandig met de vloeitjes in de weer. Hij kon het tempo waarin zuster Dorothy haar relaas deed nauwelijks bijhouden. Ze was op stoom gekomen en sprak tegen de lege stoelen in de zitkamer. Elizabeth was maanden in de opvang gebleven. Weigerde naar huis te gaan. Wilde niet eten. Wilde niet praten. Uiteindelijk stemde ze erin toe dat zuster Dorothy als tussenpersoon zou optreden. Maar ze liet er geen misverstand over bestaan dat ze voorgoed zou verdwijnen als er stappen werden gezet om haar naar huis te sturen.

'Dus ik klopte op de deur,' zei zuster Dorothy, iets vertragend alsof ze zojuist heel Londen had doorkruist, 'en vertelde mevrouw Steadman dat haar weggelopen dochter in veilige handen was' – met smalle, vochtige ogen keek ze Anselmus aan – 'ik deed dit werk al jaren en was gewend om te gaan met hysterische uitbarstingen, angst, ongerustheid… noem maar op. Maar deze keer – en het zou de eerste én de laatste keer zijn – werd ik geconfronteerd met een onmiddellijke en totale acceptatie.'

Ze wenkte om een vuurtje, want haar sigaret was uitgegaan. Anselmus streek een lucifer af. 'En meneer Steadman?' vroeg hij na een korte stilte.

'Omgekomen bij een ongeval,' antwoordde ze, tegelijkertijd rook uitblazend. 'Mevrouw Steadman wilde er niet over praten, maar er was een verklaring van de lijkschouwer nodig toen de autoriteiten zich over Elizabeths toekomst gingen buigen – zo ben ik erachter gekomen. In alle jaren die erop volgden heeft ze nooit – niet één keer – iets over hem gezegd.'

Met toestemming van de rechter werd overeengekomen dat Elizabeth naar de school in Carlisle zou gaan en dat het contact met mevrouw Steadman via zuster Dorothy zou lopen. Het document met de gerechtelijke beslissing werd boven, in het kantoortje van Camberwell, bewaard want technisch gezien was dat Elizabeths huisadres.

'Nadat ze in Durham ging studeren heb ik haar nooit meer gezien,' zei zuster Dorothy, 'maar ik kreeg wel een kaart van haar toen ze besloten had strafpleiter te worden.' Met de sigaret tussen haar tanden reed ze zichzelf naar een kastje dat aan de andere kant van de kamer stond. Toen ze terugkwam lag er een brevier op haar schoot. Haar gezicht vertrekkend tegen de rook, bladerde ze het boekje door tot ze haar bladwijzer gevonden had.

Het was een foto van Gray's Inn Chapel op een zomerse dag, met de toren waaronder Anselmus op Nicholas had gewacht. Op de achterkant stond een kort bericht:

> Dinsdag over een week treed ik toe tot de Balie. Dankzij u, en u alleen, ben ik gelukkig. Het meisje met de strikken zal de rest van haar leven booswichten op de hielen zitten.
> Veel liefs,
> Elizabeth

'Diezelfde dag belde ik Roddy,' zei zuster Dorothy, de kaart terugnemend. 'Ik hoopte dat hij zich mij door die sluier zou weten te herinneren.'

'En was dat zo?'

'O ja.'

Ze glimlachten allebei bij de herinnering aan Roderick Kemble QC die zich op slinkse wijze en met veel charme vertrouwd had gemaakt met Elizabeths ambities en geholpen had deze in vervulling te brengen.

Buiten was het volkomen donker geworden. Het voorbijsnellende verkeer op Coldharbour Lane klonk als het getij, gestaag maar daarbinnen met pieken en dalen. Toen George Riley beschuldigd had, dacht Anselmus, had Riley zich tot Elizabeth gewend. Het drietal had elkaar in de rechtszaal ontmoet. De symmetrie was weerzinwekkend. En ik stond erbij zonder het te zien.

Zuster Dorothy doofde haar sigaret en zei spijtig: 'Nu zal ik je vertellen over de jongen die ervoor zorgde dat ik onder de straatlantaarn ging staan.' (Anselmus had zich al afgevraagd hoe het met hem zat. Een sympathieke hotelier had hem voor één nacht onderdak gegeven.) 'Hij was genoemd naar zijn grootvader – een man die thuis vereerd werd.'

'Om het spraakgebruik van die tijd te gebruiken,' zei zuster Dorothy vermoeid, 'ontdekte de jongen dat zijn naamgenoot zich *vergrepen* had aan het kind van de buren. Dat was het woord dat hij gebruikte toen hij het vertelde aan zijn moeder, die hem niet geloofde... en aan zijn vader, die het niet kón geloven... en toen ging de jongen naar de politie. Het slachtoffer ontkende, dus de jongen werd verstoten. Op een morgen nam de grootvader de trein naar Scarborough, liep de zee in en liet zijn medailles op het strand achter.'

'Daarom verliet hij zijn ouderlijk huis,' prevelde de oude non, 'hij moest wel.' Ze was topzwaar van wroeging, en wilde niet dat Anselmus zou zien waar hij al stommelend terecht was gekomen (de plek waar de advocaat Anselmus zonder dat zij dat wist de graal had aangetroffen die het mogelijk had gemaakt dat hij de zaak tegen alle verwachtingen in tot een goed einde bracht). 'Hij wilde niemand vertellen wie hij was,' bekende ze met zachte stem. 'Het is helemaal het verhaal van Elizabeth. Begin opnieuw, zei ik tegen hem. Gebruik je andere naam. Ik heb me vaak afgevraagd wat er van de jonge George geworden is.'

# 19

Charles Glendinnings belangstelling voor Lepidoptera ging niet zo ver dat hij ze ving om achter glas tentoon te stellen. Ze hoorden ongrijpbaar te zijn. En aangezien ze zelden stilzaten, waren ook de gelegenheden om ze langer achter elkaar te bestuderen uiterst dun gezaaid, altijd onverwacht en daarom, om deze twee redenen, zo kostbaar. Het was dan ook misschien uit een soort respect dat Charles een paar antieke vlinderverzamelingen had gekocht: in lange, met groen laken beklede ondiepe dozen met een deksel van glas lagen de exemplaren in keurige rijen opgesteld, elk voorzien van een bruin koperen plaatje waarop de naam stond vermeld. De muren van Charles' werkkamer waren bedekt met zulke vlinderdozen, en zijn kamer werd dan ook sinds jaar en dag 'de vlinderkamer' genoemd.

Nadat hij de Volkswagen in het zijstraatje geparkeerd had, ging Nick in het donkere, stille huis op zoek naar zijn vader. Zijn longen voelden strak aan, alsof ze te klein waren voor het werk dat ze moesten doen. Met een bevende vinger duwde hij de deur van zijn vaders werkkamer open. Charles stond met zijn handen op zijn rug over een vitrinekast gebogen. Op zijn gezicht viel het kunstmatige schijnsel van de fosforescerende verlichting.

Nick sloot de deur met een klik. Hij wilde weer kind zijn, op iemands knie zitten en horen dat het allemaal maar een droom was geweest; hij wilde weer worden teruggeleid naar een wereld zonder demonen. De leren leunstoel voelde koud aan.

'Die zeelt was walgelijk,' zei Charles, zonder op te kijken. 'Maar de wijn was goddelijk.'

'Pap,' zei Nick. 'Ik heb zojuist Graham Riley ontmoet.'

Charles legde zijn handen op de zijkanten van de vitrine waar hij naar stond te kijken. Zijn knokkels werden wit. De onderzoekende blik bleef echter intact. Hij is zich aan het voorbereiden, dacht Nick, en hij wilde dat zijn vader sterker en groter zou zijn dan hetgeen hij op het punt stond te onthullen.

'En dat,' zei Charles zwakjes, 'was een uiterst domme zet van je.'

Ja, dat was het inderdaad, dacht Nick. Want nu weet ik iets wat ik niet wil weten. Het hoorde niet thuis in de tuin van hun gezamenlijke herinneringen. Elk jaar gingen ze naar hun cottage boven op een rots in Saint Martin's Haven, uitkijkend op de Jack Sound en het eiland Skomer. Als jongen was hij in zomernachten achter zijn vader aangelopen, om met een zaklantaarn de beschermers van het eiland te zien: een leger van padden. Ze zaten op de paden, vethalzig en lachend. Op een keer was zijn moeder meegegaan. Ze waren op zoek geweest naar de luie soldaatjes, maar plotseling stonden ze vol ontzag stil bij een heideveld dat verlicht werd door glimwormen.

'Hij zei dat mam geen haar beter was dan hij…' Nick hunkerde naar de onschuld van Skomer, de Barrier Reef, Kerstmis… alles. Hij wilde dat alles hersteld zou worden, en dat zijn vader iets tegen hem zou zeggen waardoor alles weer op zijn plaats viel.

Charles had zijn ogen gesloten. Hij leek op iemand die aan het bidden was, onzettend vurig maar tegelijkertijd ook *sterk*. Nick had altijd de sukkel in hem gezien – de meneer met de opgetrokken wenkbrauwen die je op vakanties meenam naar het plaatselijke museum – maar dit was iets nieuws. Het was een heel ander soort kracht en niet het soort kracht dat hij wilde of waar hij naar op zoek was.

'Heb ik je ooit verteld hoe ik je moeder ontmoet heb?' vroeg Charles argeloos.

'Natuurlijk,' zei Nick en hij wilde schreeuwen. Degene voor wie Charles toen werkte had Elizabeth in de arm genomen om een geldbedrag terug te vorderen dat onrechtmatig betaald was – dat wil zeggen: Charles had een betaling goedgekeurd ondanks het feit dat deze was herroepen. Elizabeth won de zaak op technische punten. Nog dezelfde dag belde Charles naar haar kantoor, stuurde haar bloemen… hij deed alles waar hij zichzelf nooit toe in staat had geacht. Zo groot was de metamorfose doordat hij zichzelf vergat ten overstaan van iemand die onvergetelijk bleek te zijn. Zo luidde althans het officiële verhaal.

'Nou zal ik je eens een andere versie vertellen,' zei Charles. Hij gebaarde met zijn hand naar zijn zoon – hij straalde warmte uit, zoals toen op dat heideveld op Skomer

Nick liep naar de vitrinekast en keek neer op de rij vlinders met hun etiketten. Plotseling rustte de arm van zijn vader zwaar op zijn schouder.

'Zie je die, daar rechtsboven?' Met zijn vrije hand wees Charles naar een vlinder met grote, donkerrode, paarsachtige vleugels die waren afgezet met een randje van romig goud. Afstandelijk maar intens zei hij: 'Deze dame staat bekend als de Witte Petticoat en de Grote Verrassing. Namen die de indruk wekken van een ondeugend meisje, schaamteloos ook... een verraderlijk type. Ze heeft veel namen en allemaal zeggen ze wel iets, maar nooit alles.' Hij keek even naar Nick, zoals hij in die duffe musea ook altijd deed. 'Ze is geen stadsmeisje. Ze houdt van het bos... van wilgen, berken en olmen.'

'Waar komt ze vandaan?' Nick hoorde zichzelf nauwelijks omdat hij ervan overtuigd was dat zijn vader stapelgek was geworden.

'Uit een ander land, ver weg... ze is een zeldzame dwaalgast.' Hij boog zich verder voorover, Nick met zich mee trekkend. 'Ze heeft nog een naam: Rouwmantel. Maar toen ze voor het eerst gezien werd in Cool Arbour Lane' – nu ging hij zachter praten, alsof hij een geheim ging vertellen – 'werd ze de Schoonheid van Camberwell genoemd.'

Charles hield zijn zoon stevig bij de schouder vast, maar had de hele tijd naar beneden gekeken, in de verlichte vitrine. Nick voelde een haast ijzeren greep. Er was geen ontsnappen aan.

'Je moeder was een Grote Verrassing,' zei Charles op vertrouwelijke toon. 'Ze bewoog zich behoedzaam, alsof ze al eens in een net verstrikt was geweest... en zich daar altijd van bewust bleef. Toen ik haar voor het eerst in de rechtszaal zag moest ik haar wel volgen. Het waren haar ogen, en de manier waarop ze haar armen bewoog. Dus ik bleef haar in de gaten houden. Niets kon me weerhouden, of het nou brandnetels of doornen waren: ik trotseerde alles zonder net, en met blote benen. Ik wilde haar niet vangen, hoopte alleen maar in haar buurt te kunnen zijn. Zo was het toen we trouwden. Ik moest op een afstand blijven, met schrammen, blaren en al.' Zijn greep verslapte, maar alleen een beetje. 'Maar toen ik er het minst op was voorbereid – vele jaren later – kwam ze naar me toe... Ik kon nauwelijks ademen; ik kon alleen maar verwonderd naar haar gebroken vleugels kijken, verbaasd dat ze nog steeds kon vliegen en dat ze zich verwaardigd had op mij neer te strijken.' Zijn blauwe ogen begonnen langs de etiketten te dwalen. 'Wat Riley je ook verteld heeft: mijn liefde voor jouw moeder is onaantastbaar.'

Zachtjes trok Charles Nick naar zich toe en legde zijn handen op de schouders van zijn zoon. 'De moeder die je gekend hebt is verdwenen, dat weet ik, en ik leef met je mee. Maar als je geduld hebt'

– hij was overstuur maar ook sterk, op een nieuwe manier – 'de etiketten, die kaartjes die benoemen wat we hebben gedaan, die omvatten nooit helemaal wie we zijn – ze zullen allemaal verbleken en hun eigen plaats innemen. En dan verschijnt er iemand die eindeloos veel mooier is.'

Charles struinde de kamer door naar de drankkast en schonk twee glazen whisky in. 'Zullen we daar maar eens op drinken?'


## 20


'Meestal,' zei George afwezig, 'woonden we zo met z'n tienen in dat kraakpand.'

Hij raapte een puzzelstukje op en hield het bij een kleine lamp. De wereldkaart was bijna compleet.

'Op straat doen berichten over plekken waar je kunt slapen snel de ronde,' zei George, 'en zo ontmoette ik Elizabeth. De eerste keer dat ik haar zag zat ze in elkaar gedoken bij een vuurtje in wat nog over was van de directeurskamer. Op haar schoot lag een rood koffertje met een gouden slot. We raakten bevriend hoewel ik haar verhaal nooit zou horen en zij het mijne ook niet. Riley was vriendelijk… hij stelde haar op haar gemak en hielp haar… *hield haar in de gaten*. In die periode leek hij niet anders dan de anderen, maar daar kwam op een gegeven moment verandering in.' George vouwde zijn handen op tafel. 'Ik weet niet of Riley er zelf mee begon of dat hij zich eenvoudigweg mee liet voeren in een neerwaartse spiraal, maar de gesprekken gingen niet meer alleen over de kou en de honger, maar over hoe je snel geld kon verdienen. Hoe dan ook: Riley werd een leider… een koortsige en in zekere zin *ambitieuze* leider… en dat was het moment waarop ik wegging. Om redenen die ik nooit zal begrijpen, weigerde Elizabeth met me mee te gaan.'

Anselmus zat roerloos met zijn armen over elkaar aan tafel. Het was donker in de kamer, afgezien van de cirkel van licht tussen hen in.

'Nadat zuster Dorothy me voor één nacht aan onderdak had geholpen,' vervolgde George, 'ging ik terug naar Paddington. Ik zal nooit vergeten wat ik toen zag. Daar stond ze, onder een straatlantaarn, doodstil. Verderop, iets naar links, was het kraakpand. Aan de rechterkant was een muur die parallel liep met de spoorlijn. Er lagen glasscherven op. Tegen de lucht tekende zich een voetbrug af die uit het station kwam. De straat was verlaten. Toen zag ik iets bewegen op de voetbrug... twee mensen... de een groter dan de ander. Midden op de brug stonden ze stil en toen wist ik dat Riley een blik in de richting van zuster Dorothy wierp. Zelfs toen was hij al mager en een beetje krom, en had hij een vreemd soort hoekigheid. Hij had iemand bij zich van wie hij de hand vasthield. Ze liepen de trap af naar de straat. Weer bleef hij staan en keek naar zuster Dorothy... Riley hield iemand bij de hand en droeg een tas. Langzaam stapte hij zijwaarts het kraakpand in, een weggelopen kind aan de arm naar binnen trekkend.'

George ging weer verder met de puzzel, stukjes naar beneden drukkend die niet helemaal pasten. Hij concentreerde zich niet, sommige stukjes raakten weer los en dan liet hij ze liggen. Op een wezenloze toon zei hij: 'Het was... vreselijk... weet je, Riley ging naar het station *omdat* zuster Dorothy daar in die straat was gekomen. Alsof hij haar plaats op het perron had ingenomen en hij haar nu, terugkerend naar het kraakpand, liet zien wat het gevolg was van haar keuze.' George ontmoette de bekommerde blik van Anselmus en zei: 'Die nacht zwoer ik dat als ik ooit de kans zou krijgen om Riley te ontmaskeren, om hem ten val te brengen, ik die met beide handen zou aangrijpen.'

Het werd donker in de kamer, waardoor het lamplicht steeds scheller werd. De muren leken te zijn verdwenen. Er was alleen nog de tafel, de puzzel en een oude man met behoedzame vingers. Anselmus leunde naar achteren, waardoor hij bijna in de schaduw opging, en luisterde naar de lotgevallen van een jongen die ooit een plechtige belofte had gedaan.

George kreeg een baantje bij het Bonnington en daar leerde hij Emily kennen. Ze spaarden penny's in grote flessen en 'onthielden zich' tot ze een paar kamers in een pension konden huren. Emily ging naar de avondschool, deed een typecursus en kreeg een baan bij de National Coal Board. George kon de stille straat in Paddington niet vergeten en zodra hij de kans kreeg ging hij bij Bridges werken, de nachtopvang voor daklozen. Eerst als hulpje, uiteindelijk kreeg hij de leiding. Het maakte een puinhoop van zijn huwelijksleven, want het betekende dat hij vier avonden per week weg was en verder altijd oproepbaar, aangezien niemand het systeem zo goed scheen te kennen als George; niemand kon zo goed omgaan met crisissituaties. Zoals Emily echter heel goed begreep, gold dit voor George niet als 'werk'. De nachtopvang was zijn manier om weer in contact te komen met zijn oorsprong. Het klopte dan ook, aldus George, dat hij het was bij wie die drie kinderen – Anji, Lisa en Beverly – zich de naam Riley lieten ontvallen. 'Maar ik heb die meisjes over de rand laten glippen,' zei hij.

Anselmus staarde naar de illustraties op de kaart. In de uiterste hoeken bevonden zich aan de fantasie ontsproten monsterlijke wezens terwijl gloedvolle apostelen stonden afgebeeld op de landen waar ze de Blijde Boodschap hadden verkondigd. Het was moeilijk te begrijpen hoe men bij het navigeren ooit iets aan zo'n kaart kon hebben gehad. In gedachten was hij inmiddels in gerechtelijke sferen aangeland: hij wist dat het relaas van George onafwendbaar op zijn kruisverhoor afstevende.

'Nadat ik Paddington verlaten had, verloor ik Elizabeth uit het oog,' zei George. 'Tot die dag in de Old Bailey. We hadden te horen gekregen dat we ons tot de jury moesten richten als we antwoord gaven, dus ik had haar eerst helemaal niet opgemerkt… het was ook meer dan twintig jaar geleden, dus een vluchtige blik zei me niets. Pas toen jij met je vragen begon, veranderde de vluchtige blik in staren. En toen drong het tot me door dat Riley Elizabeth had uitgekozen om mij de mond te snoeren.' Hij ademde zwaar door zijn neus en leunde naar achteren, in het schemerige domein dat zich buiten het lamplicht bevond. Door de emotie ging hij harder praten en zijn handen bewogen mee met zijn woorden. 'Terwijl jij je vragen stelde, probeerde ik te begrijpen wat er gebeurde. Ik wist zeker dat de confrontatie een dreigement inhield… Als ik voet bij stuk hield en me aan mijn getuigenis zou houden, zou Riley Elizabeth ontmaskeren. Ze staarde me smekend aan, maar wat probeerde ze me te vertellen? Dat ik een oude vriendin, die een nieuw leven had opgebouwd, moest sparen? Of bedoelde ze juist dat ik mijn verhaal moest vertellen zodat Riley veroordeeld zou worden... dat ik hem voor haar ogen ten val moest brengen?'

Anselmus wist wat het antwoord hierop was omdat Elizabeth het hem de avond tevoren gezegd had. 'Denk je dat Riley onschuldig is?' had ze gevraagd, nadat ze haar voeten op de tafel had gelegd. En toen hij nee had gezegd, vroeg ze of hij Bradshaw de volgende morgen het kruisverhoor wilde afnemen. 'Dit is je kans om iets te doen dat verschil maakt.' Uiterlijk had Elizabeth een lichtelijk verveelde indruk gemaakt. Inwendig had ze echter de schreeuwende angst gehad dat George zou falen, en ze had er geen seconde aan gedacht dat Anselmus succesvol zou kunnen zijn. Hij staarde naar de mooie, merkwaardige kaart met zijn foute verhoudingen en zei: 'En voordat je begrepen had of ze op genade of juist op een offer uit was – het zou immers een openbare vernedering voor haar worden – stelde ik je de enige vraag die je niet kon beantwoorden.'

George antwoordde niet.

'Want als je de rechtbank over David zou vertellen,' zei Anselmus, 'dan zou je daarmee de geloofwaardigheid van je eigen getuigenverklaring ondermijnen.'

George zei nog steeds niets.

'En dan zou uitgerekend Elizabeth degene zijn wier taak het was erop te wijzen dat George Bradshaw niet te vertrouwen was omdat hij al eerder een valse getuigenis had afgelegd.' Anselmus zweeg een moment. 'Wat moet dat een verschrikkelijk moment zijn geweest, George, toen ik je uit de getuigenbank verdreef. Het spijt me nog veel meer dan ik zeggen kan, temeer daar ik met de eer ging strijken zonder te weten wat ik gedaan had.'

Bij de deur klonken voetstappen en zachte stemmen.

Niemand is meer vertrouwd met forensische teleurstellingen dan een politiefunctionaris. Soms weet ze dat iemand een misdrijf heeft begaan maar ontloopt hij toch zijn gerechte straf, ofwel omdat een getuige zich niet wil uitspreken (wat niet voor Anji gold), ofwel omdat de verzamelde gegevens voor een jury niet overtuigend genoeg zijn om hem schuldig te bevinden (zoals in het geval van John Bradshaw). Het is vreemd, maar er bestaat geen grotere teleurstelling dan wanneer iemand laakbaar gedrag tentoonspreidt dat net niet tot een strafbaar feit leidt.

Deze sombere gedachten daalden op Anselmus neer toen hij inspecteur Cartwright begroette en constateerde dat ze niet lachte, George niet aankeek en haar jas aanhield ondanks de buitensporige doelmatigheid van de institutionele verwarmingsinstallatie. Deze drie aspecten vormden een onrustbarende driehoek. Het bovenlicht was aangedaan, maar het peertje verspreidde slechts een flauw schijnsel, alsof het huiverig was voor wat er misschien onthuld zou worden.

'Er is een simpel juridisch probleem,' zei inspecteur Cartwright, met de deur in huis vallend. 'Wat Riley doet valt niet onder enige vorm van strafbaar handelen. Hij gebruikt eigenlijk alleen maar het telefoonboek, en verkoopt nummers, meer niet. En het deel dat hij doet, is neutraal. Als hij iets met die meisjes overeen was gekomen, zouden we hem misschien wel iets kunnen maken. Maar dat is niet het geval.'

Met de rug van zijn hand veegde George onzichtbaar stof van zijn mouw. Weer liet Anselmus zijn blik rusten op het motto van de schooljongen: dat de wet door liefde vervuld zou worden.

'Zelfs als we hem aan konden klagen,' vervolgde inspecteur Cartwright, 'zouden we niet sterk staan, en dat zou er toch toe leiden dat we redelijkerwijs niet tot vervolging zouden overgaan.' Ze ging langzamer praten, haatte haar rol, haar verplichtingen. 'George, dit betekent dat Riley buiten mijn bereik is, en ook buiten het jouwe. Het spijt me dit te moeten zeggen maar het lijkt erop dat het altijd zo geweest is, al voor jij en Elizabeth plannen smeedden om hem ten val te brengen.'

Het trof Anselmus dat deze laatste opmerking behoorde tot de categorie van dingen die niet gezegd hoefden te worden, ook al waren ze waar.

'Zou u dat alstublieft voor mij willen opschrijven?' vroeg George dankbaar, alsof hij een ingewikkelde routebeschrijving had gekregen. 'Zodat ik mezelf er de komende dagen aan kan herinneren.'

Met een frons van de inspanning klopte hij op de zakken van zijn blazer, zich afvragend waar hij zijn notitieboekje gelaten had.

Anselmus had wel verwacht dat het zo laat zou worden dat ze die avond niet meer naar Larkwood terug zouden kunnen gaan. Toen inspecteur Cartwright vertrokken was, bleef George over de tafel gebogen zitten en werd Anselmus naar een smalle voorraadkamer gebracht, waar een veldbedje stond dat meteen in elkaar klapte toen hij er op ging zitten. Tot zijn verbazing – en de volgende ochtend schaamde hij zich er een beetje voor – kostte het hem geen moeite om in slaap te komen. Hij begon met de completen, maar kwam niet verder dan het eerste couplet van de eerste psalm. Toen de dag aanbrak, klopte hij op Georges slaapkamerdeur, vervuld van de bezorgdheid en spijt waarvan hij verwacht had dat ze hem wakker zouden hebben gehouden. De deur stond op een kier en ging bij zijn aanraking iets verder open. Toen hij binnenkwam trof Anselmus een onbeslapen bed aan en een afgemaakte puzzel.

David George Bradshaw was vertrokken.

# DEEL VIJF

## Over beginnen en eindigen

I

Anselmus had zich bij pater Andrew gevoegd in de kloostergang. Ze zaten op een muurtje onder een van de bogen en keken uit op de binnenplaats. Op aandringen van een weldoener van de Marylebone Cricket Club bestond het grasveld van de binnenplaats oorspronkelijk uit zoden afkomstig van het cricketveld van Lord's – 'Pater, er komt een goed buitenveld op het zand, waar het water snel door wordt afgevoerd' – maar omdat afspraken over het onderhoud door de monniken op grote schaal genegeerd werden, was dit stukje van de Engelse ziel overwoekerd geraakt door mos. Het binnenplein was verworden tot een smaragdgroene spons die al het water in zich opnam, en vasthield.

Ze waren het erover eens dat de zaak Riley jammerlijk was verlopen. Hun betrokkenheid had de bittere nasmaak van gedeeld falen achtergelaten: alsof ze iets hadden kunnen doen wat tot een andere afloop zou hebben geleid, en niet tot de verwoesting van de hoop van een overleden vrouw. Ze had geprobeerd het aanzien en de uitwerking van het verleden te veranderen. Dat al haar inspanningen stuk zouden lopen op een dwaling in het recht was betreurenswaardig. En dat de juiste juridische analyse uitgerekend van haar moest komen was een tragedie.

Wat er aan het licht was gekomen over Elizabeths achtergrond had Anselmus moeten verbazen, maar dat deed het niet (zei hij, zijn blik op het knisperende, bevroren gazon gericht). Hij kon haar manier van leven nu plaatsen: een leven in compartimenten, de geestdrift die ze in haar werk aan de dag legde, haar inventiviteit. Terugkijkend zag Anselmus haar ijverig bezig met haar geschiedenis, zoals toen zij die haar eigen vader verloren was, hem het verhaal over het verlies van zijn moeder ontfutseld had. Ze hadden het gebeuren zelf en de betekenis ervan uitvoerig besproken, maar de lessen die ze eruit had getrokken had ze elders toegepast. Zonder dat hij zich daarvan bewust was geweest waren ze vanaf het begin verbonden geweest door het verdriet dat ze allebei als kind hadden ervaren. Misschien had ze zich daarom wel instinctief tot hem gewend toen ze de naam Riley op het voorblad van het instructiedocument voor de rechtszaak had zien staan, en de naam David George Bradshaw op de lijst van getuigen. Ze moest hebben ingezien wat Riley van plan was geweest, en dat hij een grote kans van slagen had, omdat hij ervan uitging dat ze haar zo zorgvuldig geconstrueerde identiteit niet zou willen opofferen. Professioneel gezien had Elizabeth in dat ene proces zelfmoord gepleegd zonder dat het publiek of haar collega's daar iets van gemerkt hadden. Ze had zich uit de zaak terug moeten trekken; ze had waarschijnlijk nog verder moeten gaan en moeten onthullen wat ze wist over haar cliënt, 'dit gehavende instrument'. Ze had veel dingen moeten doen, maar niets woog op tegen de noodzaak tot zelfbehoud. Of was het zo – om eerlijk te zijn – dat er wederom sprake was van een moord die Riley niet in de schoenen kon worden geschoven? Anselmus was vanaf het begin met Elizabeth verbonden geweest door een soort rouwproces dat hij niet helemaal begreep. De woorden die ze op een antwoordapparaat had ingesproken toen ze stierf – 'Laat het aan Anselmus over' – kwamen nu belachelijk over.

'Wat werd er nou eigenlijk van mij verwacht?' vroeg Anselmus, diep ademhalend, 'dat ik de scherven op een hoopje zou vegen? Dat ik George zou uitleggen dat er grenzen zijn aan het recht – alsof hij dat niet allang wist?'

'Nee,' zei de prior geduldig. 'Haar boodschap had te maken met een project waarvan ze wist dat het mislukt was, want anders had ze de politie niet gebeld. Het waren woorden van hoop. Ze wilde er bij inspecteur Cartwright op aandringen ondanks alles vertrouwen te blijven houden.'

'Blijft de vraag,' zei Anselmus, met gespeelde ergernis, 'wat er van mij verwacht wordt.'

'Soms helpt het om de vraag in een andere tijd te plaatsen,' zei de prior, zijn bril recht zettend. 'Wat wás het dat van je verwacht wérd.'

'George op te sporen,' antwoordde Anselmus slim, want daar was hij tenminste in geslaagd, voor hij hem weer ontglipt was. (Voor hij naar huis ging was hij nog op Trespass Place gaan kijken, had berichten achtergelaten in alle Londense opvangcentra voor daklozen en een brief geschreven aan de weledele heer F. Hillsden.)

'Wat nog meer?' vroeg de prior geroutineerd. Hij leek zijn aandacht te verplaatsen naar belendende overwegingen.

'Mevrouw Dixon bezoeken.'

Anselmus peinsde over deze twee opdrachten terwijl de prior aan de paperclip van zijn bril zat te frunniken. Langzaam, als water dat plotseling weg kan stromen, begon Anselmus te begrijpen wat Elizabeths laatste wens was geweest. De vragen van de prior hadden George en mevrouw Dixon op een lijn gezet. Daardoor kwam het verband tussen de twee ineens sterk naar voren.

Mevrouw Dixon, met haar langgerekte klinkers, kwam uit het noorden van Engeland. Ze was haar zoon verloren. Ze was hertrouwd. Ze was nadrukkelijk buiten Elizabeths vergeldingsproject gehouden.

George kwam uit een goede familie uit het noorden en had een waarheid achter zich willen laten die zich echter niet uit liet vlakken. Maar de vader van George zou inmiddels wel overleden kunnen zijn, waarmee de moeder bevrijd was van de last die loyaliteit met zich meebracht. Misschien had ze wel een nieuw leven opgebouwd met een andere man. Mevrouw Dixon zou die vrouw kunnen zijn... ze *moest* die vrouw wel zijn.

Laat het aan Anselmus over, dacht hij opgewonden, dankbaar.

Wat lag meer voor de hand dan dat Anselmus degene zou zijn die George terug zou brengen naar dat eerste begin, het was immers zíjn vraag geweest die zo diep in de geschiedenis van de Bradshaws had ingegrepen. Elizabeth had ervoor gezorgd dat Anselmus zijn eigen schuldgevoel kon inlossen.

Laat het aan Anselmus over.

Maar waarom moest inspecteur Cartwright dit weten? Omdat Elizabeth voorzag dat het deze onvermoeibare politievrouw hard zou treffen – omdat ze een dienares van de wet was die wederom een eerbare man moest teleurstellen.

Laat het aan Anselmus over.

'Is het goed als ik naar mevrouw Dixon toe ga?' vroeg Anselmus, zich vol enthousiasme tot de prior wendend.

'Ja.' De prior concentreerde zich nu op de binnenplaats, alsof de weldoener een schriftelijk rapport met bijlagen geëist had. 'Wat waren Elizabeths instructies?' vroeg hij, terwijl hij opstond.

'Onaangekondigd bij haar langs te gaan en vooral goed te luisteren.'

'Uitstekend advies,' antwoordde de prior. Hij glimlachte goedmoedig en schuifelde met zijn handen op zijn rug weg door de kloostergang.

Anselmus ging naar het kantoortje van de penningmeester om te kijken of er post voor hem was gekomen. Hij verwachtte er ook wat verse tabak aan te zullen treffen, waar broeder Louis, die naar het dorp was geweest, stiekem de hand op had weten te leggen. Onderweg moest Anselmus aan Nicholas Glendinning denken. Hij hoefde niet te weten wat zuster Dorothy had onthuld. Het was allemaal zo lang geleden gebeurd, en Elizabeth was sindsdien heel iemand anders geworden. De waarheid hoefde niet aan het licht te komen, dacht hij ongemakkelijk.

Peinzend over dit dilemma stak Anselmus zijn hand in zijn postvakje. Er zaten twee enveloppen in. Eentje met plakband eromheen, die van Louis afkomstig was en een brief met een poststempel uit Londen, waarvan hij het handschrift niet herkende. Hij vouwde de brief open en las:

*Beste pater Anselmus,*
*Wilt u George alstublieft zo snel mogelijk naar huis brengen?*
*Met vriendelijke groeten,*
*Emily Bradshaw*

Hij vouwde het papier op en prevelde een gebed waarbij hij God verschillende mogelijkheden voorlegde, alsof het een meerkeuzetoets was: hij bad dat George de weg terug naar Mitcham zou vinden, of dat iemand het adres van Larkwood in zijn notitieboekje zou vinden, of dat meneer Hillsden nog een keer geluk zou hebben. Hoe dan ook, Anselmus voelde zich ongemakkelijk hoewel er eigenlijk reden was om uitgelaten te zijn. Het was het beeld van de prior die, starend naar de binnenplaats, zijn meanderende gedachten had gevolgd.

## 2

Nancy had een dag om de winkel op te ruimen, want Prosser zou tegen sluitingstijd komen om met Riley te onderhandelen. Deze kamer met al haar puzzelboeken zou worden verkocht. Het geluid van auto's die over de bult bij de brug kletterden, de aanblik van de stenen bij de spoordijk, het rinkelende belletje boven de deur: dit alles zou tot het verleden gaan behoren. Riley was bij de makelaar om de verkoop van de bungalow te regelen. Aan de wereld zoals zij die gekend had kwam een einde. Ze gingen naar de kust.

Gedurende een groot deel van haar leven had Nancy van Brighton gedroomd. Het woord bezat al een zekere glans. Het was de plaats waar haar vroegste herinneringen zich afspeelden: aan haar vader en moeder, aan fish-and-chips in krantenpapier, aan waarschuwingen voor oom Berties rare gewoontes. En nu was het alsof de pier was losgebroken en wegdreef naar open zee, en haar herinneringen erachteraan gingen als een troep steeds kleiner wordende meeuwen. Met een gevoel van verslagenheid bedekte ze haar gezicht: er was zoveel niet opgelost, niet gebeurd, ongezegd gebleven.

De bel ging, en ze draaide zich om.

'Ik kom afscheid van je nemen, Nancy.'

Meneer Bradshaws overjas was kreukelig en stijf van de vorst. Zijn baard was voller geworden sinds die laatste keer op het politiebureau. De lasbril was verdwenen en zijn ogen waren bleek en weerloos.

'Niet meteen, alsjeblieft,' zei ze smekend. 'Warm je eerst even, voor de laatste keer.'

Meneer Bradshaw ging in een kleine breistoel zitten en Nancy stak de gashaard aan. Terwijl de lucht zwaar werd van de hitte en het water langs de ramen stroomde, begon George iets te zeggen wat hij niet voorbereid kon hebben (Nancy wist namelijk heel goed dat dat zo bij hem werkte).

'Toen ik hier voor het eerst kwam,' zei hij, in zijn handen wrijvend, 'was het niet mijn bedoeling je te bedriegen. Ik deed alleen alsof ik iemand anders was, maar wat ik je verteld heb was niets dan de waarheid over mezelf. Er staan geen leugens tussen ons in.'

'Dank je.'

Meneer Bradshaw schoof zijn laarzen naar de kachel, en de punten begonnen stoom af te geven. Zo zal ik me jou altijd blijven herinneren, dacht Nancy: stoom afgevend alsof je aan de lijn bent gehangen om te drogen.

'Een oude man gaf me ooit deze gouden regel,' vervolgde meneer Bradshaw. '"Wees niet lauwhartig, vriend. Alleen dan zul je genade vinden of beloond worden." Daarom ben ik gekomen, Nancy. Ik ben de rechtszaal uitgelopen, en dit was mijn laatste kans om terug te gaan, iets goed te maken. Ik heb misschien gefaald, maar er is iets gebeurd wat ik niet voor mogelijk had gehouden en wat mijn falen in een ander licht heeft geplaatst, en dat is dat ik jouw vriend ben geworden.'

'Dank je,' herhaalde Nancy met warmte. De emotie stond haar niet toe veel meer te zeggen dan dat. Ze keek terug op haar leven, op alle lichtjes die ze had aangestoken en de kaarsstompjes die waren opgebrand. Het deed haar denken aan die grote, gelaagde kandelaars in de kerk. Was dit echt de Gouden Regel? Dat je steeds maar weer een nieuwe kaars aan moest steken, ook al brandde het kaarsvet altijd op? Dat je moest blijven hopen, wat er ook gebeurde? Ze riep zichzelf tot de orde omdat ze een bekentenis wilde doen.

'Je hebt hier een plastic tas vol notitieboekjes laten staan,' verklaarde

Nancy. 'Ik vrees dat ik er een paar gelezen heb.' Om te laten zien dat ze haar misstap had goedgemaakt, voegde ze er snel aan toe: 'Ik heb ook de vrijheid genomen ze terug te brengen naar je vrouw.'

Aanvankelijk antwoordde meneer Bradshaw niet – hij knikte bij de eerste mededeling en schudde zijn hoofd bij de tweede, waardoor Nancy het idee had dat ze quitte stonden, want het ene werd opgeheven door het andere, zoals in het grootboek bij Lawton's – maar toen zei hij: 'Ik hoop dat Emily ze leest.'

Toen gaf hij een klap met zijn handen op zijn knieën, en stond op. 'Nou, ik moest maar weer eens gaan.'

'Waar naartoe?'

'Ik weet het niet.'

'Ben je wel eens in Brighton geweest?' zei ze ineens.

'Nee,' zei meneer Bradshaw terwijl hij zijn knopen controleerde, 'maar ik heb wel van de pier gehoord.'

'Er zijn er twee,' stamelde Nancy. 'De westelijke pier, die de zee in steekt, en de Palace Pier.' Ze wilde dit met hem delen nu het nog goed was, voor het allemaal zou veranderen. Ze ging tekeer als een gids van een toeristenbureau en vertelde meneer Bradshaw wat ze hem al zo vaak verteld had. Hij luisterde altijd alsof hij het voor het eerst hoorde, alsof het nieuw was. 'Ik ging er elke zomer heen, met mijn vader en moeder en oom Bertie. Na mijn huwelijk ben ik er niet meer geweest. Er waren allerlei... goochelaars, jongleurs... er was een achtbaan... een klokkentoren... en helemaal aan het eind een lunapark met een spooktrein. We slenterden rond met zuurstokken en verspilden ons geld in de fruitmachines. Maar ik hield het meest van de zee die dan grijs en dan weer blauw was, altijd zo uitgestrekt, zo eenzaam. Later hoorde ik dat alles in verval was geraakt... net als ikzelf.' Ze glimlachte terwijl ze naar haar benen keek, naar de geprononceerde aderen die door haar kousen heen te zien waren. 'Maar ze hebben het helemaal gerenoveerd. Tegenwoordig zijn de ligstoelen gratis.'

'Grandioos,' fluisterde meneer Bradshaw, terwijl hij weer ging zitten.

Stoutmoedig maar vastbesloten vroeg Nancy: 'Wat dacht je van een vakantie aan zee?'

Meneer Bradshaws instemming was heel wat nadrukkelijker dan zijn verbazing over haar voortvarendheid. Nancy maakte een briefje met aanwijzingen over hoe hij via de Limehouse Cut de ontmoetingsplaats kon bereiken. Ze noteerde het tijdstip waarop hij er moest zijn en gaf hem haar horloge. De hele tijd knikte hij met zijn hoofd, alsof het beheersen van al dat soort details slechts kinderspel was. Nadat meneer Bradshaw was vertrokken, dacht Nancy vertederd: het fijne van mensen die hun geheugen kwijt zijn is dat ze er zo aan gewend zijn antwoorden te vergeten dat ze niet meer zo veel vragen stellen. En dat hielp, want daardoor had meneer Bradshaw niet gevraagd wat Riley van haar uitnodiging zou vinden; of wat Nancy van plan was te doen met de opties die nu voor haar open stonden; of hoe ook zij de weg naar genade of beloning zou kunnen gaan. Het zou Nancy heel veel tijd hebben gekost om dat allemaal uit te leggen.

# 3

Misschien had Nicks vader hem een hint gegeven in de trant van: 'Hij heeft het heengaan van zijn moeder nog niet verwerkt en een uitje zal hem goed doen... het zal zijn zinnen verzetten.' Of misschien was het alleen maar de gulheid van zijn hart geweest die de dikke directeur van British Telecom – die Nick na de begrafenis sherry had zien drinken – ertoe gebracht had Nick uit te nodigen voor een uitstapje naar de hoogste mast van British Telecom, om een uitzicht te bewonderen dat maar weinigen te zien kregen. De directeur heette Reginald Smyth.

'Honderdnegenentachtig meter,' zei hij vol eerbied toen ze de vierendertigste verdieping bereikt hadden. 'Zwaait twintig centimeter uit als het stormt.'

Reginald was een onhandige, gezette man met actieve ogen en een meelevende manier van doen. Hij was vrijwel al zijn haar kwijt, alleen boven zijn oren zaten nog enkele witte krulletjes. Met zijn handen over elkaar somde hij feit na feit op, alsof hij daarmee gekwetste zielen kon helen. 'Zoals je ziet zijn er geen muren, alleen maar ramen en de vloer draait natuurlijk rond. Het duurt tweeëntwintig minuten om de cirkel rond te maken.'

De details over tonnage, nylon banden en snelheid gingen aan Nick voorbij. Hij werd al in beslag genomen door de majestueuze, uitgestrekte stad aan zijn voeten. Gezeten op een stoel herkende hij St. John's Wood dat zich wazig aftekende onder een sneeuwlucht, en toen kwam de vloer met een alarmerende schok in beweging.

Vanaf deze grote hoogte bezag Nick het recente verleden met een afstandelijke blik, alsof hij los was van de gebeurtenissen en hun betekenis. Het werkte kalmerend, het was weldadig. Hij luisterde en keek terwijl de wereld leek te draaien. Reginald, die goed aanvoelde wanneer hij zich op de achtergrond moest houden, bleef eerbiedig op afstand.

'We hadden er een heel langdurig meningsverschil over,' bekende Charles terwijl hij ijsblokjes toevoegde aan zijn volgende glas whisky. Nadat ze bij dokter Okoye was geweest wilde Elizabeth Nick over Riley vertellen, en over zijn rol in haar leven.

'Ik was niet op de hoogte van haar hartkwaal,' zei Charles, terwijl hij Nick een glas aanreikte. 'Je moeder zei alleen maar dat het tijd voor haar werd om terug te treden, dat de spanningen van haar werk hun tol begonnen te eisen, en dat het een beetje te veel werd voor haar hart.'

Het echtpaar speelde met het idee alles te verkopen en naar Saint Martin's Haven te verkassen. Onder aanvoering van Elizabeth bespraken ze alle dingen waar ze het over eens waren, tot Charles plotseling besefte dat ze bezig was hem te verleiden. Hij had met zijn vingers geknipt en 'Nee' gezegd. Hij was ertegen het verleden te openbaren, niet uit schaamte maar uit angst: voor Nick.

'Je hoefde dat allemaal niet te weten' – hij trok zijn schouders op en kneep zijn ogen samen – 'Het had je geshockeerd. Je was altijd beschermd geweest. En wat deed het er trouwens toe? Ze had het achter zich gelaten, en hoe!'

Dat idee van *bescherming* irriteerde Nick. Het was vernederend. Er sprak een soort medelijden uit dat hem kleineerde – het maakte ook de liefde kleiner: want omdat hij niet alles had geweten, had zijn liefde ook niet het hele spectrum kunnen bestrijken. Hij had alleen gedeeltelijk liefgehad. Zijn vader zag niet in dat Nicks hart groter was dan zijn behoeften of verwachtingen; dat de vrouw van zijn dromen Sonia was, de prostituee uit *Schuld en Boete*. Maar dat had hij nooit hardop gezegd.

Plotseling knarste het roterende plateau op zijn rails en Nick voelde een steek van angst door zich heengaan. Hij zette zijn ogen weer aan het werk en zag de Inns of Court, het Isle of Dogs, waar grote torenflats in aanbouw door de mist boven Canary Wharf heen staken. Schoksgewijs bewoog Nicks aandacht zich oostwaarts, naar plaatsen die hij kende maar die onzichtbaar bleven, naar Hornchurch Marshes en de Four Lodges. Hij moest aan de koude wind denken, aan het kleine geschoren hoofd, het dralende licht van de zaklantaarn; weer hoorde hij het verontrustende medelijden in die stem.

Nicks ouders hadden hun meningsverschil nooit echt opgelost, hoewel Charles de eerste ronde op punten won. Terwijl Elizabeth er bij Nick op aandrong op zoek te gaan naar een dokterspraktijk op Primrose Hill, drukte Charles het plan erdoor dat Nick in Australië betaald ging lanterfanten. (Hij wilde zijn zoon niet in de buurt hebben als Elizabeth achter Riley aan zou gaan. Als haar inspanningen nergens toe zouden leiden, bleef Nick *buiten schot*. En mocht er een arrestatie komen, dan zouden ze de zaak wellicht opnieuw in overweging kunnen nemen.)

Ook het 'buiten schot' irriteerde Nick, want het was het tweelingbroertje van 'bescherming'.

De tweede ronde begon toen Elizabeth brieven ging schrijven, lokkende epistels vol affectie en melancholie, en Charles (die haar strategie doorhad) hier de lokroep van de wijde verten en wonderbaarlijke oorden tegenover stelde. Dit laatste was een listige zet, omdat hij teruggreep op wat vader en zoon verbond: fantasieën over expedities vol onbekende gevaren.

'Uiteindelijk bleek ze me een paar zetten voor te zijn,' zei Charles vertederd, terwijl hij whisky uit een karaf schonk en morste. Hij was vermoeid, zijn mouwen waren opgestroopt en zijn geruite das zat scheef. Een slip van zijn overhemd hing naar buiten waardoor hij aan een ober deed denken. 'Ik wist niets van de sleutel en ook niet dat pater Anselmus zonder dat hij dat wist na haar dood haar werk moest afmaken.' Hij zweeg een moment, alsof hij zich schaamde voor de klacht die in zijn stem had doorgeklonken, de zweem van rancune. 'In jouw belang had ik gehoopt dat de hele toestand aan je voorbij zou gaan; misschien kan dat toch nog.'

'In jouw belang,' herhaalde Nick. 'Misschien kan dat nog?'

'Laten we doen alsof alles weer bij het oude is,' zei Charles, en plotseling was er iets smekends in zijn toon. 'Laten we... laten we naar Skomer gaan.'

Nick lachte, niet zozeer om wat Charles had gezegd, als wel om hoe hij eruitzag: zijn rode hoofd, zijn morsige kleren en het vervaarlijk dalende peil van de whisky in zijn glas. Charles vatte Nicks lach als instemming op en lachte uitbundig met hem mee.

Londen bleef maar draaien en Nick bleef kijken, hoog boven de plaatsen waar alles gebeurd was, blij dat het voorbij was, dankbaar misschien – als hij heel eerlijk was – dat hij een beschermende vader had. Toen de tweeëntwintig minuten om waren kwam de vloer tot stilstand en keek Nick weer uit op St. John's Wood.

'De lift doet zes meter per seconde,' zei meneer Smyth, inmiddels wat meer ontspannen, met zijn handen in de zakken van zijn pak. Nick vermoedde dat hij het soort manager was dat zich graag onder het werkvolk begaf om met de jongens mee te praten over problemen bij het installeren van kabels.

Terwijl het smalle hokje in rap tempo naar de begane grond afdaalde negeerde Nick nog wat statistische gegevens en verwonderde zich over zijn vaders vastberadenheid, zijn weigering om tot een compromis te komen met zijn vrouw die hem altijd de baas was geweest als het om praktische dingen ging. Deze keer had Charles het voortouw genomen en zijn voorwaarden gesteld, en daarmee had hij haar overtroefd. Het was de drieste doortastendheid die de bank van hem gewild had, maar niet had gekregen.

'Wie is mevrouw Dixon?' had Nick nog gewaagd te vragen, voor hij naar bed ging.

'Ik heb geen flauw idee.' Charles had zijn mouwen naar beneden gerold, zijn das rechtgetrokken en veegde de gemorste whisky op met de slip van zijn overhemd. Nick keek hem ingespannen aan... maar hij kwam er niet uit: was het de waarheid of was hij hem weer aan het beschermen?

De liftdeuren gingen open en Nick overlaadde meneer Smyth met dankbetuigingen. Het was, antwoordde deze, wel het mínste wat hij kon doen en, voegde hij eraan toe alsof het de eerste keer misschien niet helemaal goed was doorgekomen: 'Ik moet zeggen: je moeder was een uiterst bijzóndere vrouw.'

# 4

'Je bent hard, Riley,' zei Prosser. Hij trok aan zijn sigaar en gaf een duwtje tegen de klep van zijn stoffen pet.

'Maar wel eerlijk.'

'Dan houden we het op vijfentwintig ruggen.'

Het was niet helemaal juist, dat bedrag, maar het ondersteunde de voorgewende eerlijkheid. Prosser zou dat aardige bedrag de volgende morgen naar Rileys bankrekening overmaken. Nog eens vijfduizend betaalde hij nu, ter plekke, contant. Deze uitwisseling werd niet in de overdrachtsakte vermeld, en bleef buiten het bereik van de belastingdienst.

Prosser droeg een versleten leren buidel bij zich van Spaanse origine. Nadat hij hem uit de binnenzak van zijn zware overjas tevoorschijn had gehaald, deed hij hem langzaam open en liet zijn handen zakken om te laten zien hoeveel hij had meegenomen. Vervolgens likte hij aan zijn vingers en telde de biljetten uit, waarbij het pijnlijk duidelijk werd dat het bedrag veel lager was dan hij had verwacht – en dat hij nog harder was dan Riley.

'Wyecliffe zal het verder afhandelen,' zei Riley en gooide de sleutelbos met een hoge boog naar hem toe.

Terwijl hij de bos opving, antwoordde Prosser nobel: 'De traditie van je zaak zal worden voortgezet.'

'Dat betwijfel ik.'

Prosser was euforisch. Hij zoog de lucht door zijn tanden naar binnen, een mengsel van meubelwas en butagas.

'Als jullie klaar zijn,' zei hij, 'kom ik de boel afsluiten. Ik wens u goedendag, m'vrouw.' Deze laatste frase werd vergezeld van een buiging voor Nancy, waarna hij zwierig het pand verliet en op straat bleef rondhangen. Hij knipoogde naar een denkbeeldig publiek en likte aan zijn sigaar.

Auto's scheurden over de bult in de weg. De dag liep ten einde, dus iedereen, zelfs Riley, werd ongeduldig. Terwijl hij de slappe biljetten tegen het licht hield, werd hij warrig – hij keek naar de plaatjes in plaats van het watermerk – omdat alles wat hij deed hem dichter bij hun vertrek bracht. Elke ademtocht bracht hem dichter bij de laatste ademtocht in deze puinhoop. Hij ging met Nancy wandelen op de pier van Brighton. Er kraakte iets bij zijn elleboog.

Nancy hield een plastic tas open alsof Riley aan de beurt was om te grabbelen. De tas was leeg en Nancy keek hem streng aan.

'Laat mij het geld dragen,' zei ze, elk woord nadrukkelijk uitsprekend. 'Het was tenslotte mijn winkel.'

Riley had niet de moed om te weigeren – Nancy had zich vreemd gedragen. Niet dat ze iets had gezegd of gedaan, maar hij had het gevoel dat ze Poplar al verlaten had en hem had achtergelaten. Hij wilde haar inhalen. Zonder iets te zeggen bond hij een elastiekje om de bankbiljetten en gooide het pakje in de tas.

'Je kunt me vertrouwen, dat weet je,' zei Nancy zachtjes.

Ze deed weer vreemd, maar waar het in zat, daar kon Riley de vinger niet op leggen. Maar ze herinnerde hem aan vertrouwen: het was hun bindende element geweest, zelfs toen het geschonden werd.

Nancy lichtte haar rok op en stopte het geld onder haar panty, zodat het tegen haar buik geklemd zat. Toen ging ze naar de achterkamer en kwam terug met een grijze canvas rugzak die Riley had gevonden in de kelder van een bergbeklimmer.

'Ik wil nog wat bakstenen meenemen als we langs het kanaal komen,' zei Nancy, en voegde er trots aan toe: 'voor mijn kruidenbed.'

Riley was ontzet. 'Je gaat toch niet langs de Cut lopen met vijfduizend pond in je panty?'

'Niemand kijkt in mijn panty.'

'Nancy, heb je ooit gehoord van tuig... van schorem?'

'Dat is toch nog nooit gebeurd.'

Prosser riep: 'Hé! Ik sta hier te bevriezen, ja?'

'Ik wil mijn kruidenbed afmaken,' zei Nancy toonloos.

'Goed, goed,' zuchtte Riley. Hij gaf het op. Hij zou Nancy nog naar de hel volgen, laat staan naar de Limehouse Cut.

Ze liepen zij aan zij, Riley met de rugzak om. De hemel was roodbruin als een beurse vrucht. Ergens in de buurt werd een vuur gestookt. De vonken spatten omhoog. Rookwolken bolden op en een geur van rubber dreef langs het trekpad langs de Cut. De stilte was schijn. Ergens verderop was een vossenburcht. Als het donker werd krijsten ze zo hard dat het leek of er een moordpartij aan de gang was. Nancy ging langzamer lopen, ze had een baksteen zien liggen. Ze bekeek de randen en zei: 'Het is allemaal met Quilling Road begonnen.'

'Wat?'

'Onze ellende.'

Riley sloot zijn ogen en verstapte zich. Hij wilde niet meer over die plek horen. Er kwam een oude stem uit hem, en hij hoorde zichzelf zeggen: 'Hoe kon ik dat nou weten?'

Hij haatte de zwakheid, het jankerige, laffe. Maar het waren wapens, en hij was er zo aan gewend ze te gebruiken dat het een automatisme was geworden.

'Natuurlijk kon je dat niet weten,' zei Nancy meelevend. Ze ging achter hem staan en begon aan de sluitingen van de rugzak te trekken. Ze stopte de baksteen erin en liet de flap open.

Ze liepen verder, dichter naar het vuur toe. Riley vroeg zich af of het echt zo eenvoudig kon zijn. Was de toekomst een open veld? Hij voelde een siddering van opwinding. Met het geld van Prosser zou hij nieuwe schoenen kopen. En dat camouflagepak gooide hij weg.

Nancy bukte zich, klagend over haar oude knieën. Kreunend pakte ze nog twee stenen op en zei toen: 'Het was verschrikkelijk toen die jongen verdronk en de politie het jou in je schoenen wilde schuiven.'

De opmerking kwam aan als een dreun tegen zijn tanden. Nancy had daar nog nooit iets over gezegd. Net als Quilling Road was het een soort krater in de nacht. Iets waar ze altijd omheen liepen. Maar nu sprak ze erover op een toon alsof ze met Babycham bij de wasserette zat te keuvelen.

Gekweld zei Riley: 'Cartwright heeft me nooit losgelaten.' Hij begon zachtjes te fluiten omdat hij de randen van de waarheid bereikt had en er elk moment overheen kon vallen.

'Dat wéét ik,' riep Nancy zangerig uit, zijn verongelijktheid delend, en hij zag zo voor zich hoe ze Babycham een por tussen haar ribben gaf.

Nancy stopte de bakstenen in de rugzak en Riley schoof met de banden tot ze comfortabeler zaten. Nadat die jongen verdronken was, had hij verwacht dat de majoor in Poplar zou komen opdagen om hem weer op die bekende rustige manier onder druk te zetten. Maar hij kwam niet. Hun laatste ontmoeting was in de Old Bailey geweest toen hij had gezegd: 'Ze kunnen je opsluiten, maar ze kunnen je er niet van weerhouden de eerste stap te zetten.' De majoor was kwetsbaar geweest en wanhopig. Waar was hij nu? Wat zou híj vinden dat hij nu tegen Nancy moest zeggen?

Het was schemerig geworden en de randen en oevers van het kanaal waren in elkaar opgegaan. De lucht had de kleur aangenomen van het leisteen op de daken van de pakhuizen die her en der verspreid stonden. Nancy's verwonderde stem klonk gedempt doordat ze iets stond te doen bij de omheining van prikkeldraad.

'Dus daarom hebben ze je weer laten komen?'

'Wat dacht je dan?' Het klonk als een bevestiging. Hij wist niet wat hij verder moest zeggen. Ze hadden het niet over de aanhouding gehad sinds de dag waarop hij vrijkwam zonder te zijn aangeklaagd. Daarna was ze gedeprimeerd geweest, en had hij haar niet kunnen peilen. Plotseling trok ze aan de rugzak.

'Ben je wel in orde?' vroeg Nancy, alsof ze zich zorgen maakte over zijn gezondheid.

'Ja hoor, met mij gaat het prima.'

Voorzichtig legde ze nog drie bakstenen op de andere.

'Rustig aan hè,' zei hij schor. 'Ik ben geen…' – Stallone, Mad Max, Bruce… de namen van de hamsters tuimelden over elkaar heen als een kettingbotsing van knaagdieren, maar uiteindelijk leek er één naam naar buiten te worden geduwd – 'Mister Universe.'

Riley boog iets voorover en versnelde zijn pas, alsof hij aan de herinnering aan Arnold wilde ontsnappen. Bij het vuur stond een groep jongeren met brandende takken te zwaaien. Ze dansten, sloegen kreten uit en staarden naar hen. Aan de kant van het water lag een autoband te smeulen. Het was bijna donker. Het pad versmalde zich en Nancy raakte achterop. Riley keek opzij in het doffe, gladde water en dacht plotseling, alsof hij struikelde: waarom moet ik toch steeds denken aan wat de majoor heeft gezegd? Waarom kan ik de hoop van een oude soldaat en zijn krankzinnige vertrouwen niet gewoon vergeten?

'Wat zou er toch met Arnold gebeurd zijn?' vroeg Nancy vaag.

'God mag het weten.'

Er volgde een lang en vernietigend zwijgen. Toen hoorde Riley Nancy's voetstappen in het gras. Ze suisden als een zeis. Zijn gedachten werden bitter, verwijtend: de reis van Paddington naar deze plek langs de Cut had alles met John Bradshaw te maken – zijn dood had immers Rileys ziel gebrandmerkt – maar wie werd ervoor beloond? De majoor? Nee, die eer ging naar een *hamster*. Zelfs nu ik bekeerd ben – als je het zo kon zien – is er maar een conclusie mogelijk: ik ben een verachtelijk wezen.

'Zo, dit zijn ze,' zei ze gelaten. Een voor een plaatste ze nog vier bakstenen in de resterende ruimte.

'Godallemachtig Nancy,' zei hij, naar adem happend. 'Waar ben je toch mee bezig?'

Hij klikte de banden om zijn borst dicht, waardoor de schouderbanden met elkaar verbonden werden. Na een paar stappen ving hij een glimp op van een man die bij een muur hurkte... iemand die hem in de gaten hield. Riley draaide zich om, hij wilde Nancy om hulp vragen. 'Sorry, maar het zijn er echt te veel,' fluisterde hij, met oprechte spijt. 'Ik kan dit niet dragen.'

'Ik ook niet.'

'Wat?'

Riley kon haar gezicht niet zien. Langzaam liep ze op hem af. Hij wist wat er ging gebeuren. Nancy gaf hem een duwtje met haar vinger en hij viel achterover. Terwijl hij in het water viel, vroeg hij zich af waarom hij opluchting voelde.

5

Op school had Anselmus een jezuïet als leraar gehad die bekendheid met het leven en werk van John Bunyan belangrijk vond voor iedereen die zich op de drempel van de adolescentie bevond. In zijn jeugd werd deze leraar gekweld door duivelse dromen, vervolgens leed hij aan een vreemde ziekte die allerlei godslasterlijke uitingen aan hem ontlokte en zag hij geen heil meer in enige vorm van verlossing. Als tegengif voor deze neigingen waar de jeugd zo vaak aan ten prooi is, las de geamuseerde jezuïet bepaalde passages uit *The Pilgrim's Progress*, de allegorie over een bezwaard man die een brandende stad ontvlucht.

Deze warme herinnering kwam bij Anselmus naar boven toen hij op een bankje zat vlakbij Bunyans graf in Bunhill Fields. Naast hem zat mevrouw Dixon in een lange winterjas van roodbruine tweed. Ze droeg stevige schoenen, dikke sokken en een hoofddoek in paisley die onder haar kin was vastgeknoopt. Zonder een woord te zeggen had ze Anselmus meegenomen naar deze vredige tuin. Duizenden graven stonden onder de platanen, eiken en linden. Gefilterd door de takken van de winterse bomen kwam het licht tot hen.

'Ik had al besloten om u over mijn zoon te vertellen,' zei mevrouw Dixon uiteindelijk.

Anselmus veronderstelde dat hij nu te weten zou komen waarom ze het bij hun eerste ontmoeting niet over George had gehad. Hij rilde van opwinding en kon nauwelijks wachten op wat ze hem zou gaan vertellen. Laat het aan Anselmus over.

'Kortgeleden zei ik tegen iemand dat het laatste wat Elizabeth tegen mij zei was dat ze niet meer zou komen, maar dat was niet waar.' Mevrouw Dixon bestudeerde de ruggen van haar handen. 'Elizabeth zei nog veel meer: dat ze Graham gevonden had en dat er een einde was gekomen aan de leugen.'

Ongeveer een seconde lang begreep Anselmus niet wat er gezegd was. Zijn gedachten waren bij George Bradshaw, niet bij Graham Riley. Toen het kwartje viel, leek het alsof hij uit een morsige bioscoop naar buiten kwam en plotseling in het kille daglicht stond. 'Uw zoon?' vroeg hij onnozel.

Mevrouw Dixon knikte. Haar gezicht werd uitdrukkingsloos, alsof al haar emoties in een pot waren opgevangen zodat ze goed zouden blijven. Toen zei ze gedecideerd: 'Maar dat was niet de leugen.' Irene Dixon sprak zacht maar resoluut. 'Ik had in Lancashire moeten blijven, maar ik ging naar het zuiden, om opnieuw te beginnen. Alles wat ik kende was veranderd doordat Grahams vader in de mijn onder dertig ton kolen en steen bedolven werd.'

Moeder en kind gingen naar Londen, aangemoedigd door een tante die naaister was, een paar kamers over had en meer werk had dan ze aankon. Het waren zware tijden, want mevrouw Dixon was op nauwelijks twintigjarige leeftijd weduwe geworden. Toen leerde ze Walter kennen: een grote, knappe man met verantwoordelijkheden en een eigen huis in Dagenham. Hij werkte als voorman in een pakhuis in Bow, wat inhield dat hij mensen aannam en ontsloeg. Hij zwaaide er de scepter. Na een jaar verkering trouwden ze. Aan het eind van het tweede jaar was er een kind op komst.

Dit is het begin, dacht Anselmus. Dit is het moment waaruit al het andere is voortgekomen. Hij begreep alles, maar het ging zo snel dat zijn inzicht in het verloop van de gebeurtenissen globaal werd: hij kon geen details meer onderscheiden. Zijn eerste eenvoudige gevolgtrekking was dat Walter Steadman Elizabeths vader was en Riley haar halfbroer.

De kinderen groeiden op in hetzelfde huis maar werden niet als gelijken behandeld. Walter bedoelde het niet zo, zei mevrouw Dixon, maar hij was hard voor Graham, die niet van hem was, en zacht voor Elizabeth, die dat wel was. Het verschil in affectie was altijd aanwezig en Graham kon simpelweg niet begrijpen hoe dat kwam: ze waren toch (dacht hij) hetzelfde vlees en bloed? Naarmate hij ouder werd, werd het steeds duidelijker: hij was geen Steadman.

'De jongen ging steeds meer op zijn vader lijken, mijn eerste liefde,' zei mevrouw Dixon. 'En Walter was ontzettend jaloers, zelfs op de doden. Het was deerniswekkend dat zo'n klein jongetje een bedreiging kon vormen voor zo'n grote man.' Ze aarzelde, alsof ze nu bij het beslissende moment was aangekomen. 'En toen ging het pakhuis dicht en raakte Walter zijn baan kwijt.'

'Het klinkt misschien niet zo ernstig,' zei ze, na weer een stilte, 'maar de grote man die tien jaar lang iedereen verteld had wat ze moesten doen, was werkloos geworden. Het enige werk dat hij nog kon krijgen was met een kar op straat koekjes verkopen. Hij verloor zijn zelfrespect. De mannen die hij ontslagen had dreven de spot met hem. Het geld dat hij verdiende ging op aan drank, en ik moest twee keer zo hard werken. Zodra hij dronk, kon hij zich niet meer beheersen. Kleine dingen werden in zijn hoofd heel groot. Je zou kunnen zeggen dat hij niet echt veranderd was, maar het tegendeel was ook waar.'

Walter sloeg Graham en mevrouw Dixon. Elizabeth raakte hij echter met geen vinger aan. Met haar wilde hij iemand anders zijn – degene die hij had kunnen zijn – en dat verlangen bleef zelfs intact als het bier hem ziek maakte. Graham werd Walters doelwit.

'Wanneer er dingen fout gaan in je leven,' zei mevrouw Dixon op gedragen toon, 'dan zoek je iemand die je de schuld kan geven. En je kiest altijd iemand die anders is. Graham was in elk opzicht, tot in de kleinste details, anders.'

Op school zeiden ze dat Graham slim was. Hij stelde vragen die niet zomaar beantwoord konden worden. Hij hield niet van ruige spelletjes, maar verzamelde liever van alles – rotzooi die hij interessant vond, zoals steentjes en doppen van flessen. Zijn armen en benen waren dun, en als hij probeerde te helpen met de boodschappen, waren de tassen altijd te zwaar voor hem. Dit gaf al helemaal aan hoe verschillend hij en Walter waren. En het was op een noodlottige, dronken dag dat Walter hem bespotte, zoals die nuchtere mannen Walter hadden bespot.

'Geen zoon van mij zou ooit doppen verzamelen,' zei Walter, terwijl hij stond te wankelen.

'Maar ik bén je zoon,' riep Graham opstandig.

'Dat ben je helemaal niet.'

'Wat?'

'Je hebt me gehoord.'

'Zo kwam hij erachter,' zei mevrouw Dixon. 'Hij greep me vast, hij moest weten wie zijn vader was, hoe hij werkelijk heette, wat er gebeurd was, waarom hem dat nooit verteld was... eindeloze vragen... Het leek wel alsof Walters razernij – over alles – hem had aangestoken. Vanaf die dag weigerde Graham Walter ooit nog zijn vader te noemen. Hij liet de naam Steadman vallen en noemde zich Riley. En al die woede die ik gezien had... die verdween eenvoudigweg.'

Terwijl mevrouw Dixon aan het woord was begon Anselmus een fractie terug te krijgen van het inzicht dat hem eerder als een flits had getroffen. Hij herinnerde zich een gesprek met Elizabeth over de dood van zijn moeder, en wist dat zij zijn ervaring voor zichzelf gebruikt had. 'Wat is er met Walter gebeurd?' vroeg hij.

'We stonden boven aan de trap,' antwoordde ze, alsof ze een verklaring aflegde op het politiebureau. Ze keek voor zich uit en hield haar rug recht. 'Er was veel geschreeuw geweest. Hij haalde uit maar verloor zijn evenwicht en viel naar beneden, als een boom ging hij om. In een poging mijn evenwicht te bewaren, viel ik naar achteren en zag niet wat er gebeurde; ik hoorde hem alleen van de trap vallen en toen, een paar seconden later, klonk er een klap. Toen ik over de rand keek, lag hij beneden op de vloer. Ik belde de ambulance. Ze kwamen hem halen, maar hij was al dood.'

'Het spijt me,' mompelde Anselmus.

'Dat hoeft niet,' zei ze. 'Het was een opluchting... ik was blij dat hij dood was.'

Terwijl ze weer voor zich uit keek ging mevrouw Dixon verder met het verhaal dat ze had voorbereid: hoe de leugen in het leven werd geroepen. Weer leek het alsof ze een verklaring aflegde.

'Een paar weken later kwam er een politieagent aan de deur. Hij had Walter gekend en wist hoe driftig en gewelddadig hij kon zijn. Hij zei dat de dokter een langwerpige wond op zijn hoofd had aangetroffen. Hij bekeek de trap, nam de maten van een trede en de rand. Ik vertelde hem niet dat ik een klap had gehoord nadat hij gevallen was, dat Graham beneden was geweest en dat de pook weg was. Kort daarna concludeerde de politie dat het een ongeluk was geweest. Maar mijn zoon at niet meer. Hij was ziek. Op een avond hield ik zijn hand vast en vroeg of hij wist waar de pook was. Hij trok zijn hand weg, verstopte zich onder zijn kussen en zei: "Die heb ik in de Four Lodges gegooid." De volgende dag was hij verdwenen. Hij was zeventien. Ik heb hem nooit meer gezien. Iedereen zei dat het kwam door het verlies van zijn vader.'

Bunhill Fields is een fantastische plek, dacht Anselmus, omdat hij dat trappenhuis en die hal wilde ontvluchten. De Koekjesman moest daar gestalte hebben gekregen: in de schaduwen en het bloed dat er gevloeid had. De naam was ontstaan uit de verachting van anderen, uit woede en mishandeling, een naam die Riley niets meer deed, maar anderen – degenen die hij terroriseerde – schrik aanjoeg. Elizabeth had in dezelfde gangen en te midden van dezelfde schaduwen rondgelopen. Anselmus voelde haar aanwezigheid. Ze had altijd een verfijnd parfum gebruikt waarvan de geur nooit verflauwde, ze was altijd heel schoon geweest, droeg maatkleding en haar kapsel was altijd heel goed verzorgd.

Elizabeth gaf zichzelf de schuld voor het feit dat Graham wegliep, en dat Walter hem mishandelde. En ondanks zichzelf gaf mevrouw Dixon haar ook de schuld: niet door iets te zeggen maar op talloze andere manieren. Op een koude avond stak Elizabeth de haard aan. Toen ze de pook niet kon vinden vroeg ze haar moeder of ze wist waar die was.

'Graham heeft hem weggegooid.'

'Waarom?'

Mevrouw Dixon had de vraag niet rechtstreeks beantwoord. Dat liet ze de stilte doen. Een maand later verdween Elizabeth. Iedereen zei dat dat kwam door het verlies van haar vader en haar broer.

Anselmus wist wat er daarna gebeurd was. Zuster Dorothy had mevrouw Steadman opgezocht. Haar beslissing om te doen wat Elizabeth wilde was onmiddellijk geweest, en hartverscheurend. Zonder er een woord over te wisselen waren moeder en dochter overeengekomen een moord te verzwijgen. Zoiets kun je niet doen als je samen in een huis woont.

'Een jaar geleden zag ik mijn dochter terug,' zei mevrouw Dixon zonder emotie, goed articulerend. 'Ze had me opgespoord via mijn sofinummer, want ik was hertrouwd… met een fantastische man die een fantastische vader zou zijn geweest voor elk kind dat op zijn pad was gekomen.' Mevrouw Dixon slikte moeizaam en ging door met haar verhaal.

Elizabeth wist inmiddels dat ze een hartkwaal had die erfelijk was. Mevrouw Dixon werd onderzocht door een zekere dokter Okoye, die haar gezond verklaarde. De grote, stoere Walter bleek een fundamenteel zwakke man te zijn geweest. Maar dat was niet waar Elizabeth voor gekomen was.

'Ze vertelde me dat Graham een nieuw leven had opgebouwd,' zei mevrouw Dixon. 'Maar dat het niet zo'n mooi leven was.'

Niet voor het eerst in zijn leven verwonderde Anselmus zich over het woord 'mooi' en de vele manieren waarop het gebruikt kon worden.

'Ze zei dat er maar één manier was om hem te redden, en dat was dat hij voor de rechter zou verschijnen om zich te verantwoorden voor de moord op haar vader. Het ging haar niet om wraak, dat wist ik. Het ging haar om… wat juist was. Maar ik heb geweigerd.'

'Waarom?'

'Omdat noch Walter, noch Elizabeth schuld had aan wat er gebeurd was. Als er iemand schuld heeft ben ik het omdat ik hem niet beschermd heb. Ik dacht: als ik maar achter Walter blijf staan, wordt hij misschien wel weer degene die hij geweest is – degene die hij met Elizabeth was – en gaat zijn woede een keer over. Ik dacht dat hij Graham misschien ooit wel ánders, maar niet meer bedreigend zou vinden. Ik heb die pook in Grahams hand gestopt. Alles wat ik ooit tegen hem gezegd heb is dat Walter zijn luimen had.'

Ze zwegen en hoorden de stilte van Bunhill Fields. Er was nergens enige beweging, zelfs de bomen, waar zo veel leven in zat, waren roerloos. Het was een vreemde gewaarwording.

'Elizabeth kwam elke week langs om te proberen of ze me over kon halen. Ik hield voet bij stuk. Op de dag van haar dood kwam dat laatste telefoontje en sprak ze haar laatste woorden tegen me uit.'

Dat er een einde was gekomen aan de leugen, zei Anselmus tegen zichzelf. En hij voegde eraan toe wat ze enkele seconden eerder als laatste boodschap tegen inspecteur Cartwright had gezegd: Laat het aan Anselmus over.

'Mevrouw Dixon,' zei Anselmus, 'zoals u ongetwijfeld weet' – hij zag haar knikken, Elizabeth had het haar al verteld – 'zal ik de politie hiervan op de hoogte moeten stellen. Ze zullen u verhoren. Graham zal berecht worden wegens moord. Het is niet ondenkbaar dat u ook wordt aangeklaagd, omdat u hebt gezwegen. Bent u zich dit alles bewust?'

'Ja,' antwoordde ze, alsof ze zich al in de rechtszaal bevond.

Anselmus keek haar vol mededogen aan en zei: 'Waarom bent u van gedachten veranderd?'

Trots en uitdagend antwoordde ze: 'Omdat ik mijn kleinzoon ontmoet heb, Nicholas. En ik wil niet dat aan zijn leven ook weer een leugen ten grondslag ligt – een verkeerd begrip van wie hij is en waar hij vandaan komt – zoals met Graham gebeurd is. Op een dag zal hij de waarheid horen over zijn familie en ik denk niet dat hij zijn moeder dankbaar zal zijn voor het verhaal dat ze verzonnen had. Het is natuurlijk ook wat ze wilde, wat ze me kwam vragen voor haar te doen. Ik begreep niet waarom tot ik Nicholas zag... Hij lijkt sprekend op Walter.'

Anselmus nam mevrouw Dixon bij de arm en langzaam wandelden ze als moeder en zoon langs de lanen van Bunhill Fields. Tijdens hun gezamenlijke zwijgen dacht hij aan hoe Rileys leven was begonnen, aan een moord die niet ontdekt was en vervolgens vergeten werd, en aan wat dit met een mens kan doen. En hij dacht aan Bunyan, wiens jeugd getekend werd door vier grote zonden: dansen, tiepelen, het luiden van de klokken van de parochiekerk en het lezen van de legende over Sir Bevis uit Southampton.

# 6

Op de vierde achtereenvolgende dag bestelde George een uitgebreid Engels ontbijt (met Cumberland-worstjes). Nancy koos de kipper (uit Craster) met als uitleg: 'Je leeft maar één keer', en dat was een waar woord. Ze zaten in een erker van het Royal Guesthouse en keken uit op met schuim omrande golven. In de verte doken dartele meeuwen als vliegers heen en weer in de lucht. Het zou weer een winderige, wondermooie dag worden.

Als hij in zijn notitieboekje had gekeken was George te weten gekomen dat Nancy zesendertigduizend vierhonderd pond en tweeënvijftig pence van Rileys bankrekening had gehaald, dat ze voor de hele week twee tegenover elkaar liggende kamers (inclusief maaltijden) in een hotel in Brighton had geboekt en dat ze bij Woolworths twee pakjes enveloppen had gekocht voor de prijs van één. Hij hoefde echter helemaal niet aan hun vermakelijke project herinnerd te worden, noch aan Nancy's afgrijzen en schuldgevoel over alles wat Riley had gedaan, noch over haar wroeging over de moord op John. Het was allemaal, zoals dat heet, van haar gezicht af te lezen. Er kon haar echter in de verste verte niets verweten worden. Toch had Nancy, toen ze die eerste avond Hereford-biefstuk en Yorkshire-pudding zaten te eten, tegen George gezegd: 'Ik deel de verantwoordelijkheid omdat ik deel heb aan de schande', een bijtende uitspraak waaruit bleek dat Nancy zichzelf schuldig vond omdat ze wist hoe haar man was, en toch de andere kant had opgekeken.

Na het ontbijt maakten ze een aantal enveloppen klaar, trokken hun jas aan en begonnen aan wat ze voor die dag gepland hadden. Ze wandelden langs de boulevard naar het Pretpaleis.

'Wat dacht je van haar?' vroeg Nancy.

George knikte.

Een jong meisje kwam hun tegemoet, een kinderwagen tegen de wind in duwend. Haar knokkels waren blauw. Te oordelen naar het geluid dat uit de wagen kwam was het kindje niet gelukkig.

'Neemt u me niet kwalijk,' zei George, 'maar wij vertegenwoordigen een geheim genootschap dat als doel heeft de mensheid te helpen.'

De blik van het meisje flitste van George naar Nancy en weer terug. Ze zei: 'Sorry, maar ik heb niets nodig.'

'Ik vrees dat de stuurgroep het daar niet mee eens is,' zei George streng. 'Alstublieft, hier heeft u duizend pond.'

Nancy haalde een envelop uit haar handtas, die ze het meisje aanreikte. De jonge moeder staarde haar aan alsof ze met een bevelschrift van de deurwaarder werd geconfronteerd.

'Er is maar één voorwaarde aan verbonden,' zei George, plotseling vriendelijk. 'U mag er onder geen beding iets *verstandigs* mee doen. Wij wensen u nog een prettige dag.'

Dit gezegd hebbende staken de afgevaardigden de weg over en koersten af op het begin van de pier. Bij de ingang stond een blaaskapel van het Leger des Heils kerstliedjes te spelen. De glinsterende cornetten en trombones stonden in een halve cirkel opgesteld en waren enigszins naar beneden gericht. Nancy liep eerbiedig op de boog van hoedjes, petten en gepoetste schoenen af.

'Hoor de eng'len zingen'... met een mistroostig soort vreugde sleepten de woorden achter de muziek aan.

George mompelde de rest van het couplet terwijl hij naar de torentjes van de koepel staarde en naar de twee vlaggen die tegen de strakblauwe hemel stonden te wapperen. Plotseling stond Nancy weer naast hem. Plechtig liepen ze samen over de langgerekte pier alsof het een middenpad was en de wereld één grote, grandioze kathedraal.

George werd steeds euforischer naarmate de meeuwen scheller schreeuwden. Er was geen wolkje aan de hemel, geen schaduw, alleen maar het harde zeelicht. De wind voerde een geur van blaaswier, schelpen en zout met zich mee.

'Vreed' op aarde, 't is vervuld, God verzoent der mensen schuld.'

Al wandelend deelde Nancy briefjes van tien pond uit alsof het reclamefolders waren. Mensen bleven staan en staarden haar aan. Een in het zwart geklede oude vrouw met kromme benen waggelde hen tegemoet. Ze hield haar hoofd naar beneden, als een stier, en had een knot die in een netje gevangen zat.

'Neemt u mij niet kwalijk,' zei George. 'Hier zijn vijfhonderd pond voor uw problemen.'

'Bent u geschift of zo?' vroeg ze, terwijl ze met veel moeite haar hoofd probeerde op te richten.

'Dat was ik eerst wel, maar nu niet meer.'

Ze keek achterdochtig om zich heen. 'Is dit soms *Banana Split*?'

'Niet in het minst, m'vrouw,' zei George met de plechtstatigheid van een goochelaar. 'Dit is het echte leven.'

'Nee, dank u.' Ze liet haar hoofd weer hangen en liep tegen de wind in, in de richting van de stad.

Naast hem stond Nancy te lachen. Ze zette haar gele hoedje met de zwarte stippen af, en streek met haar hand door haar haar. Diep inademend sloot ze haar ogen en gooide haar hoofd naar achteren. Haar neus had een vuurrode punt.

'Laat iedereen het weten,' riep George uit, terwijl hij à la Charlton Heston zijn armen ophief, 'dat er gedurende één week enige gerechtigheid op de pier van Brighton heerste!'

'Voegt u, volken, in het koor, dat weerklinkt de hemel door'... Het geluid ebde weg. Terwijl ze doorwandelden, nog steeds enveloppen uitdelend, wierp George een blik over zijn schouder: hij kon de petten nog zien, de hoedjes en de schittering van de instrumenten.

'… Geprezen zij de nieuw geboren Heer.'

In het Pretpaleis kocht Nancy kaartjes voor de botsautootjes. De kassa was behangen met engelenhaar en een kerstboom stond met een ketting aan een hek bevestigd. Het meisje in het hokje had een kerstmuts op en belde de chef toen George haar tweehonderd pond gaf. De politie werd gehaald en noteerde alle gegevens. Toen iedereen die een pak of uniform droeg gelukkig was – nou ja, niet echt gelukkig – stapten George en Nancy in een tamelijk kleine Rolls-Royce. In een regen van vonken barstte de muziek los en toen reden ze weg.

George verzonk altijd in gedachten als hij reed en de huidige omstandigheden vormden daarop geen uitzondering. Nancy had haar echtgenoot in de Limehouse Cut geduwd; George was er getuige van geweest en had de details die avond in de trein in hun eersteklascoupé genoteerd. Met een glas champagne in de ene hand en een pen in de andere had Nancy er nog iets belangrijks aan toegevoegd: dat Riley te water was geraakt naast een boot die aan de kanaaloever gemeerd was. George maakte zich echter zorgen om zijn vriendin: wat zou ze gaan doen als het geld op was?

'Waar ga je heen, Nancy, als dit allemaal voorbij is?' vroeg hij.

'Ik zou het niet weten.' Ze had haar gevouwen handen op haar tas gelegd en zat met haar knieën tegen het dashboard geklemd. 'En jij dan?'

'Geen idee,' zei George. Hij draaide zich om naar Nancy, om haar te bedanken voor de tijd die ze samen hadden doorgebracht, voor deze kortstondige, prachtige…

George knalde op een gele Lamborghini. Het was zijn schuld, hij had niet opgelet. De klap was zo hard dat hij sterretjes zag. Toen hij alles weer kon zien zag hij een politieagent – dezelfde van daarnet – in zijn mobilofoon praten en met een gehandschoende hand naar hem wenken. Terwijl hij dacht dat de wereld op zijn kop stond (en niet op de manier waarvoor Nancy en hij zich beijverd hadden) reed hij naar de rubberen rand. Tien minuten later werden ze in een patrouillewagen naar het bureau afgevoerd. George moest in de wachtkamer wachten en Nancy werd meegenomen naar een kantoor met een deur waar een matglazen raam in zat.

Twintig minuten later stonden George en Nancy weer op straat. Het duurde lang voordat Nancy iets zei.

'George,' zei ze vlak. 'Toen ze onze gegevens controleerden omdat we geld hadden uitgedeeld, ontstond er nogal wat deining toen mijn naam op de computer werd ingetoetst.' Ze ging op een tuinmuurtje zitten. 'Ik ben twee dagen geleden als vermist opgegeven en inspecteur Cartwright heeft Riley gisteren aangeklaagd voor de moord op zijn stiefvader. Zonder dat er naar gevraagd werd heeft hij de moord op jouw zoon bekend en ook alles wat er in Quilling Road gebeurd is. Hij gaat heel lang de gevangenis in.'

George had het gevoel dat hij terug was in de botsauto en sterretjes zag en dat de wereld elk moment weer normaal zou worden. Hij liet zich naast zijn vriendin op het muurtje zakken en pakte haar hand.

'Wat ga je nu doen, Nancy?'

Met haar hoedje over haar oren getrokken zag ze er vastbesloten uit.

'Ik heb nog twee dagen in Brighton,' zei ze, alsof ze een sommetje maakte. 'Ik heb tienduizend pond in mijn zak. En ik ben die twee dagen nog in goed gezelschap. Wat kan een meisje zich nog meer wensen?'

George bestudeerde haar gezicht, de zachtheid ervan.

'En als mijn tijd om is en ik blut ben,' zei ze, naar George starend alsof het misschien verkeerd was, alsof hij het misschien nooit zou begrijpen, 'dan ga ik terug naar Riley.'

Zij aan zij liepen ze tegen de wind in met de zon op hun gezicht terug naar de blaaskapel. Langzaam zwol de muziek aan.

'Iemand moet toch van hem houden,' zei ze eenvoudig.

# 7

Nick ging naar Larkwood, niet zozeer omdat Roddy daarop had aangedrongen maar omdat het passend was. Hij was met pater Anselmus aan een soort reis begonnen en die was nu ten einde: er waren geen geheimen meer. Het was het juiste moment om afscheid te nemen.

'Doordat ik monnik ben,' zei pater Anselmus, die gehuld was in een lange wollen pij, 'heb ik veel affiniteit met rituelen. Symbolen helpen me de dingen te begrijpen.' Ze zaten op een bank van gladde stenen die afkomstig waren van de middeleeuwse abdij. Ze keken uit op de Lark en een rij lege bloempotten. 'Je moeder en ik zaten hier toen ze haar inspanningen net begonnen was,' vervolgde hij. 'Misschien is het geen slecht idee om op deze zelfde plek te kijken hoe ze tot een einde zijn gekomen.'

Een week geleden was Nick geïrriteerd geweest over zijn vaders behoefte hem te beschermen, en de energie die hij verbruikt had om ervoor te zorgen dat zijn zoon buiten schot zou blijven. Hij had het als betutteling ervaren. Nick was een volwassen man, een arts. Hij had tussen de reuzenpadden gezwommen. Maar nu wist hij dat Walter Steadman zijn grootvader was geweest, die gedood was door een jongen die als man nog een moord zou plegen en die bovendien Nicks oom was, althans de halfbroer van zijn moeder. Roddy had hem al deze fijne details toch maar verteld omdat een proces door Rileys bekentenis onvermijdelijk was geworden en Nick deze dingen toch te weten zou komen – als Roddy het hem niet zou vertellen zou zijn vader dat wel doen, en vervolgens zou de nationale pers zich erop storten, waarbij de ene krant de andere zou proberen te overtroeven met de meest kernachtige kop waarmee de persoon van zijn moeder zou worden samengevat. Roddy bleek ervan op de hoogte te zijn dat zijn moeder kortstondig had getippeld, maar de rest wist hij niet, dat had hij van pater Anselmus gehoord.

Nadat Roddy zich in een taxi had laten afvoeren kon Nick eindelijk waardering opbrengen voor zijn vaders halsstarrige verzet. Zelfs toen Elizabeth was overleden had Charles nog een sprankje hoop gehad dat pater Anselmus niet zou slagen en dat mevrouw Dixon nog lang en anoniem van haar pensioen zou genieten. De kwestie Walter Steadman was het onderwerp geweest waarover Nicks ouders het meest verdeeld waren geweest, en Nick kon zich helemaal vinden in de koers die zijn vader hierin had gevaren: wat had het voor zin om alles openbaar te maken? Waarom moest ze nog levende personen op zo'n gruwelijke manier aan de schandpaal nagelen? Wie had daar iets aan? Alleen de doden. Eerlijk gezegd wílde Nick beschermd worden en buiten schot blijven. Hij zei dit alles tegen pater Anselmus toen ze naar de stenen bank liepen. Uitgeput zakte hij op de bank in elkaar en leunde met zijn armen op zijn bovenbenen. Hij keek naar de rivier en naar de wankele bloempotten.

'Je moeder liep weg uit het huis waar haar vader vermoord was,' zei pater Anselmus rustig. 'Ze bewonderde hem niet, hoewel hij aanspraak maakte op haar affectie. Dat moet moeilijk voor haar zijn geweest: om zijn wreedheid te zien én zijn zachtheid; om in te zien dat beide uit dezelfde bron voortkwamen, en om te proberen het ene te waarderen en het andere te veroordelen. Ze was natuurlijk nog maar een kind. En het was als kind dat ze zich afwendde van het ernstigste misdrijf dat het strafrecht kent. Ze had een stilzwijgende overeenkomst met haar moeder om er nooit over te spreken, alsof ze dat aan haar mishandelde halfbroertje verplicht was. Elizabeth kreeg dit alleen voor elkaar door haar verleden uit te wissen – elke herinnering, elke geur, elke smaak en elk geluid – en door een nieuw verleden te scheppen, bestaande uit denkbeeldige gewaarwordingen. En het lukte haar: ze maakte carrière, trouwde, kreeg een kind. Maar toen verscheen de halfbroer die ze beschermd had plotseling in dit prachtige universum dat ze voor zichzelf geschapen had.'

De monnik boog voorover en raapte een paar takjes op. Hij brak ze terwijl hij zich inleefde in die andere, asgrauwe geschiedenis.

'Toen Riley je moeder opdroeg hem te vertegenwoordigen, deed hij dat in de eerste plaats om George het zwijgen op te leggen. Maar dat was niet het enige. Hij wilde een verworvenheid vernietigen die voor hem ondraaglijk moet zijn geweest. Sinds hun laatste ontmoeting was zij onherkenbaar veranderd, terwijl hij – het andere weggelopen kind – dezelfde armetierige jongen was gebleven. Het is dus de moeite waard stil te staan bij hetgeen Riley nu van je moeder eiste. In de eerste plaats confronteerde hij haar – alsof hij haar een spiegel voorhield – met haar zwijgen over de moord op Walter. Hij zei: "Kijk maar eens goed: je positie als functionaris aan het gerechtshof is nep en dat is altijd zo geweest, je bent niet minder bezoedeld dan ik." En dit kon niet schrijnender tot haar zijn doorgedrongen dan toen Elizabeth genoodzaakt was Anji te verhoren, want toen stond ze oog in oog met het ongelukkige gezicht van haar eigen verleden.'

Pater Anselmus keek Nick aan, gaf hem de ruimte om iets te zeggen, maar Nick was alleen maar vol van wat hij zojuist gehoord had. Hij beeldde zich dit natuurlijk in, maar iets aan de manier waarop de monnik praatte, zijn woordkeus, leek rechtstreeks van Elizabeth te komen, een moeder die met haar zoon had willen praten.

'Wat deed Elizabeth in deze afschuwelijke situatie?' Pater Anselmus pakte nog een paar takjes. '*Ze gaf zich gewonnen.* Maar waarom? Deze vrouw had haar leven aan het recht gewijd, ze geloofde in de rechtsgang. Hoe kon ze het verdragen dat hij zou winnen, ten koste van alles waar zij waarde aan hechtte? Dat is de moeilijkste vraag, maar ik denk dat ik het antwoord weet.

Riley vroeg om je moeder vanuit de gedachte dat ze hem zou helpen omdat zij hem ooit eerder geholpen had. Dat was echter een enorme beoordelingsfout. Elizabeth was in meer opzichten veranderd dan hij zich kon voorstellen. Haar gehechtheid aan de wet was zo groot dat ik denk dat ze de gelegenheid met beide handen aan zou grijpen om de feiten van haar leven te openbaren, ongeacht wat dit haar persoonlijk zou kosten. Maar dat deed ze niet. Wat Riley niet wist, en wat hem gered heeft, was dat Elizabeth inmiddels een zoon had. Nick, ik denk dat het om jou was dat ze met Riley meewerkte. Om jou te beschermen. Zodat jij buiten schot zou blijven. Om de wereld die ze met Charles voor jou had gecreëerd intact te laten.'

Hoewel het Nick niet beviel dat pater Anselmus de bewoordingen gebruikte waar hij zich zo over beklaagd had, deed de monnik dit op zo'n vriendelijke, voorzichtige manier dat het leek alsof het iets was wat hij over de toonbank aan hem teruggaf. Nick keek naar de rivier en zag aan de overkant een vreemdsoortige mist opstijgen, dun als een lange zilveren tafel. Enigszins verdwaasd luisterde hij naar wat pater Anselmus verder te zeggen had.

De prijs die Elizabeth betaalde was hoog, zei hij met enige aarzeling. Door zich niet uit de zaak terug te trekken, deed ze iets wat tegen de regels van haar beroepsgroep in ging. In de hoop het proces te verliezen vroeg ze hem George het kruisverhoor af te nemen. Maar zelfs dat liep mis, want jammer genoeg had het knechtje nu eens een keer geluk. In de daaropvolgende jaren kon niets Elizabeth ertoe brengen haar zwijgen over het verleden te doorbreken: noch de brief van mevrouw Bradshaw, noch de dood van de zoon van die arme vrouw. De sterke geest van haar jeugd was teruggekomen, en in haar vastbeslotenheid verloor ze haar vertrouwen in het recht zoals ze lang daarvoor het vertrouwen in haar familie was verloren.

'Maar toen,' zei pater Anselmus, 'gebeurde er iets cruciaals. Je moeder kreeg te horen dat haar dagen geteld waren, een moment dat – daar ben ik zeker van – een geheel eigen verstilling met zich meebrengt. En in die stilte besefte ze dat een grote leugen de kans had gekregen wortel te schieten en dat, als ze niet ingreep, die leugen haar leven zou definiëren. Het probleem was natuurlijk dat het te laat was. Je moeder had haar keuze al gemaakt. Ze had naar Rileys pijpen gedanst. Dit is het moment waarop Elizabeths verhaal een wending krijgt die mijn vader homerisch zou vinden: ze besloot haar verleden te veranderen door aan de afloop een andere draai te geven.'

De monnik glimlachte bemoedigend. Hij stond op en met een knikje van zijn hoofd stelde hij Nick voor een eindje te gaan wandelen. Zwijgend volgden ze de Lark en liepen over een voetgangersbruggetje. Aan de overkant kwamen ze bij een veld waarvan de ondergrond hard aanvoelde. Er was geen pad, dus volgden ze een vore die naar de zilveren mistbank liep.

'Zoals je weet,' zei pater Anselmus, 'bedacht je moeder twee plannen. Het eerste betrof George: hij moest de man die verantwoordelijk was voor de dood van zijn zoon zijn goede naam ontnemen. Ze deed onwaarschijnlijk veel moeite om dit te doen slagen omdat ze hoopte dat George hiermee zijn zelfrespect terug zou krijgen. Ik ben er echter ook zeker van dat een groot deel van haar gedrevenheid voortkwam uit een enorme behoefte Riley veroordeeld te zien, ook al was het voor een vergrijp dat in de ogen van de rechtbank niet zo ernstig was; ze wilde dat hij als pooier ontmaskerd zou worden. Dit werd haar echter onthouden. Haar plan mislukte.

'Het tweede plan was voor haarzelf: ze wilde dat Riley voor het gerecht werd gedaagd wegens een moord waarvan ze zelf het bewijsmateriaal had helpen verdonkeremanen. Om dit te bewerkstelligen moest ze haar moeder zover krijgen de politie te vertellen wat ze wist. Ook hierin faalde ze.'

Ze waren in het midden van het veld aangekomen en bleven staan. De mist hing vlak boven hun hoofd en wentelde rond.

'We kunnen in alle redelijkheid stellen,' zei pater Anselmus met een wrange ondertoon, 'dat ik het noodplan moest uitvoeren. En ook ik bracht er niets van terecht.' Met een vragend en vriendelijk gezicht keek hij Nick aan.

'Wie haalde mijn grootmoeder uiteindelijk over om toch te praten?' vroeg Nick. Of hij het nu leuk vond of niet, hij voelde dat ook hij in dit verhaal een rol speelde, alsof het zijn eigenlijke verhaal was.

'Jíj hebt haar overgehaald,' zei pater Anselmus met ingehouden enthousiasme. 'Ze wilde niet dat je een leugen zou leven, zoals zij had gedaan en zoals haar kinderen hadden gedaan. Als er iemand was die wist wat dat betekende, dan was het je grootmoeder wel.'

De monnik begon doelloos te wandelen, geanimeerd gebarend.

'Pas toen ik mevrouw Dixon ontmoette begreep ik het belang van wat Elizabeth had geprobeerd te doen,' zei hij. 'Toen ze besloten had haar verleden op te eisen, stond haar maar één weg open – de weg van het recht – en die had ze nou juist afgezworen. Met de plannen die ze bedacht hoopte ze die weg weer begaanbaar te maken. Ik ben er zeker van dat ze opnieuw het belang van het recht inzag, dat onze pogingen het kwaad te bestraffen ertoe doen, dat genade, hoe onhandig ook verleend, ertoe doet.' Pater Anselmus richtte zich tot Nick terwijl hij zijn pij dichter om zich heen sloeg. 'Er was een man vermoord – jouw grootvader. Of hij nu wreed was of niet, hij was van zijn leven beroofd. De ironie wil dat hij elk moment dood kon blijven, maar dat doet aan de zaak niets af: moord is moord – of het nu Walter of John betreft. Deze waarheid aan het licht brengen was het doel van je moeders inspanningen, en daar is ze uiteindelijk in geslaagd – zij het dat ze daar zelf de hand niet in heeft gehad.' Hij zweeg en dacht na. 'Nick, als ik iets tegen je kan zeggen waarvan ik zeker ben dat ik er morgenochtend nog achtersta, is het dat het passend is dat jíj degene bent geweest die het namens haar voor elkaar heeft gekregen... en niet een bazelende sul als ik.'

Nick knikte instemmend en er verscheen een aarzelend glimlachje op zijn gezicht.

'En wie is er geschikter om het je vader uit te leggen,' vervolgde de monnik, 'dan de zoon die hij zo graag wilde beschermen?'

De mist had zich over de hele vallei uitgespreid. Beschenen door het zonlicht leken de flarden binnen handbereik. Er onderdoor lopend passeerden ze het bankje waarop Elizabeth Anselmus de sleutel had gegeven. Langzaam volgden ze het paadje dat naar de pruimenbomen leidde, en haar gele auto.

'Mag ik u nog één ding vragen?' vroeg Nick.

'Natuurlijk.'

'Wat is het geheim van de bevrijding van Mafeking?'

'Nadat "de Boeren aan de poort stonden",' zei de monnik, 'verandert het verhaal steeds. Volgens mij weet zelfs broeder Cyril het niet meer precies. Hij verzint elke keer weer iets anders.'

Toen Nick in de auto zat en de motor al draaide, tikte pater Anselmus op het raam. Beschroomd vroeg hij: 'Heb je ooit in het gat gekeken dat je moeder heeft uitgesneden om de sleutel in te kunnen bewaren?'

Nick had alleen maar naar de eerste paar bladzijden gekeken.

'Kijk er even naar als je thuis bent,' zei de monnik. 'Wat daar staat is een beschrijving van het pad dat je moeder heeft geprobeerd te gaan.'

Thuisgekomen in St. John's Wood ging Nick meteen naar de werkkamer en opende *De navolging van Christus*. Hij had het eerder niet gezien, maar de uitgesneden ruimte vormde een venster rond een spreuk:

*De nederige kennis van uzelf is een zekerder weg naar God dan een diep wetenschappelijk onderzoek.*

Nick sloot het boek. Hij wist niet veel van God, ook was hij niet meer zeker van de wetenschap, maar hij was ervan overtuigd – en dit vervulde hem met vreugde en dankbaarheid – dat zijn moeder zichzelf heel goed gekend had en dat ze moest hebben gevonden waar ze met heel haar hart naar op zoek was geweest.

# 8

Het was volkomen toevallig dat Nancy in het notitieboekje van George op een verwijzing naar de monnik stuitte. Ze zaten in de gelagkamer na een drukke dag. Nadat ze de resterende vijfduizend pond in tien enveloppen had gestopt, wierp ze een blik op George die gewoontegetrouw bezig was zijn geheugen op te frissen. Nancy las hardop een willekeurige zin voor: 'Mocht u deze meneer tegenkomen, gaarne contact opnemen met…' Het leek wel zo'n briefje dat huisdieren om hun nek hebben hangen. Nancy vond de neerbuigendheid schrijnend, maar kwam al gauw tot de conclusie dat zij ook geen betere oplossing had kunnen bedenken. Toen George zich verontschuldigde en naar de wc ging, noteerde Nancy het nummer. En toen hij terugkwam trok ze zich terug in haar kamer met als excuus dat de dag haar had uitgeput. Nerveus belde Nancy het klooster, waarop de hel losbrak. De monnik die het schakelbord bediende kreeg een toeval en iemand anders zei: 'Een ogenblikje,' waarop een zekere pater Anselmus hijgend aan de lijn kwam. Hij noteerde Nancy's nummer en zei dat hij mevrouw Bradshaw zou bellen, maar binnen enkele seconden belde hij al terug met de mededeling dat ze niet opnam. Hij zei dat hij er hoe dan ook heen zou gaan, per trein of per auto, waarop Nancy, resoluut als ze was, zei dat hij zich kalm moest houden en moest blijven waar hij was. 'Wij doen het wel,' zei ze.

'Als we klaar zijn met wat we nog te doen hebben, breng ik hem naar u toe.'

Nancy ging naar bed in de overtuiging dat er iets goeds te gebeuren stond. Tijdens het ontbijt nam ze weer een kipper en zei niets over haar plannen. Haar tijd, en die van George, werd besteed aan voedzame maaltijden, lange wandelingen en het lukraak uitdelen van geld.

Op de ochtend van de zevende dag nam Nancy het geld dat ze voor dat doel opzij had gelegd en betaalde de rekening. Ze belde inspecteur Cartwright en ging vervolgens met George aan haar zijde per trein en taxi naar een plek diep in het landelijke Suffolk.

Het klooster leek op iets uit een sprookjesboek. De daken waren schots en scheef en bestonden uit een combinatie van roodbruine en leigrijze dakpannen. Er waren roze muren, oude stenen muren en muren die uit baksteen waren opgetrokken. Het leek alsof de mensen in vroeger tijden improviserenderwijs te werk waren gegaan. Nancy werd overweldigd door de aanblik van het klooster... omdat het zo heilig was. Daarom vroeg ze de chauffeur om langs de weg te stoppen. 'Laten we hier afscheid nemen, George,' zei ze. 'Ik wil niet dichterbij komen.'

Ze stonden ongemakkelijk op het pad en zij nam haar vriend in zich op zoals hij daar stond met zijn jas over zijn arm, en zijn te kleine blazer helemaal dichtgeknoopt. De blauw met gele das was veel te fel – en dat had ze hem ook gezegd.

'Bedankt,' zei ze opgewekt, 'voor een geweldige week aan zee.'

Hij nam haar hand en kuste deze. 'Ik zal het nooit vergeten.'

Oom Bertie zei altijd dat je niet moest blijven dralen bij het afscheid. Gewoon gedag zeggen en dan weggaan. Vandaar dat Nancy George een aanmoedigend duwtje in de goede richting gaf. Het was pijnlijk om naar zijn rug te kijken en naar die witte manchetten die uit de mouwen van zijn blazer staken, want Nancy wist dat ze George Bradshaw hierna nooit meer zou zien.

Nancy vroeg de taxichauffeur om de motor heel even af te zetten. Ze had een houten bord gezien met informatie voor bezoekers. De pijl volgend kwam ze dichter bij het klooster maar de verleiding was te groot. Achter een gehavend hek zag Nancy de wildste kruidentuin die ze ooit gezien had. Ze was zo in vervoering door de chaos en de weelde dat ze de monnik niet aan hoorde komen. Ze hoorde hem pas toen hij begon te spreken.

'Dag Nancy,' zei hij. 'We hebben elkaar ooit ontmoet, heel lang geleden – toen ik mijn vorige beroep nog uitoefende. Ik vertegenwoordigde je man.'

Nancy wist niet precies wat ze moest zeggen. Maar je moet eerlijk zijn tegen een monnik, dus zei ze: 'Nou… ik wil u niet beledigen maar u heeft hem toen geen dienst bewezen.'

'Nee, dat weet ik,' antwoordde hij, terwijl hij naast haar ging staan en ook naar de wilde kruiden keek. 'Maar nu – als hij bereid is – zal ik hem wel een dienst bewijzen.' Hij werd verlegen, maar niet minder daadkrachtig. 'Is er iets wat ik voor je kan doen?'

Met een blik op de taxi en terwijl haar voeten begonnen te jeuken, zei Nancy: 'Als het allemaal voorbij is' – haar hart begon sneller te kloppen en haar gezicht begon te gloeien; zo serieus werd ze – 'als ik mijn man trouw blijf… zal God hem dan afwijzen?'

De monnik leek enigszins perplex, zoals oom Bertie als hij de einduitslagen vergeleek met waar hij op gewed had. Hij pakte zijn bril, maar veranderde van gedachten en stopte hem weer terug in zijn zak.

'Ik kan toch niet minder trouw zijn dan God?' drong ze aan.

'Nee, dat kan inderdaad niet,' zei hij. Hij staarde haar aan, zijn eigen antwoord overdenkend.

Nancy was verbaasd: ze had niet verwacht dat ze een monnik zou moeten helpen op zijn eigen terrein. Ik bedoel, dacht ze, het is toch allemaal vrij duidelijk? Maar aan de andere kant… Babycham had gezegd dat hij het niet waard was, en haar vader had gezegd: 'Het is een kwestie van geven en nemen en hij geeft niet.' Ze hadden allebei gelijk. Niemand scheen het echter te begrijpen. Het ging er niet om of zij er beter van werd, of dat hij haar wel verdiende.

Nancy wenste de monnik een heel fijne kerst en stapte weer in de taxi.

'Wormwood Scrubs,' zei ze, naar voren leunend.

De chauffeur fronste ongelovig zijn wenkbrauwen. 'De gevangenis... in Londen?'

'Die bedoel ik,' zei Nancy olijk, 'mijn man is te gast in de D-vleu-
gel.'

'Dat kost u een fortuin... het is uren rijden.'

'Ik heb zo mijn problemen,' zei Nancy zuchtend, 'maar niet met
geld.'

Terwijl ze bij het klooster wegreden begon Nancy's chauffeur te
kletsen, precies zoals Cindy van de kapsalon altijd deed. Nancy was
nu natuurlijk 'iemand'. Ze was de vrouw van een schurk. De chauffeur
wilde weten wat hij gedaan had, maar durfde het niet rechtstreeks te
vragen. Maar hij zou erachter komen – net als Cindy altijd overal
achter kwam – lang voor ze in Londen aan zouden komen.

Volgens inspecteur Cartwright had Riley al bezoek gehad: van een
luitenant-kolonel uit het Leger des Heils.


# 9


George keek niet om nadat hij Nancy had verlaten. Hij volgde het
pad naar Larkwood met een toenemend gevoel van eenzaamheid en
verlies. Hij raakte erdoor verblind en sjokte maar door zonder acht
te slaan op zijn omgeving, afgezien van de kleine steentjes onder zijn
schoenen. Vogels zongen in de bomen die strak tegen de berm aan
stonden.

Toen George opkeek zag hij dat een vrouw hem tegemoetkwam.
Eerst herkende hij haar niet omdat ze niet in deze omgeving thuis-
hoorde. Een klooster was niet haar normale leefomgeving, hoewel...
*The Sound of Music* wel haar lievelingsfilm was. Hij viel ten prooi aan
een verschrikkelijke verwarring, een verwarring die gekomen was nadat hij tegen zijn hoofd was getrapt. Het kwam nu soms voor dat hij
twijfelde aan wat hij meemaakte op zijn weg door een wereld die hij
niet meer helemaal begreep. Dat is het belang van de herinnering en

de dingen die erdoor worden bewaard, want zoals George heel goed wist: alleen door het geheel te onthouden is er enige hoop dat we het geheel ook kunnen begrijpen. En wanneer dat niet lukt, word je heel terughoudend. Maar Emily was er echt, ze kwam recht op hem af langs dezelfde denkbeeldige lijn waarlangs ze toen op de gang van de bovenste verdieping van het Bonnington had gelopen. Achter haar verscheen pater Anselmus… hij rende langs hem heen en vroeg naar Nancy, en George mompelde iets terwijl hij zijn ogen gericht hield op een verschijning uit zijn verleden, een verschijning die huilde.

Nog steeds in een soort dronkenschap van twijfel – en angst dat iemand hem weldra ging vertellen wat er werkelijk gebeurde – nam hij afscheid van een parade van monniken, alsof hij de paus was. De kofferbak van Emily's auto stond open… figuren in pijen brachten een kist met appelen, twee flessen pruimenbrandy en wat ingemaakte peren. Hij mompelde in zichzelf terwijl iemand hem bij de elleboog pakte. Het portier bij de passagiersplaats sloeg dicht. Hij draaide het raampje open alsof hij lucht nodig had om te kunnen ademen. Een kleine menigte lachte en zwaaide en naast hem kreeg Emily het sleuteltje niet in het contact. Iemand deed het voor haar en toen lachte ze in haar zakdoek. Een lange stoet eiken schoof langzaam voorbij, alsof het de auto was die stilstond. Toen opende zich een landschap van lieflijke heuvels met hier en daar enkele huizen, en was de plek die zijn toevluchtsoord was geweest verdwenen.

'Emily,' zei George, nu heel zelfverzekerd, 'gaan we naar huis?'
'Ja.'
Hij keek naar de heggen en dacht aan de andere man die hij in Mitcham had gezien. 'Ik heb al een keer geprobeerd terug te komen.'
'Ik weet het,' zei Emily. Ze begreep het. 'Niemand heeft ooit jouw plaats ingenomen. Peter is nooit meer geweest dan een vriend. Hij was voor mij wat Nancy voor jou was. En God weet, George, hoe hard we vrienden nodig hebben gehad, al was het alleen maar om ons weer bij elkaar te brengen.'
Emily legde uit dat het huis er inmiddels heel anders uitzag, nieuw

en schoon. De buren waren nog dezelfden, maar om de hoek hadden ze een hond aangeschaft die 's avonds werd losgelaten.

'Waarom wil je me terug?' vroeg George, aan de mouwen van zijn blazer trekkend.

'Omdat ik je weer heb teruggevonden, in je notitieboeken,' antwoordde ze, terwijl ze de versnellingspook pakte maar niet van versnelling veranderde. 'Ik begrijp niet hoe ik je ooit heb kunnen laten gaan. Misschien had ik alle proporties uit het oog verloren, zag ik niets meer helder... was ik alles kwijt, alles wat ons samen heeft gebracht. Ik heb niet alleen jou teruggevonden, George, maar ook mezelf.'

George sliep – niet de slaap die komt door uitputting na hard werken, of de vermoeidheid van hevige emoties. Een enorme zwaarte was op hem neergedaald, alsof een heel leven tot een einde was gekomen. Ergens in Londen werd hij wakker, weer onzeker over wat hij zag tot de auto stilstond bij het huis dat hij jaren geleden verlaten had. Het was heel donker.

'Kunnen we opnieuw beginnen?' vroeg Emily met een stem zwaar van hoop.

'Nee, dat denk ik niet.'

Door de voorruit keken ze naar het gescharrel van een zwerfhond. George had een uitgesproken mening over honden – vooral over honden die blaften.

'Kunnen we wel weer doorgaan waar we gebleven waren?'

'Dat lijkt me een goed idee,' zei George. 'Natuurlijk kan ik me niet herinneren wat er in de tussentijd gebeurd is.' Hij pakte haar hand. 'Het zal zijn alsof er nooit iets gebeurd is.'

Dat was natuurlijk niet waar. Het was een grapje bedoeld om de afstand tussen eerlijkheid en verwachting te overbruggen. Emily opende de voordeur en George kwam thuis, zoals hij was weggegaan: zonder enige bagage. En wat had het hem eigenlijk opgeleverd? Niets tastbaars, dacht hij vrolijk, behalve appels, pruimenbrandy en wat peren in een pot.

## 10

Een inmiddels allang vergeten gilbertijn had ooit het wilde idee gehad dat de doden van Larkwood omwoeld moesten worden door de wortels van espenbomen. Het idee werd geestdriftig omhelsd zonder dat ook maar één molbruine monnik een seconde had stilgestaan bij de logistieke gevolgen die dit zou hebben: dat elk nieuw graf door de wortels heen gedolven moest worden. Maar de volharding overwon, waardoor het veld nu, jaren later, tussen de slanke boomstammen bezaaid lag met witte houten kruisen, alsof ze daar samen met de paardenbloemen ontloken waren. Aan de oever die zich aan de overkant van het veld bevond was een biels neergelegd voor het gemak van de bezoekers. Daar zaten Anselmus en de prior, gehuld in hun pijen.

'Als ik iedereen de revue laat passeren die bij deze zaak betrokken was,' zei Anselmus, 'mevrouw Dixon, Walter Steadman, Elizabeth, George, Nancy, ikzelf... dan zijn we allemaal in verschillende mate verantwoordelijk voor wat er gebeurd is; tegelijkertijd zijn we er allemaal in verschillende mate niet schuldig aan.'

'Je hebt meneer Riley niet genoemd.'

Dit was ondanks hemzelf gebeurd en dat vond Anselmus veelzeggend. Er bleek namelijk uit dat er een belangrijke kwestie was waar hij zijn standpunt nog niet in bepaald had. Enigszins de grenzen van de betamelijkheid overschrijdend had inspecteur Cartwright hem het verslag van Rileys verhoor laten lezen. Er waren nauwelijks vragen gesteld. Riley had soms zo snel in de microfoon gesproken dat degene die alles later uit moest typen hem niet altijd kon verstaan. Op elke pagina kwamen ettelijke weglatingen voor. Te oordelen vanuit hun gezamenlijke ervaring concludeerden ze dat zijn verklaring een unieke mengeling was van eerlijkheid, inzichtelijkheid, goed denkvermogen en iets wat in wezen neerkwam op zelfrespect. Toen hij verteld had wat hij had gedaan, hoe, en ook – en dat was het merkwaardigste van alles – waarom, zei hij tegen de aanwezige beambten: 'Kijk, ik huil.' Met zijn hand had hij zijn gezicht betast alsof het niet het zijne was. Inspecteur Cartwright vertelde dat hij dit maar bleef herhalen terwijl hij de kamer rondkeek. Het leek wel alsof hij melding maakte van een prestatie.

'De passages die me het meest verontrusten,' bekende Anselmus, 'zijn die waarin hij de schuld op zich neemt. Herhaaldelijk zegt hij dat hij zijn keuzes had gemaakt, dat niemand hem gedwongen had en dat hij op eigen benen stond. Er lijkt een soort ijdelheid, een verdorven trots uit te spreken; alsof hij zich vastklampt aan alles wat hem nog bij elkaar houdt, hoe gruwelijk het ook is. Toch lijkt hij op een gegeven moment gezegd te hebben – bijna onhoorbaar, denk ik, want de typist had het tussen vraagtekens gezet – "Ik heb nooit een kans gehad". Maar deze aanzet tot het aanvoeren van verzachtende omstandigheden wordt door hemzelf onmiddellijk in de kiem gesmoord.' Anselmus trok zijn pij dichter om zich heen en sloeg zijn armen om zijn opgetrokken knieën. 'Was hij werkelijk vrij, ook al beweert hij dat zijn daden hem alleen door hemzelf werden ingegeven? Ben je verantwoordelijk wanneer je geestelijk zo beschadigd bent? Het idee dat de keuzes die vandaag gemaakt worden toch bepaald zijn door rampspoed uit het verleden vervult me met angst.'

'Misschien is dat terecht,' zei de prior simpelweg. 'Maar misschien ook niet. Toen ik voor het eerst de biecht afnam geloofde ik dat al het kwaad in beginsel een verwonding was en nooit een keuze – en dat geloof ik nog steeds, voor zover het houdbaar is. Maar ik heb de alleraardigste mensen meegemaakt die me in alle vrijheid en zonder een ongelukkig verleden als verzachtende omstandigheid de meest gewetenloze daden hebben opgebiecht. En ik geloof die mensen. Beschadigde én vrije zielen: allemaal maken ze brokken. Er is echter één smal stukje terrein waarop ze gelijkwaardig zijn. Het lijkt misschien onrechtvaardig, maar beiden kunnen vergeven worden – niet omdat ze kunnen aantonen dat ze dat verdienen, maar omdat ze allemaal spijt kunnen betuigen. Vroeger vond ik het onverteerbaar dat iedereen op dezelfde manier vergeven kan worden, ook al verdient de een het zoveel meer dan de ander.'

'Wat was het dat u van gedachten deed veranderen?'

De ogen van de prior begonnen te twinkelen. 'Een beetje zelfkennis.' Hij stond op en trok de achterkant van zijn pij recht. 'Wat meneer Riley betreft: wie weet waar hij staat? We kunnen niet bepalen wie werkelijk vrij is en wie niet, en waarin het verschil eigenlijk schuilt. We moeten maar doormodderen – wij allemaal – en goed onthouden, denk ik, dat het uiteindelijk niet aan ons is om genade te verschaffen.'

Resoluut sloeg pater Andrew het pad in dat van de espenbomen naar Larkwood liep. Hij had een vergadering die door Cyril was belegd. Het staren naar grafstenen, had hij gezegd, was een uitstekende manier om zich daarop voor te bereiden.

De winterzon stond laag en wolken dreven over Saint Leonard's Field. De lucht zat vol neerslag en het licht had een merkwaardige roze tint.

De rechtbank, dacht Anselmus, zou de kwestie betreffende Rileys intenties en verdiensten met verkwikkende helderheid behandelen. Hij zou een berisping krijgen, een zekere mate van medeleven en een langdurige celstraf. Dit laatste, bedacht hij, zou voor Nancy wel een zegen zijn. Zijn vele misdrijven ten spijt, had Anselmus met Graham Riley te doen. Hij kon zich moeilijk losmaken van het beeld van het jongetje dat gekleurde stenen en doppen van flessen verzamelt en vervolgens een pook in een meertje gooit in de hoop dat hij nooit meer boven water zal komen. In zekere zin was Elizabeth erin geslaagd zichzelf te herscheppen, en dat gold ook voor George. Ze waren weggelopen en elders opnieuw begonnen. Riley had in dat opzicht jammerlijk gefaald. Hij had Dagenham nooit echt verlaten. De rechtbank kon hem niet meer straffen. Hoe streng zijn straf ook zou zijn, hij kon er niet meer door geraakt worden. In verschillende onrustbarende opzichten bevond Riley zich buiten het bereik van de wet. Maar niet buiten het bereik van Nancy...

Dat gehavende instrument, had Elizabeth hem genoemd. Uiteindelijk had zij ook gekozen voor mededogen.


Anselmus keek op, zijn aandacht werd getrokken door een kleine, ronde figuur die haastig over het pad naar hem toe kwam lopen. Hij droeg een bruine winterjas waarvan hij de kraag had opgezet en een rode wollen muts met een pompon.

'Frank Wyecliffe,' mompelde Anselmus verbaasd.

De jurist maakte een buiging, schudde hem de hand, keek argwanend om zich heen en nam plaats op de biels. Er was een gevoelige kwestie die hij wilde bespreken, zei hij. Hij had naar Anselmus gevraagd en een monnik had hem haarfijn uitgelegd waar de begraafplaats was, de plek die, gezien de aanhangige kwestie, voor dit doel uiterst geschikt was. Hij knipperde met zijn ogen en keek naar de espenbomen.

'Zo… dus dit is de manier waarop jij je vrije tijd tegenwoordig invult?'

'Een deel ervan, niet alles,' antwoordde Anselmus.

'Heel leuk.'

Meneer Wyecliffe wreef zijn handen tegen elkaar en blies er vervolgens op. Zijn hoofd was bijna in zijn kraag verdwenen. Hij zei: 'Onze gezamenlijke kennis inspecteur Cartwright is van mening dat mijn oude cliënt meneer Riley zijn dwaze plan nooit kan hebben bedacht zonder daarin door een deskundige te zijn bijgestaan. Zij denkt dat ik erachter zit. Maar dat soort hulp bied ik niet – zeker niet op pro-Deobasis…' Hij wierp een blik over de rand van zijn kraag. 'Grapje… oké?'

'Ja,' antwoordde Anselmus.

'Ik zit er niet op te wachten weer door de Law Society op het matje te worden geroepen,' zei hij, huiverend van de kou. 'Zou jij onze goede vriendin uit kunnen leggen dat ik niet verantwoordelijk ben voor wat Rileys brein heeft uitgebroed? En dat ik mij beperk tot de gevolgen daarvan?'

'Natuurlijk.' Anselmus keek met warmte en een zekere bewondering naar de in elkaar gedoken figuur naast hem. Dertig jaar lang had Frank Wyecliffe Graham Rileys belangen behartigd – van overdrachtskwesties tot moord; hij was een zeer gewiekste gids voor hem geweest: een leidsman in het doolhof van het recht. Als hij iets naar zijn hand kon zetten om zijn cliënt een voordeeltje te bezorgen dan deed hij dat, met een buiging erbij. Wat hij deed was noodzakelijk en hij deed het met toewijding; hij was een goed mens, hoewel het werk dat hij deed onvermijdelijk zijn sporen achterliet.

'Frank…' Anselmus begon te glimlachen. Eindelijk was hij ergens uit. 'Heb jij namens Elizabeth brieven gepost die aan mij en inspecteur Cartwright gericht waren?'

Weer rees het harige hoofd op uit de kraag. Zijn kleine oogjes stonden vragend: bleef dit onder ons of niet? 'Beschouw het maar als een soort biecht,' zei hij, beide mogelijkheden openhoudend.

Niet lang na haar laatste bezoek aan Larkwood bleek Elizabeth naar Cheapside te zijn gekomen. Zoals Anselmus een sleutel had gekregen, kreeg meneer Wyecliffe twee brieven overhandigd. Ook hij was gevraagd in actie te komen als ze zou overlijden. Beiden hadden met vertraging gereageerd (in Wyecliffe's geval kwam dat doordat de brieven op zijn kantoor waren zoekgeraakt. Het telefoontje van Nick had hem tot een zoekactie op handen en knieën aangezet).

Anselmus kon een lach niet onderdrukken. Er bestond een grimmig soort juristenhumor. Bovendien vond hij het geestig hoe Elizabeth de taken had verdeeld.

'Wat je moet weten,' zei hij, 'is dat de brief die je naar mij hebt opgestuurd ertoe heeft geleid dat jouw cliënt nu voor moord wordt aangeklaagd – want door die brief heb ik mevrouw Dixon ontmoet. En als Elizabeth geen juridische fout had gemaakt, had je met de andere brief inspecteur Cartwright het bewijsmateriaal toegespeeld waarmee Riley veroordeeld zou worden wegens een op immorele wijze verkregen inkomen.'

Meneer Wyecliffe staarde met half toegeknepen ogen naar de espenbomen en zei: 'Ik vraag me af wat de Law Society daarvan had gevonden.'

'Maak je geen zorgen, Frank,' zei Anselmus. 'We zitten allemaal in hetzelfde schuitje. Ze heeft iedereen een eigen rol toebedeeld, afhankelijk van wat ze gedaan hadden: dat gold voor mij, voor George, voor jou en zelfs voor inspecteur Cartwright. Het was haar bedoeling dat we allemaal ons verdiende loon zouden krijgen, vooral jouw cliënt.'

Haastig liep meneer Wyecliffe terug zoals hij was gekomen, een zo totaal andere figuur dan de prior, maar wellicht op zijn eigen manier minstens zo belangrijk.

De takken trilden en sneeuwvlokken begonnen naar beneden te dwarrelen. Onmiddellijk was de hele vallei van de Lark met spikkels bedekt. Het winterse groen begon te vervagen en de bossen werden wit. Er was zoveel activiteit, en zo'n volkomen stilte. Wat zal er ontstaan in de ruimte die ik straks achterlaat? peinsde hij. Iets wat anderen vreugde zal geven, of pijn? Hij wist het niet, maar vond dat hij het zou moeten weten. 'Dit is het moment om dat vast te stellen,' zei hij hardop. En met die huldeblijk aan Elizabeth kwam hij overeind en zocht hij zijn toevlucht in het kleine gereedschapsschuurtje dat tegen de kloostermuur aan stond. Toen hij de deur na enig morrelen openkreeg, scheerde een gele vlinder langs hem heen het schuurtje uit, om even snel weer te verdwijnen als hij verschenen was.